Das Buch

Im Sommer 1954 setzt US-Marshal Teddy Daniels zusammen mit seinem Partner Chuck Aule von Boston über nach Shutter Island, wo sich das Ashecliffe Hospital für psychisch kranke Straftäter befindet. Es wird eine Patientin vermisst, Rachel Solando, die spurlos aus ihrer verschlossenen Zelle verschwunden ist. Nur ein Zettel mit kryptisch anmutenden Notizen wurde gefunden, die aber von niemandem entschlüsselt werden können. Kurz darauf verschwindet auch noch ein Arzt, der offensichtlich eine Beziehung mit der Patientin hatte. Auch er hinterlässt keine Spuren – weder im Hospital noch auf der Insel.

Daniels tut alles in seiner Macht stehende, um die Verschwundenen ausfindig zu machen. Selbst als ein ungeheurer Hurrikan losbricht, setzt er mit Aule im allgemeinen Chaos seine Nachforschungen fort. Doch je näher er der Wahrheit kommt, umso stärker wird sein Gefühl, die Kontrolle zu verlieren – will man ihn in den Wahnsinn treiben, um ihn auf der Insel festzuhalten?

Der Autor

Dennis Lehane lebt in Boston. Für seinen ersten Thriller *Streng vertraulich!* erhielt er den Shamus Award. Alle seine Romane standen mehrere Wochen auf der Krimi-Bestsellerliste und wurden von der US-Presse begeistert aufgenommen. Clint Eastwoods Verfilmung von *Mystic River* erhielt mehrere Oscars. Hierzulande wurde Dennis Lehane bereits dreimal in Folge mit dem Deutschen Krimipreis ausgezeichnet.

Von Dennis Lehane sind in unserem Hause bereits erschienen:

Absender unbekannt
In tiefer Trauer
Kein Kinderspiel
Mystic River
Regenzauber
Streng vertraulich!

Dennis Lehane

Shutter Island

Roman

Aus dem Englischen
von Andrea Fischer

Ullstein

Besuchen Sie uns im Internet:
www.ullstein-taschenbuch.de

Umwelthinweis:
Dieses Buch wurde auf chlor- und säurefreiem Papier gedruckt.

Ungekürzte Ausgabe im Ullstein Taschenbuch
1. Auflage Mai 2005
3. Auflage 2005
© für die deutsche Ausgabe Ullstein Buchverlage GmbH, Berlin 2004
© 2003 by Dennis Lehane
Titel der amerikanischen Originalausgabe: *Shutter Island*
(William Morrow, New York)
Umschlaggestaltung: Büro Hamburg
Titelabbildung: © Christopher Myers
Gesetzt aus der Sabon
Satz: Pinkuin Satz und Datentechnik, Berlin
Druck und Bindearbeiten: Ebner & Spiegel, Ulm
Printed in Germany
ISBN-13: 978-3-548-26194-2
ISBN-10: 3-548-26194-9

Für Chris Gleason und Mike Eigen.
Die lauschten. Und hörten.
Und manches trugen.

... must we dream our dreams
and have them, too?

– Elizabeth Bishop,
»Questions of Travel«

PROLOG

AUS DEN AUFZEICHNUNGEN VON
DR. LESTER SHEEHAN

3. Mai 1993

SEIT VIELEN JAHREN habe ich die Insel nicht mehr gesehen. Das letzte Mal war es vom Boot eines Freundes aus, das sich auf das offene Meer hinauswagte. Da lag sie in der Ferne hinter dem inneren Ring von Inseln, verschleiert vom sommerlichen Dunst, ein achtlos hingeschmierter Farbfleck am Horizont.

Es ist über zwanzig Jahre her, dass ich zum letzten Mal einen Fuß auf die Insel gesetzt habe, obwohl Emily sagt (mal im Scherz, mal nicht), sie würde bezweifeln, dass ich die Insel je verlassen hätte. Einmal meinte sie, die Zeit sei für mich lediglich eine Sammlung von Lesezeichen, mit deren Hilfe ich kreuz und quer durch das Buch meines Lebens blätterte und immer wieder zu den Ereignissen zurückkehrte, durch die ich nach Meinung meiner scharfsichtigeren Kollegen die klassischen Charakterzüge eines Melancholikers bekommen habe.

Emily könnte Recht haben. Sie hat so oft Recht.

Bald werde ich auch sie verlieren. Ein paar Monate noch, hat Dr. Axelrod am Donnerstag gesagt. Machen Sie die Reise, von der Sie schon immer geträumt haben, hat er uns geraten. Nach Florenz oder Rom, nach Venedig im Frühling. Weil Sie mir auch nicht besonders gut aussehen, Lester, hat er hinzugefügt.

Kann wohl sein. In letzter Zeit verlege ich zu oft irgendwelche Dinge, vor allem meine Brille. Und die Autoschlüssel. Ich betrete ein Geschäft und weiß nicht mehr, was ich dort wollte. Ich komme aus dem Theater und kann mich nicht erinnern, was ich gerade gesehen habe. Wenn die Zeit für mich wirklich nur eine Sammlung von Lesezeichen in einem Buch ist, dann kommt es mir vor, als hätte jemand die Eselsohren glatt gestrichen und das Buch so lange geschüttelt, bis alle vergilbten Zettel, abgerissenen Streichholzheftchen und flach gepressten Kaffeerührstäbe herausgefallen sind.

Deshalb möchte ich das alles aufschreiben. Ich will nichts verändern, mich nicht in einem besseren Licht darstellen. Nein, nein. Das würde er niemals gutheißen. Auf seine Weise hasste er Lügen mehr als jeder andere. Ich möchte lediglich das Geschehene bewahren, möchte es von seinem jetzigen Archiv (das tatsächlich langsam feucht wird und leckt) auf diese Seiten übertragen.

Ashecliffe Hospital lag im Nordwesten der Insel. Es wirkte einladend, könnte man hinzufügen. Das Gebäude hatte nicht die geringste Ähnlichkeit mit einer Klinik für kriminelle Geisteskranke und schon gar nicht mit einer Militärkaserne, die es vorher gewesen war. Die meisten von uns erinnerte es, ehrlich gesagt, an ein Internat. Direkt vor dem Komplex wohnte der Anstaltsleiter in einem viktorianischen Gebäude mit Mansardendach. Als Quartier unseres ärztlichen Direktors diente ein wunderschönes düsteres Tudorschlösschen, das einst den Kommandanten der Unionsarmee der nördlichen Ostküste beherbergt hatte. Die Unterkünfte des Personals befanden sich innerhalb der Mauern – altmodische holzverschalte Häuschen für die Klinikärzte, und je ein flaches Wohnheim aus Leichtbeton für die Pfleger, die Wärter und die Krankenschwestern. Im Hof wuchs Rasen, außerdem in Form geschnittene Hecken, große, Schatten spendende Eichen, Waldkiefern, gestutzte Ahorne und Apfelbäume, deren Früchte im Spätherbst auf die Mauer oder ins Gras fielen. In der Mitte der Anlage standen zu beiden Seiten des Klinikgebäudes, einem Bau aus grauschwarzen Quadern und hübschem Granit, zwei Kolonialhäuser aus rotem Backstein. Jenseits der Mauern waren die Klippen, das Watt und ein lang gezogenes Tal, in dem nach der Amerikanischen Revolution eine Kolchose entstanden und wieder verfallen war. Die Bäume, die jene Bauern gepflanzt hatten, standen noch immer dort – Pfirsich- und Birnenbäume und die Schwarze Apfelbeere –, trugen indes keine Früchte mehr, und oft heulten die Nachtwinde durch das Tal und schrien wie Katzen.

Und dann natürlich die Festung, die es schon gegeben hatte, bevor die ersten Mitarbeiter ihren Fuß auf die Insel setzten. Sie erhebt sich unverändert über den Klippen im Süden. Dahinter der Leuchtturm, den schon vor dem Bürgerkrieg das Licht von Boston Light überflüssig gemacht hatte.

Vom Wasser aus war die Insel nicht sonderlich beeindruckend. Man muss sie sich so vorstellen, wie Teddy Daniels sie an jenem ruhigen Morgen im September 1954 sah: ein überwucherter Fleck im Außenhafengebiet von Boston. Kaum eine richtige Insel, mochte man denken, höchstens ein Versuch. Wozu die wohl gut ist, mag Teddy gedacht haben. Wozu?

Die größten Exemplare unserer Tierwelt waren Ratten. Sie raschelten im Unterholz, tummelten sich nachts am Ufer und huschten über nasse Felsen. Einige waren so groß wie Flundern. In den Jahren nach jenen vier denkwürdigen Tagen im Spätsommer 1954 gewöhnte ich mir an, in einer Spalte in den Klippen der Nordküste zu sitzen und die Ratten zu beobachten. Fasziniert entdeckte ich, dass einige versuchten, nach Paddock Island zu schwimmen, kaum mehr als ein Fels im Sand, der jeden Tag zweiundzwanzig Stunden vom Wasser bedeckt war. Wenn die Insel bei niedrigstem Wasserstand ein, zwei Stunden lang auftauchte, schwammen sie manchmal los, diese Ratten, nie mehr als ein gutes Dutzend, doch die Rippströmung riss sie immer wieder zurück.

Ich schreibe ›immer‹, aber das stimmt nicht. Eine hat es mal geschafft. Einmal. In einer hellen Vollmondnacht im Oktober 1956. Ich sah sie, einem schwarzen Mokassin gleich, über den Sand huschen.

Glaube ich jedenfalls. Emily, die ich auf der Insel kennen gelernt habe, wird sagen: »Lester, das kann nicht sein. Die Insel ist zu weit weg.«

Sie hat Recht.

Und trotzdem weiß ich, was ich gesehen habe. Ein dicker Mokassin flitzte über den Sand, den perlgrauen Sand, der bereits langsam versank, weil die Flut Paddock Island wieder verschluckte. Wohl auch die Ratte, denn ich habe sie nicht zurückschwimmen sehen.

Aber in dem Augenblick, als ich sie sah (und ich habe sie gesehen, wirklich, von wegen weit weg), dachte ich an Teddy. Ich dachte an Teddy und an seine arme tote Frau, Dolores Chanal, an die schrecklichen zwei, Rachel Solando und Andrew Laeddis, und welche Katastrophe sie über uns hereinbrechen ließen. Ich dachte, wenn Teddy neben mir säße, hätte er die Ratte auch gesehen. Bestimmt.

Und soll ich noch was sagen?

Teddy?

Der hätte geklatscht.

ERSTER TAG

Rachel

1

TEDDY DANIELS' VATER war Fischer. 1931 verlor er sein Schiff an die Bank, da war Teddy elf, und den Rest seines Lebens heuerte er auf anderen Booten an oder löschte Fracht an den Docks, wenn es auf den Schiffen nichts für ihn zu tun gab. Über lange Zeiträume war er morgens um zehn zurück, saß im Sessel, betrachtete seine Hände und redete zuweilen leise mit sich selbst, die Augen groß und dunkel.

Als kleinen Jungen hatte er Teddy mit zu den Inseln genommen, aber Teddy war zu klein, um auf dem Boot eine große Hilfe zu sein. Er hatte nur die Leinen entwirrt und die Haken gelöst. Mehrmals hatte er sich geschnitten. Blutstropfen standen auf seinen Fingerkuppen und verschmierten seine Handflächen.

Im Dunkeln waren sie aufgebrochen, und die aufgehende Sonne schob sich, gleich kaltem Elfenbein, aus dem Wasser.

Zusammengekauert traten die Inseln aus der Dämmerung, als seien sie bei etwas Verbotenem ertappt worden.

Am Strand einer Insel sah Teddy kleine, pastellfarbene Hütten, auf einer anderen ein verfallendes Kalksteingebäude. Sein Vater zeigte ihm das Gefängnis auf Deer Island und die imposante Festung auf Georges Island. In den hohen Bäumen von Thompson Island saßen unzählige Vögel, ihr Gezwitscher war ein Sturm aus Hagel- und Glassplittern.

Shutter Island lag weiter draußen, hinter den anderen Inseln, als sei sie von einer spanischen Galeone über Bord geworfen worden. Damals, im Frühjahr 1928, war sie sich selbst überlassen, wurde von Grün überwuchert. Die Festung auf dem höchsten Punkt der Insel erstickte unter Kletterpflanzen und einer Moosschicht.

»Wieso heißt sie Shutter Island?«, fragte Teddy.

Sein Vater zuckte mit den Achseln. »Du immer mit deinen Fragen. Musst ständig fragen.«

»Und, warum heißt sie so?«

»Manche Sachen bekommen einfach einen Namen, und so heißen sie dann. Wahrscheinlich von Piraten.«

»Piraten?« Das hörte sich gut an. Teddy konnte sie sich vorstellen: große Männer mit Augenklappen, Stulpenstiefeln und blitzenden Schwertern.

»Hier haben sich die Piraten damals versteckt«, sagte sein Vater. Mit einer ausholenden Handbewegung wischte er über den Horizont. »Auf diesen Inseln. Sich selbst – und ihr Gold.«

Teddy sah Münzen vor sich, die aus Schatztruhen quollen.

Später dann wurde ihm schlecht, und er übergab sich mehrmals heftig, schleuderte dunkles Erbrochenes über die Reling ins Wasser.

Sein Vater war erstaunt, weil Teddy erst nach mehreren Stunden schlecht geworden war. Das Meer war längst wieder glatt und glitzerte in seiner Ruhe. Sein Vater sagte: »Schon in Ordnung. Ist ja dein erstes Mal. Brauchst dich nicht zu schämen.«

Teddy nickte und wischte sich den Mund mit dem Tuch ab, das sein Vater ihm reichte.

Sein Vater sagte: »Manchmal schaukelt es nur leicht, und man merkt es erst, wenn es einem hochkommt.«

Erneutes Nicken. Teddy konnte seinem Vater nicht sagen, dass es nicht das Schaukeln war, das ihm den Magen umgedreht hatte.

Es war das Wasser. Es umgab sie in allen Himmelsrichtungen, erstreckte sich so weit, dass nichts mehr von der Welt übrig war. So weit, dass Teddy glaubte, es könne den Himmel verschlucken. Bis dahin hatte er nicht gewusst, dass sie so allein waren.

Mit triefenden, rot unterlaufenen Augen schaute er zu seinem Vater auf. Der sagte: »Das wird schon wieder«, und Teddy versuchte zu lächeln.

Im Sommer '38 lief sein Vater mit einem Bostoner Walfänger aus und kam nicht mehr zurück. Im darauf folgenden Frühling wurden Teile des Schiffes in Teddys Heimatstadt Hull an den Strand gespült. Ein Stück vom Kiel, ein Kocher mit dem eingravierten Namen des Kapitäns im Fuß, Konserven mit Tomaten- und Kartoffelsuppe, ein paar verformte, durchlöcherte Hummerfallen.

Die Trauerfeier für die vier Fischer wurde in der St. Theresa's Church abgehalten, die ihren Rücken gegen ebenjenes Meer stemmte, das ihr schon so viele Gemeindemitglieder genommen hatte, und Teddy stand neben seiner Mutter und lauschte den Lobreden auf den Kapitän, den Steuermann und den Dritten im Bunde, einen alten Seebär namens Gil Restak, der mit zerschmetterter Ferse und hässlichen Bildern im Kopf aus dem Ersten Weltkrieg zurückgekehrt war und seitdem die Kneipen von Hull terrorisiert hatte. Doch im Tode, hatte einer der betroffenen Barkeeper gesagt, sei alles vergeben.

Der Schiffsbesitzer, Nikos Costa, gestand, dass er Teddys Vater kaum gekannt habe, dass er ihn in letzter Minute angeheuert habe, weil ein Crewmitglied vom Lastwagen gefallen war und sich das Bein gebrochen hatte. Dennoch, der Kapitän hätte anerkennend von ihm gesprochen, jeder in der Stadt wüsste, dass er ordentlich arbeitete. Und war das nicht das höchste Lob, das man einem Mann zollen konnte?

Dort in der Kirche dachte Teddy zurück an jenen Tag auf dem Boot seines Vaters, denn sie waren nie wieder gemeinsam hinausgefahren. Sein Vater hatte es ihm immer wieder versprochen, aber Teddy wusste, er sagte es nur, um seinen Sohn nicht zu demütigen. Nie hatte sein Vater ein Wort darüber verloren, was an jenem Tag geschehen war, aber auf dem Heimweg an all den Inseln vorbei, Shutter Island hinter ihnen, Thompson Island noch voraus, die Silhouette der Stadt so klar und deutlich sichtbar, dass man glaubte, man könne die Gebäude an ihren Spitzen hochheben, da hatten sie sich einen Blick zugeworfen.

»Das ist das Meer«, hatte sein Vater gesagt, als sie gegen das Heck gelehnt standen, und Teddy dabei leicht über den Rücken gestrichen. »Manche Männer lässt es nicht mehr los. Andere lässt es nicht an sich heran.«

Und seinem Blick hatte Teddy entnommen, zu welcher Kategorie er eines Tages gehören würde.

Wenn man im Jahr 1954 nach Shutter Island wollte, stieg man in Boston auf die Fähre und wurde an vielen vergessenen Inselchen vorbeigetragen – Thompson und Spectacle, Grape und Bumpkin, Rainford und Long –, die sich mit drahtigen Sandbüscheln, knorrigen Bäumen und knochenbleichem Gestein in den Skalp des Meeres krallten. Dienstags und samstags lieferte die Fähre Versorgungsgüter an, sonst gab es keinen festen Fahrplan. Das Schiff war innen völlig leer, lediglich ein Metallblech bedeckte den Boden, und unter den Fenstern verliefen zwei Stahlbänke. Sie waren im Boden verankert und seitlich an dicken schwarzen Pfosten festgeschraubt. An den Pfosten hingen Handschellen und Ketten wie Spaghetti.

An diesem Tag jedoch beförderte die Fähre keine Patienten in die Anstalt, sondern Teddy und seinen neuen Kollegen Chuck Aule, ein paar Leinensäcke mit Post und Kisten mit medizinischem Bedarf.

Für Teddy begann die Überfahrt auf den Knien vor der Kloschüssel. Er kotzte, während der Schiffsmotor tuckerte und polterte und ihm der ölige Geruch von Diesel und spätsommerlichem Meer in die Nase stieg. Er bekam nichts heraus, nur etwas Flüssigkeit. Dennoch zog sich seine Kehle zusammen, drückte der Magen gegen die Speiseröhre, und tanzten Staubkörnchen vor seinem Gesicht.

Nach dem letzten Würgen bahnte sich ein Schwall Luft seinen Weg nach draußen. Die lautstarke Entladung riss Teddys Brust beinahe entzwei. Er ließ sich auf den Boden sinken, wischte sich das Gesicht mit dem Taschentuch ab und dachte, dass sich wohl keiner bei seinem neuen Kollegen so einführen wollte.

Er konnte sich bildlich vorstellen, wie Chuck zu Hause seiner Frau – falls er verheiratet war, Teddy wusste nicht einmal das – von der ersten Begegnung mit dem legendären Teddy Daniels erzählte: »Der war so begeistert von mir, Schätzchen, der hat gleich losgekotzt.«

Seit jener Bootsfahrt als Junge hatte Teddy keinen Spaß daran gehabt, auf dem Wasser zu sein. Eine derartige Abwesenheit von Land, von Landsicht, von Dingen, die man mit ausgestrecktem Arm berühren konnte, ohne dass die Hände darin verschwanden, hatte ihm keine Freude bereitet. Er redete sich ein, Schiff fahren sei in Ordnung – schließlich gelangte man nur so ans gegenüberliegende Ufer eines Gewässers –, aber das stimmte nicht. Selbst im Krieg hatte er sich nicht so sehr vor der Erstürmung des Ufers, sondern vor den wenigen Metern vom Boot zum Strand gefürchtet, wenn die Beine durch die Tiefe stapften und unheimliche Wesen über seine Stiefel glitten.

Dennoch war er lieber draußen an Deck und hielt das Gesicht in die frische Brise, als in der warmen Luft hier unten zu würgen.

21

Als es vorbei war, als sein Magen nicht mehr brodelte, sein Kopf sich nicht mehr drehte, wusch er sich Hände und Gesicht und prüfte sein Aussehen in dem kleinen Spiegel über dem Waschbecken. Das Glas war vom Meersalz stark angelaufen, aber in einer kleinen Wolke in der Mitte konnte Teddy sein Ebenbild erkennen: ein noch relativ junger Mann mit dem einheitlichen Bürstenschnitt vom Polizeifriseur. Aber die Spuren des Krieges und der Jahre danach standen ihm ins Gesicht geschrieben, seine Schwäche für die Faszination von Jagd und Gewalt sprach aus Augen, die Dolores einmal »traurige Hundeaugen« genannt hatte.

Ich bin zu jung, umso hart auszusehen, dachte Teddy.

Er rückte den Gürtel zurecht, damit Revolver und Holster auf der Hüfte saßen. Dann nahm er den Hut oben von der Toilette und setzte ihn so auf, dass sich die Krempe rechts ein wenig tiefer neigte. Er zog den Krawattenknoten fest. Es war ein Schlips mit auffälligem Blumenmuster, längst unmodern geworden, aber Teddy trug ihn, weil er ein Geburtstagsgeschenk von ihr gewesen war, weil sie ihm damit im Wohnzimmer die Augen verbunden hatte. Hatte die Lippen auf seinen Adamsapfel gedrückt. Eine warme Hand auf seine Wange gelegt. Apfelsinengeschmack im Mund. War auf seinen Schoß gerutscht, hatte die Krawatte gelöst, und Teddy hatte die Augen geschlossen gehalten. Um sie zu riechen. Um sie sich vorzustellen. Um sie im Kopf erschaffen und bewahren zu können.

Das gelang ihm noch immer – die Augen schließen und sie sehen. Aber in letzter Zeit lagerten sich weiße Flecken über ihr Bild – über Ohrläppchen, Wimpern, Haare. Es war noch nicht so weit, dass sie völlig im Dunkeln verschwand, aber Teddy hatte Angst, dass sie ihm von der Zeit genommen würde, dass die Zeit an dem Bild in seinem Kopf nagte und es zerstörte.

»Du fehlst mir«, sagte er und ging hinaus aufs Vorderdeck.

Draußen war es warm und klar, aber überall im Wasser

glitzerten dunkle Rosttöne, und darüber lag ein Schleier aus Grau, eine Ahnung, dass unten in der Tiefe etwas dräute, sich düster zusammenballte.

Chuck trank einen Schluck aus seiner Feldflasche und warf Teddy einen fragenden Blick zu. Teddy schüttelte den Kopf. Chuck schob die Flasche zurück in die Jackentasche, zog die Mantelschöße vorne zusammen und starrte aufs Wasser.

»Alles in Ordnung?«, fragte er. »Du bist blass.«

Teddy antwortete mit einem Achselzucken. »Geht schon.«

»Ja?«

Teddy nickte. »Muss mich bloß ans Schaukeln gewöhnen.«

Eine Weile schwiegen sie, umwogt vom Meer, das mitunter dunkel und seidig war wie Samt.

»Wusstest du, dass da früher ein Kriegsgefangenenlager war?«, fragte Teddy.

»Auf der Insel?«

Teddy nickte. »Während des Bürgerkriegs. Damals wurden eine Festung und Kasernen gebaut.«

»Was ist heute mit der Festung?«

Teddy zuckte mit den Schultern. »Weiß ich nicht. Auf den Inseln hier gibt's einige Festungen. Die meisten hat man im Krieg zu Übungszwecken als Zielscheibe für die Artillerie benutzt. Viele sind nicht mehr erhalten.«

»Und die Anstalt?«

»Soweit ich weiß, ist sie in den alten Truppenquartieren untergebracht.«

»Zurück in die Grundausbildung, was?«, sagte Chuck.

»Das wünsch uns lieber nicht.« Teddy drehte sich zur Reling um. »Erzähl mal was von dir, Chuck.«

Chuck grinste. Er war untersetzt und kleiner als Teddy, um die einsfünfundsiebzig, hatte dichtes schwarzes Kraushaar und olivbraune Haut. Seine schmalen, zarten Hände passten nicht zu ihm, sie sahen aus wie geliehen. Auf der linken Wange hatte er eine kleine sichelförmige Narbe, auf die er nun mit dem Zeigefinger tippte.

»Ich fang immer mit der Narbe an«, sagte er. »Früher oder später fragt jeder danach.«

»Gut.«

»Die ist nicht aus dem Krieg«, sagte Chuck. »Meine Freundin meint, ich soll sagen, sie wäre aus dem Krieg, dann wäre der Fall erledigt, aber ...« Er zuckte mit den Schultern. »Die Narbe ist vom Kriegsspielen. Als ich klein war. Ich war mit einem Freund im Wald, wir haben uns mit der Schleuder beschossen. Mein Freund schießt an mir vorbei, zuerst alles bestens.« Chuck schüttelte den Kopf. »Dann prallt der Stein von einem Baum ab, und ein Stück Rinde fliegt mir ins Gesicht. Daher die Narbe.«

»Vom Kriegsspielen.«

»Ja, vom Spielen.«

»Von Oregon hierher versetzt worden?«

»Von Seattle. Bin letzte Woche angekommen.«

Teddy wartete, aber Chuck erklärte sich nicht weiter.

»Wie lange bist du schon dabei?«

»Vier Jahre.«

»Dann weißt du ja, dass es ein kleiner Laden ist.«

»Klar. Du willst wissen, warum ich versetzt wurde.« Chuck nickte, als träfe er eine Entscheidung. »Ich könnte sagen, ich hatte den Regen satt.«

Teddy streckte die Hände über die Reling. »Wenn du meinst ...«

»Aber es ist ein kleiner Laden, da hast du schon Recht. Jeder kennt jeden. Früher oder später gibt's immer – wie sagen die noch mal? – Palaver.«

»So kann man das nennen.«

»Du bist das gewesen, der Breck geschnappt hat, stimmt's?«

Teddy nickte.

»Woher wusstest du, wo er hinwollte? Fünfzig Mann waren dem auf den Fersen, und alle sind nach Cleveland. Du als einziger nach Maine.«

»Er hat da mal als Kind mit seiner Familie Sommerferien

gemacht. Was er mit seinen Opfern angestellt hat, das macht man normalerweise mit Pferden. Hab mit einer Tante von ihm gesprochen. Die sagte, er wäre nur einmal im Leben glücklich gewesen, und zwar auf einem Pferdehof in der Nähe dieses Ferienhauses in Maine. Also bin ich hingefahren.«

»Fünfmal auf ihn geschossen«, sagte Chuck und blickte in den Schaum vor dem Bug.

»Hätte noch fünfmal mehr geschossen«, entgegnete Teddy. »Fünf hab ich halt gebraucht.«

Chuck nickte und spuckte ins Wasser. »Meine Freundin ist Japanerin. Klar, hier geboren, aber du weißt schon … Kommt aus einem Lager. An der Westküste gibt es immer noch ziemlich viel Verbitterung – in Portland, Seattle, Tacoma. Hab ständig Probleme, weil ich mit ihr zusammen bin.«

»Deshalb bist du versetzt worden?«

Chuck nickte, spuckte wieder und beobachtete, wie die Spucke in der schäumenden Gischt verschwand.

»Hab gehört, da braut sich richtig was zusammen«, sagte er.

Teddy hob die Ellenbogen von der Reling und richtete sich auf. Sein Gesicht war feucht, die Lippen salzig. Er war erstaunt, dass das Meer ihn gefunden hatte, denn er hatte gar nicht bemerkt, dass ihm Gischt ins Gesicht gesprüht war.

Er klopfte seine Manteltaschen ab, suchte seine Chesterfields. »Wer sagt das? Was braut sich zusammen?«

»Die Zeitungen«, erwiderte Chuck. »Ein Sturm. Wird richtig schlimm, schreiben sie. Gewaltig.« Er machte eine ausholende Handbewegung und zeigte in den fahlen Himmel, so fahl wie die schäumende Gischt vor dem Bug. Doch im Süden dehnte sich eine schmale Linie violetter Wattebäuschchen wie Tintenkleckse aus.

Teddy schnüffelte. »Du kannst dich bestimmt noch an den Krieg erinnern, Chuck, stimmt's?«

Chucks Grinsen ließ Teddy ahnen, dass sie sich bereits

25

aufeinander einspielten, dass sie herausfanden, wie sie sich gegenseitig verarschen konnten.

»Ein bisschen«, sagte Chuck. »Ich erinnere mich an Schutt. An Berge von Schutt. Man redet immer schlecht drüber, aber ich finde, Schutt hat eine Daseinsberechtigung. Ich finde, Schutt hat seine eigene Schönheit. Schönheit liegt im Auge des Betrachters.«

»Du hörst dich an wie jemand in einem Schundroman. Hat dir das schon mal einer gesagt?«

»Ist schon mal vorgekommen.« Wieder grinste Chuck verhalten, beugte sich über den Bug und drückte den Rücken durch.

Teddy klopfte Hosentaschen und Innentaschen der Uniformjacke ab. »Du weißt bestimmt noch, dass die Einsätze oft von der Wettervorhersage abhängig waren.«

Mit dem Handrücken rieb sich Chuck über das stopplige Kinn. »O ja, weiß ich noch.«

»Weißt du auch noch, wie oft die Wettervorhersage richtig war?«

Chuck runzelte die Stirn, damit Teddy sah, dass er gebührend darüber nachdachte. Dann schnalzte er mit der Zunge und sagte: »Zu ungefähr dreißig Prozent, würde ich sagen.«

»Höchstens.«

Chuck nickte. »Höchstens.«

»Und nun, da wir wieder im richtigen Leben sind ...«

»Tja, zurück im richtigen Leben«, erwiderte Chuck. »Inkognito, könnte man sagen.«

Teddy unterdrückte ein Lachen, inzwischen war ihm der Kerl echt sympathisch. Inkognito. O Mann.

»Inkognito«, stimmte Teddy zu. »Warum solltest du der Wettervorhersage jetzt mehr Glauben schenken als früher?«

»Hm«, brummte Chuck, und am Horizont tauchte eine kleine schiefe Spitze auf, »ich weiß nicht, ob man meine Glaubenskraft in Kategorien wie weniger oder mehr messen kann. Willst du eine Zigarette?«

Teddy wollte seine Jackentaschen ein zweites Mal abklopfen. Er hielt inne, weil er merkte, dass Chuck ihn mit einem schiefen Grinsen beobachtete.

»Als ich an Bord gegangen bin, hatte ich sie noch«, sagte Teddy.

Chuck sah sich über die Schulter um. »Typisch Beamte. Klauen, wo sie können.« Er schüttelte eine Zigarette aus seiner Schachtel Lucky Strikes, reichte sie Teddy und hielt ihm sein Messing-Zippo hin. Der stechende Kerosingeruch überlagerte die salzige Luft und reizte Teddys Hals. Chuck ließ das Feuerzeug zuschnappen, klappte es mit einer lässigen Bewegung wieder auf und gab sich selbst Feuer.

Teddy atmete aus, und die dreieckige Spitze verschwand vorübergehend hinter einer Rauchwolke.

»In Übersee«, sagte Chuck, »gab damals die Wettervorhersage den Ausschlag, ob man mit dem Fallschirm zurück zur Absprungstelle oder weiter zum Brückenkopf musste, stimmt, aber da stand ja auch viel mehr auf dem Spiel, oder?«

»Ja.«

»Aber hier bei uns, da kann man doch ruhig mal was Unvernünftiges glauben. Mehr will ich gar nicht sagen, Chef.«

Jetzt ließ die Insel mehr als ihre dreieckige Spitze erkennen, allmählich wurden die tiefer liegenden Bereiche sichtbar, und schließlich erstreckte sich das Meer flach bis an ihr Ufer. Die Farben kamen wie von Pinselstrichen hinzu – ein abgetöntes Grün, wo die Vegetation ungehindert wucherte, ein lehmbrauner Uferstreifen und das trübe Ocker der Klippen an der Nordseite. Über allem konnten sie, je näher sie kamen, die niedrigen Mauern von Gebäuden ausmachen.

»Ist 'ne Schande«, sagte Chuck.

»Was denn?«

»Der Preis des Fortschritts.« Er stellte einen Fuß auf das Schlepptau und lehnte sich neben Teddy an die Reling. Zusammen beobachteten sie, wie die Insel versuchte, in Erscheinung zu treten. »Heutzutage gibt es richtige Quantensprünge bei der Behandlung von Geisteskranken – wirklich, das glaubt man gar nicht, jeden Tag geht es vorwärts –, da gehören Häuser wie dieses bald der Vergangenheit an. In zwanzig Jahren wird man sagen, so was ist unmenschlich. Ein trauriges Überbleibsel längst überholter viktorianischer Wertvorstellungen. Gut, dass sie überholt sind, wird man sagen. Man wird Eingliederung fordern. Eingliederung wird das Gebot der Stunde sein. Wir nehmen jeden in unserer großen Herde auf. Geben ihm Ruhe. Richten ihn auf. Jeder ist ein Marshal der Bundesregierung. Wir leben in einer neuen Gesellschaft, hier ist kein Platz für Ausgrenzung. Auf Wiedersehen, Elba.«

Die Gebäude waren wieder hinter den Bäumen verschwunden, aber Teddy erkannte nun den verschwommenen Umriss eines kegelförmigen Turms und dann hart vorspringende Ecken. Das musste die alte Festung sein.

»Aber müssen wir die Vergangenheit fortwerfen, um eine Zukunft zu haben?« Chuck schnippte die Zigarette in die Gischt. »Das ist die entscheidende Frage. Was wirft man fort, wenn man den Boden fegt, Teddy? Staub. Krümel, die sich sonst die Ameisen holen würden. Aber was ist mit dem verlorenen Ohrring? Landet der auch im Müll?«

»Was für ein Ohrring?«, fragte Teddy. »Der Ohrring einer Frau?«

»Es gibt immer eine Frau, nicht?«

Das Brummen des Motors hinter Teddy bekam einen anderen Klang. Er spürte, dass die Fähre leicht ruckte. Da sie nun zur Westseite der Insel fuhren, war die Festung auf den südlichen Klippen besser zu sehen. Kanonen gab es keine mehr, aber die Gefechtstürme waren noch gut zu erkennen. Hinter der Festung ging die Landschaft wieder in Hügel über. Teddy vermutete, dass dort die Mauern waren, die vom Meer aus gesehen mit der Landschaft verschwammen. Dann thronte plötzlich Ashecliffe Hospital über dem steilen Felsenufer und blickte die Westküste hinab.

»Hast du ein Mädchen, Teddy? Bist du verheiratet?«, fragte Chuck.

»War ich mal«, sagte Teddy und hatte Dolores' Blick vor Augen, den sie ihm einmal in den Flitterwochen zugeworfen hatte: der Kopf ihm zugewandt, das Kinn fast auf der nackten Schulter, die Rückenmuskeln unter der Haut in Bewegung. »Meine Frau ist tot.«

Chuck löste sich von der Reling, sein Hals färbte sich rot. »Oje!«

»Schon gut«, sagte Teddy.

»Nein, nein.« Chuck hob abwehrend die Hand. »Ähm ... das hatte mir schon einer erzählt. Ich weiß wirklich nicht, wie ich das vergessen konnte. Ist schon ein paar Jahre her, nicht wahr?«

Teddy nickte.

»Ach, Mensch, Teddy. Ich komme mir wirklich bescheuert vor. Echt. Tut mir unglaublich Leid.«

Wieder sah Teddy Dolores vor sich, wie sie in einem alten Diensthemd von ihm durch den Flur ging und summend die Küche betrat, und eine vertraute Müdigkeit stieg ihm in die Knochen. Alles hätte er lieber getan – er wäre sogar im Meer geschwommen –, als über Dolores zu sprechen, über die Tatsache, dass sie einunddreißig Jahre auf dieser Welt gewesen war und dann verschwand. Einfach so. Als er morgens zur Arbeit ging, war sie noch da. Nachmittags nicht mehr.

Aber es war wohl dasselbe wie mit Chucks Narbe: Die Geschichte wollte erzählt werden, sonst würde es nicht weitergehen, sonst würden sie immer zwischen ihnen stehen, die Fragen nach dem Warum, dem Wie und Wo.

Dolores war seit zwei Jahren tot, aber nachts, in Teddys Träumen, wurde sie lebendig, und manchmal meinte er morgens nach dem Aufwachen minutenlang, sie sei in der Küche oder hätte ihren Kaffee mit nach draußen auf die kleine Veranda ihres Apartments auf der Buttonwood genommen. Es war ein grausames Täuschungsmanöver seines Gehirns, ja, aber Teddy hatte dessen Logik schon vor langer Zeit akzeptiert – aufwachen war schließlich so ähnlich wie geboren werden. Geschichtslos stieg man an die Oberfläche, ordnete blinzelnd und gähnend die Vergangenheit, schob die Puzzle-teile in chronologische Reihenfolge und wappnete sich schließlich für die Gegenwart.

Weitaus grausamer war, dass scheinbar willkürliche Gegenstände verborgene Erinnerungen an seine Frau wie Streichhölzer aufflackern ließen. Nie konnte er vorhersehen, was das für Dinge waren – ein Salzstreuer, der Gang einer Unbekannten auf einer belebten Straße, eine Coca-Cola-Flasche, Lippenstift an einem Glas, ein Zierkissen.

Doch kein Verbindungsglied hatte eine derart durchschlagende Wirkung und war weniger einleuchtend als Wasser: aus dem Hahn tropfend, vom Himmel rauschend, in einer Pfütze am Straßenrand oder wie jetzt als Fläche meilenweit um ihn herum.

Teddy erklärte: »In unserem Mietshaus hat es gebrannt. Ich war bei der Arbeit. Vier Menschen starben. Unter anderem meine Frau. Es war der Rauch, Chuck, nicht das Feuer. Sie hatte keine Schmerzen. Angst vielleicht. Aber keine Schmerzen. Das ist wichtig.«

Chuck trank noch einen Schluck aus der Feldflasche und bot sie Teddy an.

Teddy schüttelte den Kopf. »Hab aufgehört. Nach dem Brand. Es hat sie immer gestört, verstehst du? Sie meinte immer, Soldaten und Bullen würden zu viel trinken. Deshalb …« Er spürte, dass Chuck neben ihm vor Verlegenheit kleiner wurde. »Man lernt, damit zu leben, Chuck. Man hat ja keine Wahl. Das ist wie mit dem ganzen Dreck, den man im Krieg gesehen hast. Weißt du noch?«

Chuck nickte, und im Rückblick wurden seine Augen kurz schmal, starrten in die Ferne.

»Man macht es einfach«, sagte Teddy leise.

»Klar«, sagte Chuck schließlich, das Gesicht noch immer gerötet.

Wie durch Zauberhand tauchte der Anleger auf. Er ragte ins Meer, aus der Entfernung ein Streifen Kaugummi, substanzlos, grau.

Das Erbrechen hatte Teddy ausgetrocknet, vielleicht hatten ihn auch die letzten Minuten erschöpft; natürlich hatte er gelernt, es zu ertragen, *sie* zu ertragen, doch das Gewicht drückte ihn manchmal nieder. Links im Kopf, direkt hinter dem Auge, setzte sich ein dumpfer Schmerz fest, als würde ein alter Löffel dagegengedrückt. Er konnte noch nicht beurteilen, ob es lediglich eine Nebenwirkung der Austrocknung war, beginnende Kopfschmerzen, oder ob es die ersten Anzeichen von etwas Schlimmerem waren, von den Migräneanfällen, die ihn seit seiner Jugend plagten. Sie waren mitunter so heftig, dass sie ihm vorübergehend die Sehkraft raubten, Licht zu einem Hagel aus heißen Nägeln werden ließen, und einmal – zum Glück nur einmal – war er anderthalb Tage teilweise gelähmt gewesen. Die Migräne – seine jedenfalls – suchte ihn nie im Stress oder während der Arbeit heim, sondern hinterher, wenn sich alles beruhigt hatte, wenn keine Bomben mehr fielen, wenn die Verfolgungsjagd vorbei war. Dann kamen die Schmerzen – im Ausgangslager, in der Kaserne oder, nach dem Krieg, in Motelzimmern oder auf der Heimfahrt über ländliche Highways – und wüteten fürchterlich. Das Geheimnis war, hatte Teddy längst herausgefunden, sich zu beschäftigen und zu konzentrieren. Wenn er in Bewegung blieb, konnten sie ihn nicht erwischen.

»Was weißt du über die Insel?«, fragte er Chuck.

»Ist eine Nervenheilanstalt, mehr weiß ich nicht.«

»Für kriminelle Geisteskranke«, ergänzte Teddy.

»Na, sonst wären wir nicht hier«, sagte Chuck.

Teddy sah wieder das trockene Grinsen in Chucks Gesicht. »Man weiß nie, Chuck. Du machst jedenfalls keinen hundertprozentig charakterfesten Eindruck auf mich.«

»Vielleicht leiste ich eine Anzahlung auf ein Bett, wo wir schon mal da sind, für später, damit sie mir auf jeden Fall eins freihalten.«

»Keine schlechte Idee«, sagte Teddy. Die Motoren setzten kurz aus, der Bug drehte sich mit der Strömung nach steuerbord, dann brummten die Motoren wieder los, und Teddy und Chuck blickten auf das offene Meer, während die Fähre achtern auf den Anleger zusteuerte.

»Soweit ich weiß«, sagte Teddy, »haben die sich hier auf Radikalmethoden spezialisiert.«

»Kommunistische?«, fragte Chuck.

»Nein, keine kommunistischen«, sagte Teddy. »Bloß radikale Methoden. Das ist was anderes.«

»In letzter Zeit kann man sich da nicht mehr sicher sein.«

»Stimmt, manchmal nicht«, bestätigte Teddy.

»Und diese entflohene Frau?«

»Ich weiß nicht viel«, entgegnete Teddy. »Sie ist letzte Nacht entwischt. Hab ihren Namen im Notizbuch. Ich nehme an, alles Weitere wird man uns noch mitteilen.«

Chuck ließ den Blick übers Wasser schweifen. »Wo will sie hin? Nach Hause schwimmen?«

Teddy zuckte mit den Schultern. »Offenbar haben die Patienten hier die unterschiedlichsten Wahnvorstellungen.«

»Sind die schizophren?«

»Denke ich, ja. Stinknormale Mongoloide findet man hier mit Sicherheit nicht. Hier gibt's keine Typen mit Schlafstörungen oder welche, die Angst vor Löchern im Bürgersteig haben. Soweit ich das aus den Akten ersehen konnte, sind die Leute hier, nun ja, *richtig* plemplem.«

»Aber wie viele tun nur so, was meinst du?«, fragte Chuck. »Das hab ich mich schon immer gefragt. Erinnerst du dich noch an die ganzen Kriegsneurotiker? Wie viele von denen tickten wirklich nicht ganz richtig?«

»Ich war in den Ardennen, und da war einer –«

»Du warst in den Ardennen?«

Teddy nickte. »Und dieser Kerl, der ist eines Tages aufgewacht und hat nur noch rückwärts gesprochen.«

»Wörter oder Sätze?«

»Sätze«, sagte Teddy. »Zum Beispiel: ›Sarge, Blut viel zu heute ist hier.‹ Am Abend haben wir ihn in einem Fuchsbau gefunden, da schlug er sich mit einem Stein auf den Schädel. Einfach so. Immer wieder. Wir waren so platt, dass wir erst hinterher gemerkt haben, dass er sich die Augen ausgekratzt hatte.«

»Du willst mich verarschen.«

Teddy schüttelte den Kopf. »Jahre später hab ich mit einem gesprochen, der den Blinden in einer Veteranenklinik in San Diego gesehen hatte. Angeblich redete er immer noch rückwärts, außerdem war er irgendwie gelähmt, nur konnte kein Arzt die Ursache feststellen. Er saß den ganzen Tag im Rollstuhl am Fenster und redete von seinen Feldern, er müsste auf seine Felder. Bloß dass er aus Brooklyn kam.«

»Hm, wenn einer aus Brooklyn kommt und sich für 'nen Bauern hält, dann muss er echt eine Neurose haben.«

»Eindeutiger geht's nicht.«

2

DER STELLVERTRETENDE ANSTALTSLEITER Mc-
Pherson holte sie am Anleger ab. Für einen Mann seines
Ranges war er jung, und sein blondes Haar war ein wenig
länger als üblich. Er bewegte sich mit einer schlaksigen An-
mut, die Teddy an Texaner oder generell an Männer denken
ließ, die mit Pferden aufgewachsen waren.

Flankiert wurde er von Krankenpflegern. Die meisten waren Schwarze, nur wenige Weiße mit abgestumpftem Gesichtsausdruck waren darunter. Sie sahen aus, als hätten sie
als Kinder nicht genug zu essen bekommen und seitdem eine
Stinkwut im Bauch.

Die Pfleger trugen weiße Hemden und Hosen und traten
als geschlossene Gruppe auf. Sie würdigten Teddy und
Chuck kaum eines Blickes. Unverwandt starrten sie geradeaus, marschierten über den Anleger zur Fähre und warteten,
bis die Fracht abgeladen war.

Auf Nachfrage zückten Teddy und Chuck ihre Dienstausweise. McPherson betrachtete sie eingehend, verglich blinzelnd Karten und Gesichter.

»Weiß gar nicht, ob ich schon mal den Ausweis eines U.S.-Marshals gesehen habe«, sagte er.

»Und jetzt gleich zwei«, sagte Chuck. »Ein großer Tag.«

Lässig grinste McPherson Chuck an und warf ihm seinen Ausweis zu.

Der Strand sah aus, als sei das Meer in der vergangenen Nacht über ihn hergefallen; überall lagen Muscheln, Treibholz, Weichtierschalen und von Aasfressern angenagte Fische. Teddy sah Müll, der vom Bostoner Innenhafen herangeschwemmt worden sein musste: Dosen, durchweichtes Papier, oben bei den Bäumen ein Nummernschild, das in der Sonne seine Zahlen verloren hatte. Die Bäume waren hauptsächlich Kiefern und Ahorn, dürr und hager, dazwischen konnte Teddy auf der Anhöhe Häuser ausmachen.

Dolores hatte gerne in der Sonne gelegen; ihr hätte die Insel wahrscheinlich gefallen, aber Teddy spürte nur das ständige Streichen der Meeresbrise, die Warnung des Ozeans, er könne jeden Moment zuschlagen und Teddy auf seinen Grund ziehen.

Die Pfleger kamen mit Post und Medizinkoffern vom Schiff und luden alles auf Handkarren. McPherson unterzeichnete die Liste auf einem Klemmbrett und reichte sie einem Mitglied der Besatzung. Der Fährmann sagte: »Dann legen wir jetzt ab.«

McPherson blinzelte in die Sonne.

»Der Sturm«, sagte der Fährmann. »Scheinbar weiß keiner, was der vorhat.«

McPherson nickte.

»Wir melden uns auf der Dienststelle, wenn wir abgeholt werden wollen«, sagte Teddy.

Der Fährmann nickte. »Der Sturm«, wiederholte er.

»Klar, sicher«, entgegnete Chuck. »Vergessen wir nicht.«

McPherson schlug einen Weg ein, der leicht hügelan zwischen den Bäumen hindurchführte. Danach gelangten sie auf eine befestigte Straße, die den Weg wie ein grinsender Mund durchschnitt. Weiter vorne stand rechts und links je ein Haus. Das linke war schlichter, ein braunes viktorianisches Gebäude mit Mansarde, schwarzen Holzelementen und kleinen Fenstern, die wie argwöhnische Wächter wirkten. Das Haus zur Rechten war ein Tudorbau, der die kleine Anhöhe beherrschte wie eine Burg.

Sie gingen weiter, stiegen einen steilen, mit Seegras bewachsenen Hang hinauf. Dann wurde es grüner und sanfter, das Gras kürzer. Es ging in einen herkömmlichen Rasen über, der sich mehrere hundert Meter bis vor eine scheinbar unendlich lange Mauer aus orangerotem Backstein erstreckte. Sie war drei Meter hoch und oben mit einem dünnen Draht versehen, und irgendwie ging der Anblick des Drahts Teddy nahe. Plötzlich verspürte er Mitleid mit den Menschen auf der anderen Seite, die den schmalen Draht als das erkannten, was er war, denen klar wurde, dass die Welt sie um jeden Preis ausschließen wollte. Vor der Mauer standen Männer in dunkelblauen Uniformen. Sie sahen zu Boden.

»Gefängniswärter in einer Nervenheilanstalt«, sagte Chuck. »Seltsamer Anblick, wenn ich das sagen darf, Mr. McPherson.«

»Es handelt sich hier um eine Hochsicherheitseinrichtung«, entgegnete McPherson. »Bei uns gelten doppelte Richtlinien: die des Amtes für psychische Gesundheit des Staates Massachusetts und die des Bundesamtes für den Strafvollzug.«

»Verstehe«, sagte Chuck. »Aber was ich schon immer gedacht habe: Sie und Ihre Leute müssen sich beim Abendessen 'ne Menge zu erzählen haben, oder?«

McPherson grinste und schüttelte leicht den Kopf.

Teddy sah einen schwarzhaarigen Mann in der Uniform der Wärter, nur trug er gelbe Epauletten, einen Stehkragen und ein goldenes Abzeichen. Er war der einzige, der den Blick nicht gesenkt hielt. Eine Hand im Rücken, schritt er zwischen den Männern hindurch. Sein Gang erinnerte Teddy an die Full Colonels aus dem Krieg, Männer, für die Befehlsgewalt eine notwendige Bürde war, auferlegt nicht vom Militär, sondern von Gott persönlich. Der Mann vor der Mauer hielt ein kleines schwarzes Buch an die Brust gedrückt, nickte ihnen zu und ging dann, das schwarze Haar vom Wind zerzaust, den Hang hinunter, den sie gerade heraufgekommen waren.

»Das war der Anstaltsdirektor«, erklärte McPherson. »Sie werden ihn später noch kennen lernen.«

Teddy nickte und fragte sich, warum sie einander nicht jetzt vorgestellt wurden. Der Direktor verschwand hinter dem Hügel.

Mit einem Schlüssel öffnete ein Pfleger eine Pforte in der Mauer. Sie schwang auf, die Pfleger gingen mit den Handkarren hindurch, und zwei Wärter kamen heraus und pflanzten sich links und rechts neben McPherson auf.

McPherson richtete sich, nun ganz dienstbeflissen, zu voller Größe auf und sagte: »Ich muss Ihnen kurz ein paar Grundsätzlichkeiten erklären.«

»Gern.«

»Meine Herren, Sie werden unser möglichstes Entgegenkommen und jedwede Hilfe genießen, die wir gewähren können. Während Ihres Aufenthalts, wie kurz der auch sein mag, haben Sie sich an die Vorschriften zu halten. Ist das klar?«

Teddy nickte und Chuck sagte: »Voll und ganz.«

McPherson sah über ihre Köpfe hinweg. »Dr. Cawley wird Ihnen die Vorschriften bestimmt noch im Detail erklären, aber auf eins muss ich Sie jetzt schon hinweisen: Unüberwachter Kontakt zu den Patienten dieser Einrichtung ist untersagt. Ist das klar?«

Beinahe hätte Teddy gesagt: »Ja, Sir«, als wäre er noch in der Grundausbildung, dann begnügte er sich mit einem schlichten »Ja«.

»Station A ist das Gebäude rechts hinter mir, die Männerstation. Station B, der Frauentrakt, ist links von mir. Station C befindet sich auf den Klippen hinter Klinikgelände und Personalunterkünften. Die Station ist in der ehemaligen Festung untergebracht. Ohne schriftliche Genehmigung und Anwesenheit des Direktors sowie Dr. Cawleys ist der Zugang zu Station C untersagt. Ist das ebenfalls klar?«

Wieder nickten beide.

McPherson streckte seine große Hand aus, als bete er die Sonne an. »Ich fordere Sie hiermit auf, Ihre Schusswaffen abzugeben.«

Chuck sah Teddy an. Teddy schüttelte den Kopf.

Er sagte: »Mr. McPherson, wir sind von der Bundesregierung bestellte Polizeibeamte. Wir sind gesetzlich verpflichtet, unsere Waffe immer bei uns zu tragen.«

McPhersons Stimme durchschnitt die Luft wie ein Stahlseil. »Die Verfügung 391 des Bundesgesetzes für Strafanstalten und Einrichtungen für kriminelle Geisteskranke besagt, das Bewaffnungsgebot für Sicherheitsbeamte wird nur aufgehoben durch den direkten Befehl eines unmittelbaren Vorgesetzten oder einer Person, die mit der Pflege und dem Schutz in Strafanstalten oder Einrichtungen für die psychische Gesundheit betraut ist. Meine Herren, diese Ausnahme trifft auf unsere Einrichtung zu. Mit Ihren Waffen werden Sie dieses Tor nicht passieren.«

Teddy sah Chuck an. Chuck wies mit dem Kinn auf McPhersons ausgestreckte Hand und zuckte mit den Schultern.

Teddy sagte: »Wir möchten, dass diese Ausnahme zu Protokoll genommen wird.«

»Wärter, bitte nehmen Sie zu Protokoll, dass die Marshals Daniels und Aule hier eine Ausnahme machen.«

»Zu Protokoll genommen, Sir.«

»Meine Herren«, mahnte McPherson.

Der Wärter zu McPhersons Rechten öffnete einen kleinen Lederbeutel.

Teddy schlug seinen Mantel zurück und nahm den Dienstrevolver aus dem Holster. Mit einer Bewegung des Handgelenks ließ er die Trommel aufschnappen und legte die Waffe McPherson in die Hand. McPherson reichte sie an den Wärter weiter, und der schob sie in den Beutel. Erneut streckte McPherson die Hand aus.

Chuck war ein wenig langsamer mit seinem Revolver, nestelte am Verschluss des Holsters herum, aber McPherson wurde nicht ungeduldig, sondern wartete einfach ab, bis Chuck ihm unbeholfen die Waffe gab.

McPherson reichte sie an den Wärter weiter, der sie ebenfalls im Beutel verstaute und dann durch das Tor verschwand.

»Ihre Dienstwaffen werden in der Asservatenkammer direkt neben dem Büro des Direktors verwahrt«, erklärte McPherson leise, und seine Worte raschelten wie Laub. »Das Büro befindet sich im Hauptgebäude. Bevor Sie abreisen, können Sie die Revolver dort abholen.« Dann kehrte das lockere Cowboygrinsen in McPhersons Gesicht zurück. »So, das wär's fürs erste mit dem offiziellen Kram. Weiß nicht, wie's Ihnen geht, aber ich bin froh, dass wir's hinter uns haben. Was halten Sie davon, wenn wir jetzt Dr. Cawley aufsuchen?«

Er drehte sich um und ging ihnen voran durch das Tor, das sich hinter ihnen schloss.

Im Inneren führte ein Gehweg, gepflastert mit denselben Ziegelsteinen, aus denen die Mauer gebaut war, über einen Rasen. Gärtner mit Fesseln an den Füßen schnitten Rasen, Bäume, Blumenbeete und selbst stattliche Rosenbüsche, die entlang des Hauses wuchsen. Neben den Gärtnern standen Krankenpfleger, und Teddy sah weitere Patienten mit Fußfesseln, die sich mit seltsamen, entenähnlichen Schritten vorwärts bewegten. Es waren fast nur Männer, wenige Frauen.

»Als die ersten Kliniker ankamen«, sagte McPherson, »war hier nur Seegras und Gestrüpp. Sie müssten mal die Bilder sehen. Aber jetzt …«

Rechts und links neben der Klinik standen zwei identische rote Backsteinhäuser im Kolonialstil, abgesetzt mit strahlend weißem Holz. Die Fenster waren vergittert, die Scheiben durch Salz und Seeluft gelb geworden. Die Klinik selbst war grau-schwarzem Äußeren, ihre Mauern vom Meer glatt gerieben. Sie erhob sich über fünf Stockwerke bis hin zu den von oben hinunterstarrenden Dachgauben.

»Wurde kurz vor dem Bürgerkrieg als Bataillonshauptquartier gebaut«, erklärte McPherson. »Offenbar gab es Pläne für ein Ausbildungslager. Aber als der Krieg drohend bevorstand, hat man sich zuerst auf die Festung konzentriert und sie dann später in ein Kriegsgefangenenlager umgebaut.«

Teddy erblickte den Turm, den er schon von der Fähre aus gesehen hatte. Seine Spitze lugte über die Wipfel auf der anderen Seite der Insel.

»Was ist das für ein Turm?«

»Ein alter Leuchtturm«, erwiderte McPherson. »Wurde aber seit Anfang des neunzehnten Jahrhunderts nicht mehr als solcher benutzt. Die Unionsarmee hat dort Beobachtungsposten aufgestellt, hab ich jedenfalls gehört, aber jetzt dient er als Aufbereitungsanlage.«

»Für Patienten?«

Er schüttelte den Kopf. »Für Abwasser. Sie glauben ja nicht, was alles im Wasser landet. Von der Fähre aus sieht es noch ganz sauber aus, aber so gut wie jeder Fluss in diesem Bundesstaat schwemmt seinen Müll zuerst in den Innenhafen, dann treibt er durch den mittleren Hafen und landet schließlich bei uns.«

»Interessant«, sagte Chuck und zündete sich eine Zigarette an. Er blinzelte in die Sonne und nahm die Zigarette aus dem Mund, um ein leichtes Gähnen zu unterdrücken.

»Hinter der Mauer da« – McPherson wies an Station B vorbei – »befindet sich das ehemalige Quartier des Kommandanten. Haben Sie auf dem Weg hierher wahrscheinlich schon gesehen. Hat damals ein Vermögen gekostet, und als Uncle Sam die Rechnung sah, wurde der Kommandant von seinen Pflichten entbunden. Sollten Sie sich mal angucken.«

»Wer wohnt jetzt dort?«, erkundigte sich Teddy.

»Dr. Cawley«, antwortete McPherson. »Hier gäbe es nichts, wenn Dr. Cawley nicht wäre. Und der Direktor. Die beiden haben hier etwas wirklich Einzigartiges geschaffen.«

Sie hatten im hinteren Teil des Hofes eine Runde gedreht, wo weitere an den Füßen gefesselte Insassen unter Aufsicht von Pflegern arbeiteten. Viele schaufelten dunklen Lehm vor die rückwärtige Fassade. Eine Frau mittleren Alters mit dünnem weizenblonden Haar, schon fast kahl, starrte Teddy an und legte einen Finger auf die Lippen. Teddy sah eine dunkelrote Narbe, dick wie Lakritz, die quer über ihren Hals verlief. Die Patientin lächelte Teddy zu, den Finger auf den Lippen, und schüttelte ganz leicht den Kopf.

»Cawley ist eine Koryphäe auf seinem Gebiet«, sagte McPherson, als sie wieder zur Front der Klinik herumgingen. »Jahrgangsbester an der Johns Hopkins und in Harvard, mit zwanzig Jahren die erste Veröffentlichung über wahnhafte Krankheitsbilder. Wurde zigmal von Scotland Yard, MI5 und dem OSS konsultiert.«

»Warum?«, fragte Teddy.

»Warum?«

Teddy nickte. Die Frage schien ihm angebracht.

»Ähm …« McPherson kam in Verlegenheit.

»Nehmen wir mal den OSS«, sagte Teddy. »Warum sollte der einen Psychiater konsultieren?«

»Kriegsangelegenheiten«, entgegnete McPherson.

»Sicher«, sagte Teddy langsam, »aber was für welche?«

»Geheime«, erwiderte McPherson, »nehme ich an.«

»Wie geheim soll das schon sein«, sagte Chuck und warf Teddy einen nachdenklichen Blick zu, »wenn wir darüber reden?«

McPherson blieb vor der Klinik stehen, den Fuß auf der untersten Stufe der Eingangstreppe. Er wirkte verblüfft. Kurz schaute er auf die geschwungene orangerote Mauer, dann sagte er: »Na, das können Sie ihn ja selbst fragen. Seine Besprechung müsste jetzt vorüber sein.«

Sie gingen die Treppe hoch und betraten das Gebäude durch ein Marmorfoyer, über dem sich eine Kuppel mit Kassettendecke wölbte. Vor ihnen öffnete sich summend eine Tür, und die Männer betraten einen gewaltigen Vorraum, in dem zwei Krankenpfleger an gegenüberliegenden Schreibtischen rechts und links saßen. Am Ende schloss sich ein langer Gang an, in den man wiederum nur durch eine Tür gelangte. Beim Eingang zum Treppenhaus zeigten Teddy und Chuck erneut ihre Ausweise einem Pfleger. McPherson trug ihre drei Namen in ein Formular ein, während der Pfleger die Dienst- und Personalausweise überprüfte und zurückgab. Hinter ihm war ein vergitterter Raum, in dem ein Mann in einer Uniform ähnlich der des Direktors saß. An einer Wand hingen Schlüssel.

Die drei stiegen hoch in den ersten Stock und kamen in einen Gang, der nach Holzseife roch. Der Eichenboden glänzte im hellen Licht vom großen Fenster am hinteren Ende.

»Viele Sicherheitsvorkehrungen«, bemerkte Teddy.

»Wir treffen alle Vorsichtsmaßnahmen«, erwiderte McPherson.

»Die Öffentlichkeit dankt es Ihnen sicherlich, Mr. McPherson«, sagte Chuck.

»Sie müssen wissen«, fuhr McPherson, an Teddy gewandt, fort, während sie an verschlossenen Bürotüren vorbeigingen, die auf kleinen silbernen Schildern die Namen von Ärzten trugen, »dass wir die einzige Einrichtung dieser Art in den Vereinigten Staaten sind. Wir nehmen nur hochgradig gestörte Patienten auf. Wir nehmen die, mit denen keine andere Einrichtung zurechtkommt.«

»Gryce ist auch hier, stimmt's?«, fragte Teddy.

McPherson nickte. »Vincent Gryce, ja. Auf Station C.«

»War Gryce nicht derjenige …?«, fragte Chuck Teddy.

Teddy nickte. »Er hat seine Familie umgebracht, skalpiert und aus der Haut Hüte gebastelt.«

Chuck nickte eifrig. »Und dann ist er damit in der Stadt herumgelaufen, nicht?«

»Stand jedenfalls in der Zeitung.«

Vor einer Flügeltür blieben sie stehen. Auf einem Messingschild rechts war zu lesen: Dr. J. Cawley, Ärztlicher Direktor.

Die Hand auf dem Knauf, drehte sich McPherson zu Teddy und Chuck um und sah sie unergründlich intensiv an.

»In einem weniger aufgeklärten Zeitalter wäre ein Patient wie Gryce hingerichtet worden. Aber hier kann man ihn untersuchen, sein Krankheitsbild definieren und die Anomalie in seinem Gehirn, die dazu führte, dass er sich vom gesellschaftlich akzeptierten Verhalten löste, möglicherweise isolieren. Wenn uns das gelingt, werden wir vielleicht eines Tages in der Lage sein, diese Form von asozialem Verhalten zu verhindern.«

Er schien auf eine Antwort zu warten, seine Hand lag auf dem Türknauf.

»Schön, wenn man Träume hat«, sagte Chuck. »Finden Sie nicht?«

3

DR. CAWLEY WAR dünn, fast schon mager. Noch kein Knochengerippe wie die Menschen, die Teddy in Dachau gesehen hatte, aber ein paar üppige Mahlzeiten hätte der Arzt durchaus vertragen können. Seine kleinen dunklen Augen lagen in tiefen Höhlen, und die Schatten darunter bedeckten das halbe Gesicht. Die hohlen Wangen waren tief eingefallen, die Haut von Altersakne vernarbt. Lippen und Nase waren so schmal wie sein Körper, das fliehende Kinn genau genommen gar nicht vorhanden. Das ihm noch verbliebene Haar war so dunkel wie seine Augen und die Ringe darunter.

Allerdings besaß er ein zündendes Lächeln, strahlend und strotzend vor Zuversicht, das seine Pupillen von innen erleuchtete. Mit diesem Lächeln kam er jetzt, die Hände ausgestreckt, um den Schreibtisch herum auf seine Gäste zu.

»Marshal Daniels und Marshal Aule«, sagte er. »Ich bin froh, dass Sie so schnell kommen konnten.«

Seine Hand war trocken und glatt wie die einer Statue, fand Teddy. Cawleys Händedruck war überraschend kräftig, er quetschte die Knochen in Teddys Hand, bis selbst Teddys Unterarm schmerzte. Kurz funkelten Cawleys Augen, als wollte er sagen: Damit hast du nicht gerechnet, was? Dann wandte er sich an Chuck.

Mit einem »Freut mich, Sie kennen zu lernen« schüttelte er Chuck die Hand. Dann verschwand das Lächeln aus seinem Gesicht, und er sagte zu McPherson: »Das wäre es fürs erste, Mr. McPherson. Vielen Dank.«

»Ja, Sir. Hat mich gefreut, die Herren«, sagte McPherson und verließ das Zimmer.

Cawley knipste sein Lächeln wieder an, aber jetzt war es gezwungener.

»Ist ein guter Mann, McPherson. Strebsam.«

»Wonach?«, fragte Teddy und nahm vor dem Schreibtisch Platz.

Cawleys Lächeln veränderte sich erneut, jetzt verzog es sich auf einer Seite. »Wie bitte?«

»Er ist strebsam«, sagte Teddy. »Aber wonach strebt er?«

Cawley setzte sich an den Teakholzschreibtisch und breitete die Arme aus. »Nach Arbeit. Nach einer moralischen Vereinbarkeit von Recht und Ordnung einerseits und Therapie andererseits. Es sind noch keine fünfzig Jahre her, bei so manchem sogar weniger, da war man der Meinung, dass man die Patienten, mit denen wir es hier zu tun haben, allerhöchstens an den Füßen fesseln und ansonsten in ihrem Dreck verkommen lassen sollte. Sie wurden systematisch geschlagen, als könnte man ihnen die Psychose damit austreiben. Wir haben diese Kranken dämonisiert. Sie gefoltert. Wir haben sie auf Streckbänken in die Länge gezogen. Haben ihnen Schrauben ins Gehirn gedreht. Manche sogar ertränkt.«

»Und heute?«, fragte Chuck.

»Heute behandeln wir sie. Menschlich. Wir versuchen zu heilen, zu kurieren. Und wenn das nicht anschlägt, lassen wir sie hier zumindest ein wenig zur Ruhe kommen.«

»Und die Opfer?«, warf Teddy ein.

Cawley hob die Augenbrauen und wartete.

»Wir haben es hier ausschließlich mit gewalttätigen Straftätern zu tun«, sagte Teddy. »Ist das richtig?«

Cawley nickte. »Sogar ziemlich gewalttätigen.«

»Das heißt, sie haben anderen Menschen Schmerzen zugefügt«, fuhr Teddy fort, »sie in vielen Fällen sogar ermordet.«

»O ja, in den meisten.«

»Verglichen mit den Opfern: Wen kümmert es, ob die hier ein wenig zur Ruhe kommen?«

»Ich behandele aber nun mal diese Menschen, nicht ihre Opfer«, entgegnete Cawley. »Den Opfern kann ich nicht helfen. Jede Arbeit oder Aufgabe ist von Natur aus begrenzt. Das sind meine Grenzen. Ich kann mich nur mit meinen Patienten beschäftigen.« Cawley lächelte. »Hat der Senator die Lage erklärt?«

Teddy und Chuck warfen sich einen Blick zu.

»Wir wissen nichts von einem Senator, Doktor«, sagte Teddy. »Unsere Dienststelle hat uns mit dem Fall betraut.«

Cawley stützte die Ellenbogen auf die grüne Schreibtischunterlage, faltete die Hände und ließ das Kinn darauf ruhen. Dann spähte er über den Rand seiner Brille.

»Mein Fehler. Nun, was hat man Ihnen erzählt?«

»Wir wissen, dass eine Gefangene verschwunden ist.« Teddy legte das Notizbuch auf seine Knie und blätterte darin herum. »Eine gewisse Rachel Solando.«

»Eine Patientin.« Cawley grinste ausdruckslos.

»Eine Patientin«, wiederholte Teddy. »Entschuldigung. Unseres Wissens ist sie in den letzten vierundzwanzig Stunden geflohen.«

Cawley nickte, indem er Kinn und Hände leicht neigte. »In der letzten Nacht. Zwischen zehn und zwölf Uhr.«

»Und sie wurde noch nicht gefunden«, stellte Chuck fest.

»Korrekt, Marshal ...« Cawley hob entschuldigend die Hand.

»Aule«, ergänzte Chuck.

Cawley zog das Gesicht zusammen. Am Fenster hinter ihm entdeckte Teddy Wassertropfen. Er wusste nicht, ob sie vom Himmel oder vom Meer stammten.

»Und mit Vornamen heißen Sie Charles?«, fragte Cawley.

»Ja.«

»Charles passt zu Ihnen«, sagte Cawley. »Aule nicht unbedingt.«

»Dann habe ich wohl Glück gehabt.«

»Warum?«

»Wir suchen uns unsere Namen ja nicht selbst aus«, sagte Chuck. »Dann ist es doch schön, wenn jemand findet, dass wenigstens einer von beiden passt.«

»Wer hat denn Ihren Namen ausgesucht?«, fragte Cawley.

»Meine Eltern.«

»Nein, Ihren Nachnamen.«

Chuck zuckte mit den Schultern. »Woher soll ich das wissen? Da müssten wir zwanzig Generationen zurückverfolgen.«

»Oder nur eine.«

Chuck beugte sich vor. »Wie bitte?«

»Sie sind Grieche«, sagte Cawley. »Oder Armenier. Stimmt's?«

»Armenier.«

»Und früher lautete Ihr Familienname …«

»Anasmadschian.«

Cawley sah Teddy mit zusammengekniffenen Augen an. »Und Sie?«

»Daniels? Irisch in der zehnten Generation«, erwiderte Teddy und lächelte Cawley vorsichtig an. »Und ich kann das zurückverfolgen, Doktor.«

»Und Ihr Vorname? Theodore?«

»Edward.«

Cawley lehnte sich in seinem Stuhl zurück und ließ die Hände sinken. Mit einem Brieföffner klopfte er auf die

48

Tischkante. Das Geräusch war so leise und beständig wie Schnee, der auf ein Dach fällt.

»Meine Frau«, sagte er, »heißt Margaret. Aber außer mir nennt sie keiner so. Ihre ältesten Freunde nennen sie Margo, was ja noch einen gewissen Sinn ergibt, aber alle anderen nennen sie Peggy. Das habe ich nie verstanden.«

»Was denn?«

»Wie man von Margaret auf Peggy kommt. Obwohl es das häufig gibt. Oder wie man von Edward auf Teddy kommt. In Margaret ist kein P und in Edward kein T.«

Teddy zuckte mit den Achseln. »Und wie heißen Sie mit Vornamen?«

»John.«

»Und werden Sie manchmal Jack genannt?«

Cawley schüttelte den Kopf. »Die meisten nennen mich einfach ›Doktor‹.«

Die Wassertropfen sprühten gegen die Scheibe, und Cawley schien mit glänzendem, in die Ferne gerichteten Blick das Gespräch Revue passieren zu lassen. Dann sagte Chuck: »Gilt Miss Solando als gefährlich?«

»Sämtliche Patienten hier neigen zu Gewalttätigkeit«, entgegnete Cawley. »Deshalb sind sie ja hier. Männer wie Frauen. Rachel Solando ist eine Kriegswitwe. Hat ihre drei Kinder im See hinter dem Haus ertränkt. Eins nach dem anderen nach draußen getragen und den Kopf unter Wasser gedrückt, bis es tot war. Dann hat sie die Kinder zurück ins Haus geschleppt, an den Küchentisch gesetzt und etwas gegessen. Irgendwann kam ein Nachbar vorbei.«

»Hat sie den Nachbarn auch umgebracht?«, wollte Chuck wissen.

Cawley hob die Augenbrauen und seufzte leise. »Nein. Sie hat ihn aufgefordert, sich dazuzusetzen und mit ihnen zu frühstücken. Er lehnte natürlich ab und rief die Polizei. Rachel glaubt noch immer, dass ihre Kinder am Leben sind und auf sie warten. Das könnte erklären, warum sie ausgebrochen ist.«

»Sie will zurück nach Hause«, sagte Teddy.

Cawley nickte.

»Und woher kommt sie?«, fragte Chuck.

»Aus einer kleinen Stadt in den Berkshires. Runde zwei-hundertfünfzig Kilometer von hier entfernt.« Mit einer Kopfbewegung wies Cawley auf das Fenster hinter sich. »In die Richtung muss man elf Meilen schwimmen, bis man an Land kommt. Richtung Norden müsste sie bis Neufundland durchhalten.«

»Und das Gelände wurde durchsucht?«

»Ja.«

»Gründlich?«

Cawley ließ sich Zeit mit der Antwort, hantierte mit einem silbernen Pferdekopf herum, der auf der Ecke seines Schreibtischs stand. »Der Direktor hat mit seinen Leuten und einer Abordnung von Pflegern die ganze Nacht und einen Großteil des Vormittags die Insel und jedes Gebäude durchkämmt. Keine Spur. Noch verwirrender ist, dass wir nicht wissen, wie sie aus ihrem Zimmer entkommen ist. Es war von außen verschlossen, das Fenster ist vergittert. Wir haben keinen Hinweis gefunden, dass sich jemand an den Schlössern zu schaffen gemacht hätte.« Cawley wandte den Blick vom Pferd ab und sah Teddy und Chuck an. »Als ob sie sich durch die Mauer verflüchtigt hätte.«

Teddy schrieb »verflüchtigt« in sein Notizbuch. »Und Sie sind hundertprozentig sicher, dass sie im Zimmer war, als das Licht ausgeschaltet wurde?«

»Ja.«

»Warum?«

Cawley nahm die Hand vom Pferdekopf und drückte auf die Taste seiner Sprechanlage. »Schwester Marino?«

»Ja?«

»Sagen Sie bitte Mr. Ganton, er soll hereinkommen.«

»Sofort, Doktor.«

Vor dem Fenster stand ein kleiner Tisch mit einem Wasserkrug und vier Gläsern. Cawley ging hinüber und goss

Wasser in drei Gläser. Eins stellte er vor Teddy, das zweite vor Chuck, das dritte nahm er mit zu seinem Platz.

»Sie haben nicht zufällig Aspirin hier, oder?«, fragte Teddy.

Cawley lächelte leicht. »Das können wir wohl auftreiben.« Er wühlte in der Schreibtischschublade herum und holte ein Medizinfläschchen hervor. »Zwei oder drei?«

»Drei wären gut.« Der Schmerz hinter Teddys Auge hatte begonnen zu pochen.

Cawley reichte die Tabletten über den Tisch, und Teddy schob sie sich in den Mund und spülte sie mit Wasser hinunter.

»Leiden Sie öfter unter Kopfschmerzen, Marshal Daniels?«

»Werde leider seekrank«, sagte Teddy.

Cawley nickte. »Aha. Dehydriert.«

Teddy nickte ebenfalls. Cawley öffnete einen Zigarettenbehälter aus Walnussholz und bot ihn Teddy und Chuck an. Teddy griff zu. Chuck schüttelte den Kopf und holte seine eigene Schachtel hervor. Die drei zündeten sich die Zigaretten an, und Cawley schob das Fenster hinter sich hoch.

Er setzte sich wieder und reichte ein Foto über den Tisch. Es zeigte eine hübsche junge Frau, doch ihr Aussehen wurde beeinträchtigt von dunklen Ringen unter den Augen, dunkel wie ihr schwarzes Haar. Die Augen waren weit aufgerissen, als drücke von hinten etwas Heißes dagegen. Was auch immer diese Frau neben dem Fotoapparat, neben dem Fotografen, vielleicht hinter der bekannten Welt erblickte – es überstieg ihr Fassungsvermögen.

Irgendetwas an der Frau war Teddy unangenehm vertraut, dann fiel es ihm ein: Im Konzentrationslager war ein kleiner Junge gewesen, der nichts hatte essen wollen, egal was man ihm gab. Mit ebendiesem Blick hatte er in der Aprilsonne vor der Mauer gesessen, bis sich seine Lider endgültig schlossen. Sie hatten ihn zum Bahnhof gebracht, zu den Leichenbergen.

Chuck entfuhr ein leises Pfeifen. »Du meine Güte.«

51

Cawley zog an der Zigarette. »Meinen Sie damit ihre offenkundige Schönheit oder ihren offenkundigen Wahnsinn?«

»Beides«, erwiderte Chuck.

Diese Augen, dachte Teddy. Selbst auf Papier gebannt, schrien sie zum Himmel. Man wollte sofort zu ihr und sie beruhigen: »Schon gut. Alles in Ordnung. Pssst. Ruhig.« Man wollte sie festhalten, bis sie nicht mehr zitterte, wollte ihr sagen, es würde alles gut werden.

Die Tür ging auf, und ein großer Schwarzer mit grau meliertem Haar trat ein. Er trug die weiße Kleidung der Krankenpfleger.

»Mr. Ganton«, sagte Cawley, »das hier sind die Männer, von denen ich Ihnen erzählt habe: Die Marshals Aule und Daniels.«

Teddy und Chuck erhoben sich und gaben Ganton die Hand. Der Mann dünstete einen starken Angstgeruch aus, als fühle er sich nicht sonderlich wohl dabei, einen Gesetzesvertreter zu begrüßen. Vielleicht war draußen die eine oder andere Klage gegen ihn anhängig.

»Mr. Ganton ist seit siebzehn Jahren bei uns. Er ist der Oberpfleger. Mr. Ganton hat Rachel gestern Abend zu ihrem Zimmer gebracht. Nicht wahr, Mr. Ganton?«

Ganton schlug die Beine übereinander, legte die Hände auf die Knie und beugte sich leicht vor, den Blick auf die Schuhe gerichtet. »Um neun Uhr war Gruppe. Danach –«

»Das ist die Gruppentherapie unter Leitung von Dr. Sheehan und Schwester Marino«, erklärte Cawley.

Ganton wartete ab, ob Cawley noch etwas hinzufügen würde, dann setzte er erneut an. »Ähm, ja. Alle waren bei der Gruppe, so um zehn war Schluss. Ich hab Miss Rachel zum Zimmer gebracht. Sie ist reingegangen. Ich hab von außen zugeschlossen. Wenn das Licht aus ist, gucken wir alle zwei Stunden nach. Um zwölf bin ich wiedergekommen. Ich guck rein, und ihr Bett ist leer. Ich denke, vielleicht liegt sie auf dem Boden. Das tun sie oft, die Patienten, auf dem Boden schlafen. Ich schließe auf –«

»Mit dem Schlüssel, nicht wahr, Mr. Ganton?«, warf Cawley ein.

Ganton nickte Cawley zu und senkte den Blick wieder auf die Knie. »Ich mach mit meinem Schlüssel auf, weil, die Tür war ja zu. Ich also rein. Miss Rachel ist nirgends zu sehen. Ich schließ hinter mir ab und guck mir das Fenster und die Gitterstäbe an. Sieht alles normal aus.« Ganton zuckte mit den Schultern. »Dann hab ich den Direktor gerufen.« Er schaute Cawley an, der ihm väterlich zunickte.

»Irgendwelche Fragen, meine Herren?«

Chuck schüttelte den Kopf.

Teddy sah von seinem Notizbuch auf. »Mr. Ganton, Sie sagten, Sie hätten den Raum betreten und festgestellt, dass die Patientin nicht da war. Wie genau stellten Sie das sicher?«

»Wie bitte?«

»Gibt es einen Wandschrank? Ist Platz unter dem Bett, wo sie sich hätte verstecken können?«

»Ja, beides.«

»Und das haben Sie überprüft?«

»Ja, Sir.«

»Bei geöffneter Tür?«

»Wie bitte?«

»Sie sagten, Sie hätten den Raum betreten, sich umgesehen, aber die Patientin war nicht da. Danach erst hätten Sie die Tür hinter sich geschlossen.«

»Nein, ähm … ich …«

Teddy wartete und zog an der Zigarette, die Cawley ihm gegeben hatte. Sie war mild, vollmundiger als seine Chesterfields, und roch auch anders, süßlich.

»Es hat insgesamt höchstens fünf Sekunden gedauert«, sagte Ganton. »Der Wandschrank hat keine Tür. Ich guck da rein, ich guck unters Bett, dann mach ich die Tür hinter mir zu. Sie hätte sich nirgendwo verstecken können. Das Zimmer ist klein.«

»Vielleicht hat sie sich an die Wand gedrückt?«, fragte Teddy. »Rechts oder links von der Tür?«

»Nein.« Ganton schüttelte den Kopf, und zum ersten Mal meinte Teddy in dem gesenkten Blick und der demütigen Haltung Wut zu erkennen, einen tief sitzenden Groll.

»Das ist unwahrscheinlich«, sagte Cawley zu Teddy. »Ich verstehe, worauf Sie hinauswollen, Marshal Daniels, aber wenn Sie das Zimmer in Augenschein nehmen, werden Sie sehen, dass Mr. Ganton die Patientin auf jeden Fall entdeckt hätte, wenn sie innerhalb der vier Wände gewesen wäre.«

»Genau«, bestätigte Ganton und starrte Teddy mit unverhohlener Abneigung an. Der Mann war ungeheuer stolz auf seine Arbeitseinstellung, und Teddy hatte sie durch seine Fragen in Abrede gestellt.

»Vielen Dank, Mr. Ganton«, sagte Cawley. »Das wäre es fürs erste.«

Ganton stand auf, ließ den Blick noch kurz auf Teddy ruhen und verabschiedete sich dann mit einem »Vielen Dank, Doktor«.

Eine Weile schwiegen alle, rauchten die Zigaretten zu Ende und drückten sie im Aschenbecher aus. Dann sagte Chuck: »Ich denke, wir sollten uns jetzt das Zimmer ansehen, Doktor.«

»Aber sicher«, sagte Cawley und trat mit einem riesengroßen Schlüsselbund hinter dem Schreibtisch hervor. »Kommen Sie mit.«

Es war ein kleines Zimmer. Die Stahltür ging nach innen auf. Die Scharniere waren so gut geölt, dass die Tür mit Schwung gegen die rechte Wand schlug. Links neben der Tür war ein kurzes Stück Wand, dann kam ein kleiner Holzeinbauschrank, in dem Arbeitskittel und Hosen mit Tunnelzug auf Plastikbügeln hingen.

»Das war's mit meiner Theorie«, gestand Teddy.

Cawley nickte. »Man kann sich vor keinem verstecken, der in der Tür steht.«

»Doch schon, unter der Decke«, sagte Chuck, und alle drei schauten hoch. Selbst Cawley musste grinsen.

Er schloss die Tür, und sofort überkam Teddy das Gefühl, gefangen zu sein. Auch wenn es Zimmer hieß, es war eine Zelle. Das Fenster hoch oben über dem schmalen Bett war vergittert. An der rechten Wand stand eine kleine Kommode, Boden und Wände waren aus anstaltsweißem Beton. Wenn sich einer der drei bewegte, berührte er fast unweigerlich jemand anderen.

»Wer hat sonst noch Zugang zu dem Zimmer?«, erkundigte sich Teddy.

»Zu der Uhrzeit? Es gibt nur wenige, die Anlass haben, sich auf der Station aufzuhalten.«

»Sicher«, sagte Teddy. »Aber wer hat Zugang?«

»Die Pfleger natürlich.«

»Was ist mit den Ärzten?«, warf Chuck ein.

»Ähm, die Schwestern«, sagte Cawley.

»Die Ärzte haben keinen Schlüssel für dieses Zimmer?«, wiederholte Teddy die Frage.

»Doch«, entgegnete Cawley leicht gereizt. »Aber bis zehn Uhr müssen sich die Ärzte schriftlich ausgetragen haben.«

»Und die Schlüssel abgeben?«

»Ja.«

»Und das wird schriftlich festgehalten?«, fragte Teddy.

»Ich verstehe nicht, worauf Sie hinauswollen.«

»Müssen die Ärzte schriftlich festhalten, wenn sie einen Schlüssel bekommen oder abgeben? Das würden wir gerne wissen.«

»Natürlich.«

»Und die Einträge von gestern Abend können wir überprüfen?«, fragte Teddy.

»Ja, sicher. Natürlich.«

»Und die Schlüssel hängen hinter dem Gitter im Erdgeschoss, das wir eben gesehen haben?«, ergänzte Chuck. »Wo dieser Wärter sitzt?«

Cawley nickte kurz.

»Außerdem die Personalakten der medizinischen Mitarbeiter und der Wärter«, fuhr Teddy fort. »Die müssen wir ebenfalls prüfen.«

Cawley glotzte Teddy an, als hätte er Schmeißfliegen im Gesicht. »Warum?«

»Eine Frau verschwindet aus einem verschlossenen Raum. Sie flieht auf eine winzige Insel, und keiner kann sie finden? Ich muss zumindest in Erwägung ziehen, dass ihr geholfen wurde.«

»Mal sehen«, sagte Cawley.

»Mal *sehen*?«

»Ja. Ich muss mit dem Direktor und anderen Mitarbeitern sprechen. Wir werden über Ihren Wunsch entscheiden, Grundlage dafür –«

»Doktor Cawley«, sagte Teddy, »das war kein Wunsch. Wir sind von der Bundesregierung beauftragt worden. Wir befinden uns hier in einer bundesstaatlichen Einrichtung, aus der eine gefährliche Gefangene –«

»Patientin.«

»– eine gefährliche Patientin entflohen ist«, sagte Teddy so ruhig wie möglich. »Wenn Sie sich weigern, zwei U.S.-Marshals bei der Suche nach dieser Patientin zu unterstützen, Doktor Cawley, dann ist das leider ... Chuck?«

»Justizbehinderung«, ergänzte Chuck.

Cawley sah Chuck an, als hätte er Ärger allein von Teddys Seite erwartet. Chuck hatte er nicht auf dem Radar gehabt.

»Ähm, ja«, sagte Cawley mit tonloser Stimme, »ich kann nur sagen, ich werde alles in meiner Macht Stehende tun, um Ihrem Wunsch nachzukommen.«

Teddy und Chuck tauschten einen kurzen Blick aus und betrachteten dann wieder den kahlen Raum. Wahrscheinlich war Cawley es nicht gewohnt, Fragen gestellt zu bekommen, nachdem er bereits seinen Unmut geäußert hatte. Sie ließen ihm ein wenig Zeit, um sich zu beruhigen.

Teddy warf einen Blick in den kleinen Wandschrank und sah drei weiße Arbeitskittel und zwei Paar weiße Schuhe. »Wie viele Schuhe haben die Patienten?«

»Jeweils zwei Paar.«

»Ist sie barfuß gegangen?«

»Ja.« Cawley rückte die Krawatte unter seinem Arztkittel zurecht und wies auf ein großes Blatt Papier auf dem Bett. »Den Zettel da haben wir hinter der Kommode gefunden. Wir wissen nicht, was er zu bedeuten hat. Wir hatten gehofft, Sie könnten uns helfen.«

Teddy nahm den Zettel in die Hand und drehte ihn um. Die Rückseite war ein Sehprobenblatt aus dem Krankenhaus, die pyramidenförmig angeordneten Buchstaben wurden nach unten hin kleiner. Er drehte ihn wieder um und zeigte ihn Chuck.

DAS GESETZ DER 4

ICH BIN 47
SIE WAREN 80

+ IHR SEID 3

WIR SIND 4
ABER
WER IST 67?

Schon das Blatt in der Hand zu halten, war Teddy unangenehm. Der Rand kitzelte ihm an den Fingern.

»Ach, du Scheiße«, sagte Chuck.

Cawley trat neben sie. »Kommt unserer klinischen Auswertung ziemlich nahe.«

»Wir sind drei«, sagte Teddy.

Chuck spähte auf das Blatt. »Hä?«

»Die drei, das könnten wir sein«, erklärte Teddy. »Wir drei, die wir jetzt hier stehen.«

Chuck schüttelte den Kopf. »Woher sollte sie denn das wissen?«

Teddy zuckte mit den Schultern. »Einfach geraten.«

»Hm.«

»Ja«, bestätigte Cawley, »aber andererseits spielt Rachel auf hohem Niveau. Ihre Wahnvorstellungen – insbesondere die Einbildung, ihre drei Kinder seien noch am Leben – gründen auf einer sehr zerbrechlichen, aber höchst· verschachtelten Architektur. Um diese Struktur aufrechtzuerhalten, bedient sie sich einer komplizierten narrativen Klammer, die völlig fiktiv ist.«

Langsam drehte Chuck den Kopf zu Cawley um. »Wenn ich das verstehen soll, muss ich vorher noch mal zur Uni gehen.«

Cawley schmunzelte. »Denken Sie an die Lügen, die man als Kind seinen Eltern auftischt. Sie sind kompliziert. Anstatt sich kurz zu fassen, warum man nicht in der Schule war oder die Hausaufgaben vergessen hat, schmückt man die Geschichte aus, steigert man sie ins Fantastische. Nicht wahr?«

Chuck dachte nach und nickte.

»Klar«, sagte Teddy. »Straftäter machen das genauso.«

»Genau. Dahinter steckt der Wunsch nach Vernebelung. Der Zuhörer soll verwirrt werden, bis er eher aus Resignation denn aus Überzeugung glaubt. Jetzt stellen Sie sich vor, Sie würden sich diese Lügen selbst erzählen. Genau das macht Rachel. In vier Jahren hat sie noch nicht einmal zur Kenntnis genommen, dass sie sich in einer geschlossenen Anstalt befindet. Ihrer Meinung nach lebt sie in ihrem Haus in den Berkshires, und wir sind vorbeikommende Lieferanten, Milchmänner und Postboten. Egal, wie die Realität aussieht, sie hält mit reiner Willenskraft an ihrer Illusion fest.«

»Aber wieso sickert die Wahrheit nicht zu ihr durch?«, fragte Teddy. »Ich meine, sie ist schließlich in einer Nervenheilanstalt. Wie kann es sein, dass sie das nicht gelegentlich wahrnimmt?«

»Aha«, sagte Cawley. »Nun kommen wir zur furchtbaren Schönheit der ausgeprägten schizophrenen Paranoia. Wenn Sie überzeugt sind, meine Herren, dass allein Sie die Wahrheit kennen, dann müssen alle anderen lügen. Und wenn alle lügen …«

»Dann ist alles, was sie von sich geben, gelogen«, ergänzte Chuck.

Cawley richtete die Hand auf ihn wie eine Pistole. »Sie haben's verstanden.«

»Und damit haben diese Zahlen etwas zu tun?«, fragte Teddy.

»Müssen sie. Irgendetwas müssen sie bedeuten. Nichts, was Rachel durch den Kopf geht, ist müßig oder unwichtig. Sie muss aufpassen, dass das Gerüst in ihrem Kopf nicht zusammenbricht, und um das zu verhindern, darf sie nicht aufhören zu denken. Hier«, er tippte auf die Sehprobe, »hat sie dieses Gerüst zu Papier gebracht. Ich bin überzeugt, dass es der Schlüssel zu ihrem Versteck ist.«

Einen Moment lang meinte Teddy, die Zahlen sagten ihm etwas, bekämen Bedeutung. Es waren die ersten beiden, ganz bestimmt – die 47 und die 80. Aus irgendeinem Grund schlugen sie in seinem Kopf eine Saite an, als wenn man sich an die Melodie eines Liedes zu erinnern versucht, während im Radio ein völlig anderer Song gespielt wird. Die 47 war einfacher. Es war zum Greifen nah. Es war so simpel. Es war …

Aber dann brachen die logischen Verbindungen zusammen, und Teddys Kopf wurde leer. Der Anhaltspunkt, die Verbindung, die Brücke verflüchtigten sich. Teddy legte den Zettel zurück aufs Bett.

»Die hat was verloren«, sagte Chuck.

»Was denn?«, fragte Cawley.

»Den Verstand«, sagte Chuck. »Wenn Sie mich fragen.«

»Nun«, entgegnete Cawley. »Ich denke, zumindest das können wir als gesichert annehmen.«

4

SIE STANDEN IM Gang vor Rachels Zimmertür. Der lange Korridor wurde vom Treppenhaus in zwei Hälften geteilt. Rachels Zimmer war links von der Treppe auf halber Höhe der rechten Seite.

»Ist die Treppe der einzige Weg nach unten?«, wollte Teddy wissen.

Cawley nickte.

»Kein Zugang zum Dach?«, fragte Chuck.

Cawley schüttelte den Kopf. »Aufs Dach kommt man nur über die Feuerleiter. Ich zeige sie Ihnen gleich an der Südseite des Gebäudes. Davor ist aber eine Tür, die immer verschlossen ist. Das Personal hat Schlüssel, die Patienten natürlich nicht. Um aufs Dach zu gelangen, hätte Rachel nach unten gehen müssen, durch die verschlossene Tür gelangen und dann die Feuerleiter hoch.«

»Aber das Dach wurde doch überprüft, nicht wahr?«

Cawley nickte wieder. »Genauso wie alle Räume auf der Station. Und zwar unverzüglich. Unmittelbar nachdem ihr Verschwinden bemerkt wurde.«

Teddy wies auf den Pfleger, der vor der Treppe an einem kleinen Kartentisch saß. »Ist dieser Platz rund um die Uhr besetzt?«

»Ja.«

»Das heißt, gestern Nacht war jemand da.«

»Es war sogar der Pfleger Ganton.«

Sie gingen zur Treppe. Chuck sagte: »Also …«, und sah Teddy mit erhobenen Augenbrauen an.

»Also«, echote Teddy.

»Also«, wiederholte Chuck, »hat Miss Solando ihr verschlossenes Zimmer verlassen, ist über den Flur und dann diese Treppe hinuntergegangen.« Sie stiegen ebenfalls nach unten. Chuck wies mit dem Daumen auf den Pfleger, der ihnen vom Treppenabsatz im ersten Stock entgegensah. »Hier kommt sie an einem zweiten Pfleger vorbei. Wie, wissen wir nicht, vielleicht macht sie sich unsichtbar oder so, dann läuft sie die nächste Treppe hinunter und kommt hier raus.«

Sie bogen um die letzte Ecke und standen in einem Raum mit Sofas an den Wänden und einem großen Klapptisch mit Klappstühlen in der Mitte. Durch die Erkerfenster fiel helles Licht herein.

»Der Wohnbereich«, erklärte Cawley. »Hier halten sich abends fast alle Patienten auf. Gestern Abend fand hier die Gruppentherapie statt. Das Schwesternzimmer liegt direkt hinter dem Durchgang dort. Wenn alle Zimmer abgeschlossen sind, treffen sich die Pfleger gerne hier. Eigentlich sollen sie fegen, Fenster putzen und so, aber wir erwischen sie immer wieder beim Kartenspielen.«

»Und gestern Abend?«

»Nach Aussage der Pfleger, die Dienst hatten, war das Kartenspiel in vollem Gange. Sie saßen zu siebt unten vor der Treppe und spielten Stud Poker.«

Chuck legte die Hand auf den Mund und seufzte vernehmlich. »Hier macht sich Rachel allem Anschein nach wieder unsichtbar und biegt nach rechts oder links ab.«

»Rechts gelangt sie durch den Speisesaal in die Küche. Am Ende ist eine Gittertür mit Alarmanlage, die das Küchenpersonal nach Feierabend um neun Uhr aktiviert. Links kommt sie ins Schwesternzimmer und in den Aufenthaltsraum der Mitarbeiter. Es gibt keine Tür nach draußen. Die einzige Fluchtmöglichkeit ist die Tür am anderen Ende des Wohnbereichs oder der Korridor auf der anderen Seite der Treppe. Beide Posten waren gestern Abend besetzt.« Cawley sah auf die Uhr. »Meine Herren, ich habe einen Termin. Wenn Sie Fragen haben, wenden Sie sich an unsere Mitarbeiter oder an McPherson. Er hat die Suche bisher geleitet. Er müsste all Ihre Fragen beantworten können. Abendessen für das Personal ist um Punkt sechs in der Kantine im Keller des Pflegerwohnheims. Danach werden wir uns im Aufenthaltsraum treffen, dann können Sie mit allen sprechen, die gestern Abend zur fraglichen Zeit Dienst hatten.«

Er steuerte auf die Ausgangstür zu. Teddy und Chuck sahen ihm nach, bis er verschwunden war.

»Siehst du irgendeinen Anhaltspunkt dafür, dass es sich hier *nicht* um eine interne Angelegenheit handelt?«

»Ich persönlich hänge ziemlich an meiner Unsichtbarkeitstheorie. Vielleicht besitzt Rachel das Patentrezept. Verstehst du? Kann doch sein, dass sie uns in diesem Augenblick beobachtet, Teddy.« Kurz sah sich Chuck über die Schulter um. »Sollten wir mal ernsthaft drüber nachdenken.«

Am Nachmittag schlossen sie sich dem Suchtrupp an und stießen ins Hinterland vor. Der Wind schwoll an, wurde wärmer. Die Insel war fast vollständig zugewachsen. Sie erstickte in Unkraut und dichten Teppichen aus hohem Gras, durch das sich tastende Wurzeln uralter Eichen und grüne, dornige Kletterpflanzen zogen. Oft ging es einfach nicht weiter, nicht einmal mit den Macheten, die einige Wärter dabeihatten. Rachel Solando hatte bestimmt keine Machete gehabt. Auf jeden Fall schien es die Eigenart der Insel zu sein, alle Eindringlinge an die Küste zu drängen.

Teddy fand die Suche unprofessionell. Außer ihm und Chuck schien niemand richtig bei der Sache zu sein. Gesenkten Blickes und schweren Schrittes bahnten sich die Männer ihren Weg entlang einer gedachten Linie oberhalb der Küste. Irgendwann bogen sie auf einem Schelf aus schwarzem Gestein um eine Kurve und erblickten eine Klippe, die hoch über ihnen ins Meer ragte. Links erstreckte sich hinter einem Streifen aus ineinander verschlungenem Moos, Dornen und roten Beeren eine Lichtung, die zum Fuß einer Hügelkette hin abfiel. Die Hügel stiegen gleichmäßig an, wurden immer höher und liefen in der schroffen Klippe aus. Teddy sah Einkerbungen in den Hügeln und längliche Löcher im Felsen.

»Höhlen?«, fragte er McPherson.

McPherson nickte. »Einige.«

»Schon durchsucht?«

McPherson seufzte und schirmte ein Streichholz mit der Hand vor dem Wind ab, um sich eine Zigarette anzuzünden. »Sie besitzt zwei Paar Schuhe, Marshal. Beide wurden in ihrem Zimmer gefunden. Wie soll die Frau durch dieses Dickicht gelangen, die Felsen überwinden und die Klippe hochklettern?«

Teddy wies auf die niedrigsten Hügel hinter der Lichtung. »Wenn sie den langen Weg nimmt und sich von Westen heranarbeitet?«

McPherson stellte sich neben Teddy und zeigte ebenfalls in die Ferne. »Sehen Sie da hinten, wo die Lichtung abfällt? Da ist es sumpfig, wo Sie meinen. Am Fuß der Hügel da hinten wächst nichts anderes als Efeu, Gifteiche und Sumach, tausend verschiedene Pflanzen mit Dornen so dick wie mein Schwanz.«

»Heißt das große oder kleine Dornen?«, fragte Chuck und sah sich über die Schulter um.

McPherson schmunzelte. »Irgendwas dazwischen.«

Chuck nickte.

»Was ich damit sagen will: Sie hatte keine andere Möglichkeit, als in der Nähe der Küste zu bleiben, und in beiden Richtungen hört der Strand irgendwann auf.« Er wies auf die Klippe. »Weil da so was steht.«

Eine Stunde später standen sie auf der anderen Seite der Insel vor einer Umzäunung. Dahinter lag die alte Festung und der Leuchtturm. Teddy sah, dass der Leuchtturm noch einmal eingezäunt war. Zwei Wachen standen am Tor, Gewehr vor der Brust.

»Abwasseraufbereitung?«, fragte er.

McPherson nickte.

Teddy sah Chuck an. Chuck hob die Augenbrauen.

»Abwasseraufbereitung?«, wiederholte Teddy.

Beim Abendessen blieben sie allein am Tisch, niemand gesellte sich zu ihnen. Ihre Kleidung war klamm vom erbarmungslosen Sprühregen und dem warmen Wind, der Meerwasser mit sich trug. Draußen raschelte die Insel im Dunkeln, die Brise frischte auf.

»Ein verschlossenes Zimmer«, sagte Chuck.

»Barfuß«, ergänzte Teddy.

»Vorbei an drei Wachposten im Haus.«

»Durch einen ganzen Raum voller Pfleger.«

»Barfuß«, wiederholte Chuck.

Teddy stocherte im Essen herum, eine Art Auflauf mit zähem Fleisch. »Über eine Mauer mit elektrischem Draht.«

»Oder durch ein bewachtes Tor.«

»Und das bei diesem Wetter.« Der Wind rüttelte am Haus, an der Dunkelheit.

»Barfuß.«

»Und keiner hat sie gesehen.«

Chuck kaute auf dem Fleisch herum und trank einen Schluck Kaffee. »Wenn auf der Insel einer stirbt – muss ja auch mal vorkommen, oder? –, was machen die dann mit dem?«

»Begraben.«

Chuck nickte. »Hast du einen Friedhof gesehen?«

Teddy schüttelte den Kopf. »Ist wahrscheinlich irgendwo hinter einem Zaun.«

»Wie die Kläranlage. Sicher.« Chuck schob das Tablett von sich und lehnte sich zurück. »Mit wem sprechen wir als nächstes?«

»Mit den Angestellten.«

»Glaubst du, die helfen uns weiter?«

»Du etwa nicht?«

Chuck grinste. Er zündete sich, den Blick auf Teddy gerichtet, eine Zigarette an, und sein Grinsen wurde zu einem leisen Lachen. Im selben Rhythmus stieß er den Rauch aus.

Teddy stand in der Mitte des Raumes, das Personal im Kreis um ihn herum. Er stützte die Hände auf die Rückenlehne eines Stuhls aus Metallrohr. Chuck lehnte sich neben ihm an einen Pfosten, die Hände in den Taschen.

»Ich gehe davon aus, dass alle wissen, um was es hier geht«, sagte Teddy. »Gestern Abend ist jemand ausgebrochen. Soweit wir wissen, ist die Patientin verschwunden. Bisher weist alles darauf hin, dass sie die Einrichtung nicht ohne fremde Hilfe verlassen hat. Stimmen Sie mir zu, Mr. McPherson?«

»Ja. Ich würde sagen, zu diesem Zeitpunkt ist das eine gerechtfertigte Einschätzung der Lage.«

Teddy wollte fortfahren, doch Cawley, der auf einem Stuhl neben der Krankenschwester Marino saß, unterbrach ihn: »Könnten sich die Herren bitte kurz vorstellen? Einige Mitarbeiter haben noch nicht Ihre Bekanntschaft gemacht.«

Teddy reckte sich zu voller Größe. »U.S.-Marshal Edward Daniels. Das ist mein Kollege, U.S.-Marshal Charles Aule.«

Chuck winkte kurz und schob die Hand in die Tasche zurück.

»Mr. McPherson, Sie haben das Gelände mit Ihren Leuten abgesucht«, sagte Teddy.

»Ja, klar.«

»Und was haben Sie gefunden?«

McPherson streckte sich auf dem Stuhl. »Wir haben keinen Hinweis auf eine flüchtige Frau gefunden. Keine abgerissenen Kleidungsfetzen, keine Fußabdrücke, keine zerdrückten Pflanzen. In der letzten Nacht hatten wir starke Strömung, die Flut drückte herein. Schwimmen war absolut unmöglich.«

»Aber sie könnte es versucht haben.« Die Stimme kam von der Krankenschwester Kerry Marino, eine dünne Frau mit aufgetürmtem Haar, die die Spangen auf dem Kopf und über der Nackenwurzel sofort beim Betreten des Raumes gelöst hatte, sodass das rote Haar zu einer Mähne hinunterfiel. Ihr Käppchen hielt sie auf dem Schoß. Träge fuhr sie sich mit den Fingern durchs Haar, als sei sie müde, doch jeder Mann im Raum warf ihr verstohlene Blicke zu, denn sie wirkte, als ob sie ein Bett brauche, aber zu anderen Zwecken.

McPherson fragte: »Was war das gerade?«

Kerry Marinos Finger hielten inne, sie ließ die Hand in den Schoß sinken.

»Woher wollen wir wissen, dass sie nicht versucht hat zu schwimmen und ertrunken ist?«

»Sie wäre längst angeschwemmt worden.« Cawley gähnte in die Faust. »Bei dieser Flut!«

Kerry Marino hob die Hand, als wollte sie sagen, ach so, tut mir Leid, Jungs. »Ich dachte bloß, ich sprech's mal an.«

»Dafür sind wir Ihnen dankbar«, entgegnete Cawley. »Marshal, stellen Sie nun bitte Ihre Fragen. Es war ein langer Tag.«

Teddy warf Chuck einen unauffälligen Blick zu, und Chuck verdrehte kaum merklich die Augen. Auf einer kleinen Insel ist eine erwiesene Gewalttäterin auf freiem Fuß, und alle wollen einfach nur ins Bett.

»Mr. Ganton hat uns bereits gesagt, dass er um zwölf

nach Miss Solando gesehen hat und sie nicht mehr da war«, begann Teddy. »An den Schlössern des Fenstergitters und der Tür sind keine Spuren zu finden. Mr. Ganton, gab es in der letzten Nacht zwischen zehn und zwölf Uhr irgendwann mal einen Moment, in dem Sie den Gang im zweiten Stock nicht im Blick hatten?«

Mehrere Köpfe drehten sich zu Ganton um. Verwirrend war das Frohlocken in einigen Gesichtern, als sei Teddy ein Grundschullehrer, der gerade dem hellsten Kind der Klasse eine Frage gestellt hatte.

Ganton schaute auf seine Schuhe. »Der einzige Moment, wo ich den Gang nicht im Blick hatte, war, als ich ins Zimmer gegangen bin und sie nicht mehr da war.«

»Das hat ungefähr dreißig Sekunden gedauert.«

»Eher fünfzehn.« Ganton sah Teddy an. »Das Zimmer ist klein.«

»Und ansonsten?«

»Ansonsten waren um zehn alle weggeschlossen. Sie war die letzte. Ich hab mich auf meinen Platz an der Treppe gesetzt und zwei Stunden lang keinen mehr gesehen.«

»Und Sie haben Ihren Posten nicht verlassen?«

»Nein.«

»Vielleicht haben Sie sich eine Tasse Kaffee geholt oder so?«

Ganton schüttelte den Kopf.

»Na gut, Leute«, sagte Chuck und löste sich vom Pfosten. »Ich muss jetzt einen großen Sprung machen. Ich sag jetzt einfach mal – nur so zur Diskussion gestellt, das geht nicht gegen Mr. Ganton –: Stellen wir uns mal vor, dass Miss Solando irgendwie unter der Decke entlanggekrochen ist oder so.«

Einige unterdrückten ein Lachen.

»Sie geht die Treppe runter in den ersten Stock. An wem muss sie da vorbei?«

Ein leichenblasser Pfleger mit grellrotem Haar hob die Hand.

»Wie heißen Sie?«, fragte Teddy.

»Glen. Glen Miga.«

»Gut, Glen. Waren Sie die ganze Nacht auf Ihrem Posten?«

»Ähm, ja.«

»Wirklich, Glen?«, hakte Teddy nach.

»Ja?« Glen sah von dem Niednagel auf, an dem er herumgezupft hatte.

»Ist das die Wahrheit?«

Glen schaute kurz zu Cawley hinüber. »Ja, war ich.«

»Glen«, sagte Teddy, »ich bitte Sie.«

Glen hielt Teddys Blick stand. Seine Augen wurden größer, dann sagte er: »Ich bin kurz auf dem Klo gewesen.«

Cawley beugte sich vor. »Wer hat Sie abgelöst?«

»Ich war nur kurz pissen«, sagte Glen. »Ähm, 'tschuldigung, Sir, ich war Wasser lassen.«

»Wie lange?«, fragte Teddy.

Glen zuckte mit den Schultern. »'ne Minute, höchstens.«

»Eine Minute. Ganz bestimmt?«

»Bin ja kein Kamel.«

»Nein.«

»Ich bin rein und sofort wieder raus.«

»Sie haben die Vorschriften verletzt«, sagte Cawley. »Herrgott noch mal.«

»Ich weiß, Sir. Ich –«

»Wann war das?«, wollte Teddy wissen.

»Um halb zwölf, ungefähr.« Glens Angst vor Cawley schlug um in Hass auf Teddy. Nicht mehr lange, und er würde seine Feindseligkeit offen zeigen.

»Danke, Glen«, sagte Teddy und gab Chuck ein Zeichen.

»Um halb zwölf, ungefähr«, sagte Chuck, »war das Pokerspiel da noch in vollem Gange?«

Die Mitarbeiter sahen sich gegenseitig an, dann nickte ein Schwarzer, und die übrigen Pfleger taten es ihm nach.

»Wer war zu dem Zeitpunkt noch dabei?«

Vier Schwarze und ein Weißer hoben die Hand.

Chuck nahm sich den Anführer vor, der als erster genickt und die Hand gehoben hatte. Es war ein fülliger, fleischiger Typ, dessen rasierter Schädel im Licht glänzte.

»Wie heißen Sie?«

»Trey. Trey Washington.«

»Trey, wo genau haben Sie gesessen?«

Trey wies auf den Boden. »Genau hier. In der Mitte. Von hier hat man die Treppe gut im Blick. Ein Auge auf der Eingangstür, eins auf der Hintertür.«

Chuck stellte sich neben ihn und reckte den Kopf, um die beiden Türen und die Treppe zu sehen. »Gute Position.«

Trey senkte die Stimme. »Ist nicht nur wegen den Patienten. Auch wegen der Ärzte und wegen ein paar Schwestern, die was gegen uns haben. Wir dürfen eigentlich nicht Karten spielen. Wir müssen aufpassen, wenn einer kommt, damit wir uns sofort 'nen Schrubber packen können.«

Chuck grinste. »Sie sind bestimmt ganz schön flink.«

»Haben Sie es schon mal im Sommer blitzen sehn?«

»Ja.«

»Ist nichts im Vergleich zu mir, wenn ich mir den Schrubber packe.«

Das löste die Stimmung. Schwester Marino konnte ein Lächeln nicht unterdrücken, und einige Schwarze schlugen sich gegenseitig ab. In dem Moment wusste Teddy, dass Chuck für die Dauer ihres Aufenthalts hier der Gute sein würde. Er konnte mit Menschen umgehen. In jeder Umgebung schien er klarzukommen, ungeachtet der Hautfarbe und sogar der Sprache. Teddy fragte sich, warum um alles in der Welt die Dienststelle in Seattle ihn hatte gehen lassen. Eine japanische Freundin – wen störte so was?

Teddy hingegen war der geborene Anführer. Wenn die anderen das akzeptierten, wie sie es im Krieg ziemlich schnell getan hatten, kam er hervorragend mit ihnen aus. Wenn nicht, gab es Spannungen.

»Schon gut.« Chuck hob die Hand, um das Gelächter zu beenden, musste aber selbst grinsen. »Gut, Trey, Sie waren alle hier unten am Treppenabsatz und spielten Karten. Wann merkten Sie, dass etwas nicht stimmte?«

»Als Ike – ähm, Mr. Ganton, meine ich – von oben runterrief: ›Holt den Direktor. Wir haben einen Ausbruch‹.«

»Und wann war das?«

»Um null Uhr zwei und neununddreißig Sekunden.«

Chuck hob die Augenbrauen. »Im Zweitberuf Stoppuhr?«

»Nein, Sir, aber ich hab mir angewöhnt, beim ersten Anzeichen von Ärger auf die Uhr zu sehen. Wenn es irgendwelche besonderen Vorkommnisse gibt, müssen wir immer einen Vordruck ausfüllen, ein Protokoll. Auf so einem Blatt wird man als erstes nach der Uhrzeit gefragt. Wenn man genug von solchen Formularen ausgefüllt hat, gewöhnt man sich an, bei der kleinsten Unregelmäßigkeit auf die Uhr zu gucken.«

Mehrere Pfleger nickten zustimmend, einige bestätigten es brummend oder sagten: »Genau«, als wären sie in einem Gottesdienst der Erweckungskirche.

Chuck sah Teddy an, als wollte er sagen: Na, was hältst du davon?

»Also um null Uhr zwei.«

»Und neununddreißig Sekunden.«

Teddy sagte: »Dass es zwei Minuten nach zwölf war, liegt das daran, weil Sie zuerst noch in anderen Zimmern nachgesehen haben, bevor Sie zu Miss Solando gingen?«

Ganton nickte. »Sie ist die Fünfte auf dem Flur.«

»Wann traf der Direktor ein?«, fragte Teddy.

»Hicksville – ist 'n Wärter – ging als erster nach draußen«, erwiderte Trey. »Saß, glaub ich, am Tor. Um null Uhr sechs und zweiundzwanzig Sekunden war er zurück. Der Direktor kam vier Minuten später mit sechs Leuten.«

Teddy wandte sich an Schwester Marino. »Sie hörten die Unruhe und …«

»Ich hab sofort das Schwesternzimmer abgeschlossen. Bin ungefähr zur gleichen Zeit im Wohnbereich gewesen, als

Hicksville von draußen reinkam.« Sie zuckte mit den Schultern und zündete sich eine Zigarette an. Mehrere verstanden das als Aufforderung, es ihr gleichzutun.

»An Ihnen im Schwesternzimmer konnte also niemand vorbeischleichen?«

Sie stützte das Kinn in die Hand und sah Teddy durch den Rauch hindurch an. »An mir vorbei wohin? Zur Bädertherapie? Da sitzt man in einem Betonbunker mit 'ner Menge Badewannen und ein paar Planschbecken fest.«

»Wurde der Raum durchsucht?«

»Ja, Marshal«, sagte McPherson mit müder Stimme.

»Schwester Marino«, sagte Teddy, »Sie haben gestern Abend ebenfalls an der Gruppentherapie teilgenommen.«

»Ja.«

»War irgendwas auffällig?«

»Wie definieren Sie ›auffällig‹?«

»Wie bitte?«

»Wir befinden uns in einer Nervenheilanstalt, Marshal. Für kriminelle Geisteskranke. Auffällig ist hier eigentlich alles.«

Teddy grinste dümmlich und nickte. »Dann will ich mich anders ausdrücken. Ist gestern Abend in der Gruppe etwas vorgefallen, das denkwürdiger war als ... ähm ...?«

»Normal?«, ergänzte sie.

Cawley musste schmunzeln, einige lachten auf.

Teddy nickte.

Sie dachte kurz nach, die Asche der Zigarette wurde weiß und krümmte sich nach unten. Sie bemerkte es, schnippte sie in den Aschenbecher und hob den Kopf. »Nein, tut mir Leid.«

»Hat Miss Solando gestern Abend etwas gesagt?«

»Ein paarmal, glaub ich, ja.«

»Was?«

Schwester Marino sah Cawley an.

»Sie sind vorübergehend von der Schweigepflicht entbunden.«

Sie nickte, aber Teddy merkte, dass es ihr nicht recht war.

»Wir haben über den Umgang mit der Wut gesprochen. In letzter Zeit gab es einige Zwischenfälle wegen übersteigerter Empfindlichkeiten.«

»Was für Zwischenfälle?«

»Die Patienten haben sich angeschrien, sich geschlagen, solche Sachen. Nichts Ungewöhnliches, nur ein kleiner Anstieg in den letzten Wochen, der wohl in erster Linie auf die Hitzewelle zurückzuführen ist. Deshalb haben wir gestern Abend über angemessene und unangemessene Möglichkeiten gesprochen, Angst und Missfallen auszudrücken.«

»War Miss Solando in letzter Zeit besonders schlecht gelaunt?«

»Rachel? Nein. Rachel wird nur unruhig, wenn es regnet. Das war ihr Beitrag zur Diskussion gestern Abend: ›Ich höre Regen. Ich höre Regen. Er ist noch nicht da, aber er kommt. Was sollen wir mit dem Essen machen?‹«

»Mit dem Essen?«

Schwester Marino drückte die Zigarette aus und nickte. »Rachel mag das Essen hier nicht. Sie hat sich ständig drüber beschwert.«

»Aus gutem Grund?«, fragte Teddy.

Marino unterdrückte ein Grinsen und senkte den Blick. »Unter Umständen könnte man behaupten, die Begründung ist nachvollziehbar. Aber wir bewerten Begründungen und Motive hier nicht als gut oder schlecht.«

Teddy nickte. »Gestern Abend war ein Dr. Sheehan anwesend. Er hat die Gruppe geleitet. Ist er hier?«

Niemand sagte etwas. Mehrere Männer drückten ihre Zigarette in den zwischen den Stühlen stehenden Aschenbechern aus.

Schließlich antwortete Cawley: »Dr. Sheehan hat heute Morgen die Fähre genommen. Mit der Sie zur Insel gekommen sind.«

»Warum?«

»Er hatte seit längerem einen Urlaub geplant.«

»Aber wir müssen mit ihm reden.«

»Er hat mir seine schriftliche Zusammenfassung der Gruppensitzung überlassen«, gab Cawley zurück. »Ich habe alle Notizen. Er hat das Hauptgebäude gestern Abend um zehn Uhr verlassen und sich in seine Wohnung zurückgezogen. Heute Morgen ist er gefahren. Sein Urlaub ist schon lange überfällig und ebenso lange geplant. Wir sahen keinen Grund, ihn hier festzuhalten.«

Teddy fragte McPherson: »Haben Sie das gebilligt?«

McPherson nickte.

»In einer solchen Situation darf niemand mehr rein oder raus«, sagte Teddy. »Eine Patientin flieht. Wie können Sie zulassen, dass jemand in dieser Situation die Insel verlässt?«

»Wir haben uns vergewissert, wo er sich in der Nacht aufgehalten hat«, sagte McPherson. »Wir haben hin- und herüberlegt und sahen letztlich keinen Grund, ihn festzuhalten.«

»Er ist *Arzt*«, warf Cawley ein.

»Du meine Güte«, sagte Teddy leise. Es war der schwerste Verstoß gegen die Vorschriften, auf den er je im Strafvollzug gestoßen war, und alle taten, als sei es nichts Besonderes.

»Wo ist er hin?«

»Bitte?«

»Wo macht er Urlaub?«, fragte Teddy.

Cawley dachte nach, schaute zur Decke. »In New York, glaube ich. Seine Familie kommt da her. Park Avenue.«

»Ich brauche seine Telefonnummer«, sagte Teddy.

»Ich wüsste nicht, warum –«

»Doktor Cawley«, unterbrach ihn Teddy. »Ich brauche die Telefonnummer.«

»Wir besorgen sie Ihnen, Marshal.« Cawley sah noch immer an die Decke. »Sonst noch was?«

»Allerdings«, sagte Teddy.

Cawley sah ihn an.

»Ich brauche ein Telefon«, sagte Teddy.

Aus dem Telefon im Schwesternzimmer kam lediglich ein Rauschen. Auf der Station gab es noch vier weitere Apparate, sicherheitshalber hinter Glas verschlossen, doch auch diese Leitungen waren tot.

Teddy und Dr. Cawley gingen zur Telefonzentrale im Erdgeschoss des Hauptgebäudes. Der Telefonist, einen schwarzen Kopfhörer um den Hals, sah auf, als sie eintraten.

»Doktor Cawley«, sagte er, »hier geht nichts mehr. Nicht einmal die Funkverbindung.«

»Ist doch noch gar nicht so schlimm draußen«, sagte Cawley.

Der Telefonist zuckte mit den Schultern. »Ich versuch's weiter. Kommt aber gar nicht so drauf an, wie es hier aussieht. Liegt am Wetter auf der anderen Seite.«

»Versuchen Sie's weiter«, sagte Cawley. »Wenn's wieder läuft, sagen Sie mir sofort Bescheid. Dieser Mann muss ein ziemlich wichtiges Gespräch führen.«

Der Telefonist nickte, drehte sich um und setzte den Kopfhörer wieder auf.

Die Luft draußen fühlte sich an wie heißer Atem.

»Was passiert, wenn Sie sich nicht melden?«, fragte Cawley.

»Auf der Dienststelle?«, fragte Teddy zurück. »Das wird schriftlich im Tagesprotokoll vermerkt. Wenn sie vierundzwanzig Stunden nichts von mir gehört haben, machen sie sich langsam Sorgen.«

Cawley nickte. »Vielleicht ist es bis dahin vorbei.«

»Vorbei?«, meinte Teddy. »Hat ja noch nicht mal angefangen.«

Cawley zuckte mit den Schultern und steuerte auf das Tor zu. »Heute Abend gibt's bei mir zu Hause was zu trinken und vielleicht die eine oder andere Zigarre. Neun Uhr, wenn Sie und Ihr Kollege Lust haben, vorbeizukommen.«

»Oh«, sagte Teddy. »Können wir uns dann mit Ihnen unterhalten?«

Cawley blieb stehen und sah sich um. Die dunklen Bäume jenseits der Mauer wiegten sich flüsternd.

»Wir haben uns bereits unterhalten, Marshal.«

Chuck und Teddy liefen über das dunkle Gelände. In der Luft schwoll der Sturm an, als sei die Welt schwanger, aufgebläht.

»So ein Schwachsinn!«, sagte Teddy.

»Allerdings.«

»Verkommen von vorne bis hinten.«

»Wenn ich Baptist wäre, würde ich jetzt sagen: ›Amen, Bruder.‹«

»Bruder?«

»So reden die da unten. Ich war ein Jahr in Mississippi.«

»Wirklich?«

»Amen, Bruder.«

Teddy schnorrte noch eine Zigarette von Chuck und zündete sie an.

»Hast du auf der Dienststelle angerufen?«, fragte Chuck.

Teddy schüttelte den Kopf. »Cawley hat gesagt, die Zentrale bekommt keine Amtsleitung mehr.« Er wies nach oben. »Wegen des Sturms.«

Chuck spuckte einen Tabakkrümel aus. »Der Sturm? Wo denn?«

»Man merkt doch, dass was in der Luft liegt«, sagte Teddy. Er schaute in den dunklen Himmel. »Auch wenn's noch nicht dafür reicht, die Kommandozentrale auszuschalten.«

»Kommandozentrale?«, sagte Chuck. »Bist du nun raus aus der Armee oder wartest du immer noch auf deine Entlassungspapiere?«

»Dann eben Telefonzentrale«, sagte Teddy und wedelte mit der Zigarette. »Ist doch egal, wie das hier heißt. Und der Funk ist auch hin.«

»Der Funk ist hin?«, Chuck riss die Augen auf. »Der *Funk*, Chef?«

Teddy nickte. »Ganz schön trübe Aussichten, ja. Wir sitzen auf einer Insel fest und suchen eine Frau, die aus einem verschlossenen Raum geflohen ist …«

»Vorbei an vier Wachposten.«

»Durch einen Raum mit Poker spielenden Aufsehern.«

»Über eine drei Meter hohe Backsteinmauer.«

»Mit elektrischem Draht.«

»Elf Meilen durchs Meer.«

»Gegen eine zornige Strömung.«

»Zornig. Gefällt mir. Und kalt war das Wasser. Wie viel Grad hat es, dreizehn?«

»Höchstens fünfzehn. Aber nachts …«

»Höchstens dreizehn.« Chuck nickte. »Teddy, weißt du was? Das hier ist alles …«

»Dazu der verschwundene Dr. Sheehan.«

»Das kam dir auch seltsam vor, oder? Konnte dich nicht genau einschätzen. Ich fand, du hast Cawley den Arsch nicht weit genug aufgerissen, Chef.«

Teddy lachte, und das Geräusch wurde von der Nachtluft fortgetragen und von der fernen Brandung verschluckt, als wäre es nie da gewesen, als nähmen die Insel, das Meer und das Salz einem alles, was man zu besitzen meinte …

»… und wenn wir ein Ablenkungsmanöver sind?«, fragte Chuck.

»Was?«

»Was ist, wenn wir ein Ablenkungsmanöver sind?«, wiederholte Chuck. »Wenn sie uns nur als Tüpfelchen auf dem i geholt haben?«

»Drücken Sie sich deutlicher aus, Watson.«

Chuck grinste. »Also gut, Chef, aber aufpassen.«

»Mach ich.«

»Sagen wir mal, ein gewisser Arzt verliebt sich in eine gewisse Patientin.«

»Miss Solando.«

»Du hast das Foto gesehen.«

»Sie sieht gut aus.«

»Sieht gut aus! Teddy, die Frau ist ein Knaller! Also bearbeitet sie unseren Jungen, diesen Sheehan ... Verstehst du jetzt, was ich meine?«

Teddy schnippte die Zigarette in den Wind und sah zu, wie die Funken sprühten, im Wind aufglühten und fortflogen. »Sheehan beißt an und glaubt bald, dass er ohne sie nicht mehr leben kann.«

»Wobei ›leben‹ das entscheidende Wort ist. Als freies Paar in einer freien Welt.«

»Also türmen sie. Runter von der Insel.«

»Könnten jetzt schon in einem Fats-Domino-Konzert sitzen.«

Teddy blieb am hinteren Ende des Wohnheims vor der orangeroten Mauer stehen. »Aber aus welchem Grund sollten sie *nicht* die Spürhunde rufen?«

»Haben sie ja getan«, sagte Chuck. »Alles nach Vorschrift. Irgendwen mussten sie holen, und wenn einer von so einem Ort flieht, sind wir halt zuständig. Aber wenn vertuscht werden soll, dass Angestellte beteiligt sind, dann sind wir bloß hier, um ihre Version der Geschichte glaubwürdiger zu machen. Sie können behaupten, sie hätten alle Vorschriften befolgt.«

»Na gut, aber warum sollten sie Sheehan decken?«

Chuck stützte sich mit einem Fuß an der Mauer ab. Er zündete sich eine Zigarette an. »Keine Ahnung. Hab ich mir noch nicht überlegt.«

»Wenn Sheehan Rachel hier rausgeholt hat, muss er vorher ein paar Leute geschmiert haben.«

»Auf jeden Fall.«

»Mehr als ein paar.«

»Vor allem die Pfleger. Und ein oder zwei Wärter.«

»Und einen von der Fähre. Vielleicht sogar noch mehr.«

»Es sei denn, er hat gar nicht die Fähre genommen. Kann ja selbst ein Boot haben.«

Teddy dachte kurz nach. »Hat Geld an den Füßen. Park Avenue, hat Cawley gesagt.«

»Na, da hast du's. Ein eigenes Boot.«

Teddy schaute zum dünnen Draht oben auf der Mauer hoch. Die Luft wurde langsam drückend wie eine gegen Glas gepresste Blase.

»Wirft genauso viele Fragen auf, wie es beantwortet«, sagte Teddy nach einer Weile.

»Hm?«

»Was sollen die Buchstaben in Rachel Solandos Zimmer?«

»Na ja, sie ist schließlich verrückt.«

»Warum zeigen sie sie uns dann? Ich meine, wenn hier was vertuscht wird, warum machen sie es uns dann nicht einfach, damit wir unsere Berichte schreiben und wieder gehen können. Warum sagen sie nicht: Der Wärter ist eingeschlafen. Oder: Das Fensterschloss war verrostet, das war uns entgangen.«

Chuck legte die Hand an die Mauer. »Vielleicht fühlten sie sich einsam. Alle. Brauchten Kontakt zur Welt draußen.«

»Na, klar. Sie erfinden eine Geschichte, damit wir herkommen? Damit sie ein neues Gesprächsthema haben? Das klingt einleuchtend.«

Chuck drehte sich zur Klinik um. »Spaß beiseite …«

Teddy drehte sich ebenfalls um. Beide betrachteten das Gebäude. »Hm …«

»Ich werd langsam nervös, Teddy.«

5

»DAS WURDE DAMALS schon ›großzügiger Wohnbereich‹ genannt«, erklärte Cawley und führte sie über das
Parkett des Foyers zu den beiden Eichentüren mit Messing-
knäufen, groß wie Ananas. »Im Ernst. Meine Frau hat auf
dem Dachboden nicht abgeschickte Briefe des ersten Eigen-
tümers, Colonel Spivey, gefunden. Seitenlang ergeht er sich
über den großzügigen Wohnbereich, den er gerade baut.«

Cawley zog an einer der Ananas, die Tür öffnete sich.

Chuck pfiff anerkennend. Teddy und Dolores hatten eine
Wohnung auf der Buttonwood gehabt, um deren Größe sie
alle Freunde beneidet hatten – der Korridor war so lang wie
ein Fußballfeld –, dennoch hätte ihr Apartment zweimal in
diesen Raum gepasst.

Der Boden war aus Marmor, hier und dort lag ein dunkler Orientteppich. Der Kamin war mehr als mannshoch. Allein die Vorhänge – drei Meter violetter Samt pro Fenster,

und zwar an neun Fenstern – mussten mehr gekostet haben, als Teddy im Jahr verdiente. Vielleicht sogar mehr als in zwei Jahren. Ein Billardtisch stand in einer Ecke unter dem Ölgemälde eines Mannes in der blauen Uniform der Unionsarmee, dem Bild einer Frau in einem weißen Rüschenkleid und einem dritten Werk, das den Mann und die Frau zusammen zeigte, einen Hund zu ihren Füßen und hinter ihnen ebenjener mächtige Kamin.

»Der Colonel?«, fragte Teddy.

Cawley folgte seinem Blick und nickte. »Wurde kurz nach Fertigstellung der Gemälde seines Postens enthoben. Wir haben sie zusammen mit dem Billardtisch, den Teppichen und den meisten Stühlen im Keller gefunden. Den Keller sollten Sie sich mal ansehen, Marshal. Da könnte man einen Poloplatz draus machen.«

Teddy roch Pfeifentabak und drehte sich um, Chuck ebenfalls. Beide hatten gemerkt, dass noch ein anderer Mann im Raum war. Er saß, den Rücken ihnen zugekehrt, in einem Ohrensessel vor dem Kamin, hatte einen Fuß aufs Knie gestützt und ein geöffnetes Buch dagegengelehnt.

Cawley führte Teddy und Chuck zum Kamin und wies auf die im Kreis aufgestellten Sessel. Dann ging er zum Barschrank. »Was trinken die Herren?«

»Roggenwhisky, falls Sie welchen haben«, sagte Chuck.

»Werde schon welchen auftreiben. Und Sie, Marshal Daniels?«

»Mineralwasser mit Eis.«

Der Unbekannte sah zu ihnen auf. »Kein Alkohol?«

Teddy schaute auf den Mann hinunter. Ein kleiner Kopf mit roten Haaren saß wie eine Kirsche auf einem massigen Körper. Der Kerl verströmte eine penetrante Affektiertheit, als verbrachte er jeden Morgen viel Zeit im Badezimmer und verwöhnte sich mit Pudern und parfümierten Ölen.

»Und Sie sind?«, fragte Teddy.

»Das ist ein Kollege von mir«, erklärte Cawley. »Dr. Jeremiah Naehring.«

Der Mann blinzelte zum Gruß, gab ihnen aber nicht die Hand, daher machten auch Teddy und Chuck keine Anstalten, ihn förmlich zu begrüßen.

»Ich bin neugierig«, sagte Naehring, als Teddy und Chuck die beiden Plätze links neben ihm eingenommen hatten.

»Das ist prima«, sagte Teddy.

»Warum Sie keinen Alkohol trinken. Ist es bei Männern in Ihrer Stellung nicht üblich, ordentlich zu bechern?«

Cawley reichte ihnen die Getränke. Teddy stand auf und stellte sich vor das Regal rechts neben dem Kamin. »Durchaus üblich«, sagte er. »Und bei Ihnen?«

»Wie bitte?«

»Wie ist es in Ihrem Beruf?«, fragte Teddy. »Ich hab schon oft gehört, dass es da viele Säufer gibt.«

»Nicht dass ich wüsste.«

»Wohl nicht genau hingeguckt, was?«

»Ich glaube, ich kann Ihnen nicht ganz folgen.«

»Was haben Sie denn da im Glas, kalten Tee?«

Teddy drehte sich zu Naehring um, der einen flüchtigen Blick auf sein Glas warf. Ein verkniffenes Lächeln umzuckte seine vollen Lippen. »Ausgezeichnet, Marshal Daniels. Ihre Selbstverteidigung funktioniert hervorragend. Ich nehme an, dass Sie sich bei Verhören sehr geschickt anstellen.«

Teddy schüttelte den Kopf. Er stellte fest, dass Cawley nur wenig medizinische Fachliteratur besaß, jedenfalls in diesem Zimmer. Einiges stand zwar im Regal, doch die meisten Bücher waren Romane, daneben einige schmale Bändchen, wohl Lyrik, im übrigen meterweise Geschichtsschreibung und Biographien.

»Nicht?«, sagte Naehring.

»Ich bin ein von der Bundesregierung ernannter Marshal. Als solcher suche ich flüchtige Straftäter und bringe sie zur Vernehmung. Mehr nicht. Die Vernehmung selbst übernehmen meistens andere.«

»Ich habe ›Verhör‹ gesagt, Sie nennen es ›Vernehmung‹. Ich muss wirklich sagen, Marshal Daniels, Sie haben eine erstaunliche Selbstverteidigung.« Mehrmals stieß er mit seinem Scotchglas auf den Tisch, als wolle er applaudieren. »Männer der Gewalt finde ich faszinierend.«

»Was für Männer?« Teddy schlenderte zu Naehrings Sessel, sah auf den kleinen Mann hinunter und ließ die Eiswürfel im Glas klirren.

Naehring legte den Kopf in den Nacken und trank einen Schluck Scotch. »Männer der Gewalt.«

»Das ist eine unglaubliche Unterstellung«, entrüstete sich Chuck. Teddy hatte ihn noch nie so wütend gesehen.

»Das ist keine Unterstellung, nein, nein.«

Teddy ließ die Eiswürfel nochmals klirren, dann trank er das Glas aus. Neben Naehrings linkem Auge zuckte es. »Ich muss meinem Kollegen beipflichten«, sagte Teddy und setzte sich.

»Nein«, sagte Naehring gedehnt. »Ich habe gesagt, Sie seien Männer der Gewalt. Damit habe ich Ihnen nicht vorgeworfen, gewalttätige Männer zu sein.«

Teddy grinste breit. »Klären Sie uns auf!«

Hinter ihnen legte Cawley eine Schallplatte auf den Plattenteller. Erst kratzte die Nadel, dann erklang vereinzeltes Knacken und Rascheln. Es erinnerte Teddy an das Geräusch aus der toten Telefonleitung. Schließlich setzte eine wohltuende Melodie aus Streichinstrumenten und Klavier ein. Etwas Klassisches, so viel wusste Teddy. Preußisch. Erinnerte ihn an Cafés in Europa und an die Schallplattensammlung eines Kommandanten in Dachau. Der Mann hatte die Musik aufgelegt und sich dann in den Mund geschossen. Er lebte noch, als Teddy mit vier GIs hereinkam. Gurgelte. Konnte kein zweites Mal schießen, weil die Waffe zu Boden gefallen war. Die sanfte Musik kroch durch den Raum wie Spinnen. Er brauchte zwanzig Minuten zum Sterben. Zwei GIs plünderten das Büro und fragten den Herrn Kommandanten nebenbei, ob er große Schmerzen habe. Teddy hatte ein gerahmtes Foto vom Schoß des Mannes genommen, ein Bild von einer Frau und zwei Kindern. Der Mann hatte die Augen weit aufgerissen und nach dem Foto gegriffen. Teddy hatte einen Schritt nach hinten gemacht und zwischen dem Foto und dem Mann hin- und hergeschaut, immer wieder, bis der Mann starb. Und die ganze Zeit diese Musik. Blechern.

»Brahms?«, fragte Chuck.

»Mahler.« Cawley nahm neben Naehring Platz.

»Sie haben um Aufklärung gebeten«, sagte Naehring.

Teddy stützte die Ellenbogen auf die Knie und breitete die Hände aus.

»Seit der Schulzeit«, begann Naehring, »ist keiner von Ihnen einer körperlichen Auseinandersetzung aus dem Weg gegangen. Das soll nicht heißen, dass Sie sich gerne prügeln, nur dass Ihnen ein Rückzug nie in den Sinn kommt. Stimmt das?«

Teddy sah Chuck an. Chuck lächelte leicht beschämt.

»Abhauen hab ich nicht gelernt, Doc«, sagte Chuck.

»Apropos lernen. Von wem wurden Sie großgezogen?«

»Von Bären«, sagte Teddy.

Cawleys Augen blitzten, er nickte Teddy unauffällig zu.

Naehring hingegen wusste Humor offensichtlich nicht zu schätzen. Er zupfte seine Hose am Knie zurecht. »Glauben Sie an Gott?«

Teddy lachte.

Naehring beugte sich vor.

»Ach, das war ernst gemeint!«, sagte Teddy.

Naehring wartete.

»Schon mal ein Todeslager gesehen, Doktor Naehring?«

Naehring schüttelte den Kopf.

»Nein?« Teddy rückte ebenfalls ein Stück vor. »Ihr Englisch ist sehr gut, fast fehlerlos. Aber die Konsonanten sind immer noch ein bisschen zu hart.«

»Ist Einwanderung ein Verbrechen, Marshal Daniels?«

Teddy lächelte und schüttelte den Kopf.

»Dann zurück zu Gott.«

»Wenn Sie ein Todeslager gesehen haben, Doktor Naehring, können Sie mich noch mal auf meine Gefühle bezüglich Gott ansprechen.«

Naehrings Nicken bestand aus einem langsamen Schließen und Öffnen der Augenlider. Dann wandte er sich an Chuck.

»Und Sie?«

»Hab noch kein Lager gesehen.«

»Glauben Sie an Gott?«

Chuck zuckte mit den Schultern. »Hab schon lange nicht mehr über den Guten nachgedacht.«

»Seit dem Tod Ihres Vaters, nicht wahr?«

Jetzt beugte auch Chuck sich vor und starrte den kleinen Dicken mit den strahlend blauen Augen an.

»Ihr Vater ist tot, nicht wahr? Und Ihrer auch, Marshal Daniels? Ich würde mich tatsächlich auf die Wette einlassen, dass Sie beide vor Ihrem fünfzehnten Geburtstag die dominierende Vaterfigur in Ihrem Leben verloren haben.«

»Herzdame«, sagte Teddy.

»Wie bitte?« Naehring beugte sich noch weiter vor.

»Ist das der nächste Taschenspielertrick?«, fragte Teddy. »Sagen Sie mir gleich, welche Karte ich in der Hand halte? Ach nein, besser noch: Sie sägen eine Schwester entzwei oder zaubern Kaninchen aus Dr. Cawleys Kopf.«

»Das sind keine Taschenspielertricks.«

»Wie wär's denn hiermit?«, sagte Teddy und hätte den kirschengleichen Kopf am liebsten von den klobigen Schultern gerupft. »Sie zeigen einer Frau, wie man durch Wände geht, durch ein Haus voller Pfleger und Strafvollzugsbeamter schwebt und übers Meer fliegt.«

»Der ist gut«, sagte Chuck.

Naehring gestattete sich ein weiteres langsames Blinzeln, das Teddy an eine voll gefressene Hauskatze erinnerte.

»Noch einmal: Ihre Selbstverteidigung ist –«

»Ah, geht das wieder los.«

»– beeindruckend. Aber die zur Diskussion stehende Frage –«

86

»Die zur Diskussion stehende Frage«, unterbrach ihn Teddy, »ist, dass hier in der letzten Nacht ungefähr neun krasse Verstöße gegen die Sicherheitsvorschriften begangen wurden. Sie haben eine Vermisste, und keiner sucht –«

»Natürlich suchen wir.«

»Gründlich?«

Naehring lehnte sich zurück und warf Cawley einen sonderbaren kurzen Blick zu, sodass Teddy sich fragte, wer von beiden tatsächlich der Vorgesetzte war.

Cawley bemerkte Teddys Verwirrung und errötete leicht. »Dr. Naehring fungiert unter anderem als Verbindungsglied zu unserem Kuratorium. Ich habe ihn heute Abend in dieser Funktion hergebeten, um sich Ihrer vorher geäußerten Bitten anzunehmen.«

»Was denn für Bitten?«

Mit einem Streichholz brachte Naehring seine Pfeife wieder zum Glühen. »Wir werden Ihnen die Personalakten unserer ärztlichen Mitarbeiter nicht zur Verfügung stellen.«

»Die von Sheehan«, sagte Teddy.

»Überhaupt keine.«

»Das heißt, Sie ziehen uns die Eier lang.«

»Dieser Ausdruck ist mir nicht bekannt.«

»Dann sollten Sie mehr reisen.«

»Marshal, führen Sie Ihre Ermittlung fort, und wir werden Ihnen helfen, wo wir können, aber –«

»Nein.«

»Wie bitte?« Jetzt beugte sich auch Cawley vor. Alle vier saßen mit hochgezogenen Schultern und vorgestreckten Köpfen da.

»Nein«, wiederholte Teddy. »Diese Ermittlung ist beendet. Mit der ersten Fähre kehren wir in die Stadt zurück. Wir werden unsere Berichte abgeben, dann geht das Ganze, kann ich nur vermuten, an Hoovers Jungs. Aber wir sind raus aus der Sache.«

Naehrings Pfeife bewegte sich nicht. Cawley trank einen Schluck. Mahler tönte blechern vor sich hin. Irgendwo im

Raum tickte eine Uhr. Der Regen draußen war stärker geworden.

Cawley stellte das leere Glas auf das Tischchen neben sich.

»Wie Sie wünschen, Marshal.«

Als sie Cawleys Haus verließen, goss es in Strömen. Der Regen prasselte auf das Schieferdach, die Ziegelsteine der Veranda und das schwarze Verdeck des wartenden Wagens. In silbrigen Streifen durchschnitt er die Dunkelheit. Von Cawleys Tür bis zum Auto waren es nur wenige Schritte, dennoch wurden sie völlig durchnässt. McPherson rannte um die Motorhaube herum und sprang hinters Lenkrad. Als er den Kopf schüttelte, spritzten Tropfen aufs Armaturenbrett. Er legte den Gang des Packard ein.

»Schöner Abend.« Seine Stimme übertönte die klatschenden Wischerblätter und den trommelnden Regen.

Teddy sah sich durchs Heckfenster um, die verschwommenen Silhouetten von Cawley und Naehring standen auf der Veranda und blickten ihnen nach.

»Da jagt man doch keinen Hund vor die Tür«, sagte McPherson. Ein dünner Zweig, vom Ast gerissen, flog an der Windschutzscheibe vorbei.

»Wie lange arbeiten Sie schon hier, McPherson?«, erkundigte sich Chuck.

»Vier Jahre.«

»Ist schon mal einer geflohen?«

»Nein, wo denken Sie hin!«

»Oder hat's mal einer versucht? Sie wissen schon, wurde mal jemand ein, zwei Stunden lang vermisst?«

McPherson schüttelte den Kopf. »Nicht mal das. Da müsste man wirklich absolut verrückt sein. Wo soll man denn hier hin?«

»Was ist mit Dr. Sheehan?«, fragte Teddy. »Kennen Sie den?«

»Klar.«

»Wie lange ist er schon hier?«

»Ich glaube, ein Jahr länger als ich.«

»Also fünf Jahre.«

»Kann sein.«

»Hat er oft mit Miss Solando gearbeitet?«

»Nicht dass ich wüsste. Dr. Cawley war ihr Therapeut.«

»Ist es üblich, dass der ärztliche Direktor behandelnder Therapeut eines Patienten ist?«

»Nun ...«

Sie warteten. Die Wischer klatschten unentwegt weiter, die dunklen Bäume beugten sich zu ihnen herab.

»Kommt drauf an«, sagte McPherson und winkte den Wärtern zu, als der Packard durch das Haupttor rollte. »Dr. Cawley arbeitet natürlich sehr oft mit den Patienten von Station C. Und dann gibt es noch einige auf den anderen Stationen, deren er sich annimmt, ja.«

»Wer ist das außer Miss Solando?«

McPherson hielt vor dem Männerwohnheim. »Sie haben Nachsicht, wenn ich nicht herumkomme und Ihnen die Türen öffne, ja? Schlafen Sie sich aus. Morgen wird Dr. Cawley Ihre Fragen bestimmt beantworten.«

»McPherson«, sagte Teddy und öffnete die Tür.

McPherson sah ihn an.

»Sie sind nicht sehr überzeugend«, sagte Teddy.

»Bei was?«

Teddy lächelte grimmig und trat in den Regen.

Sie teilten sich das Zimmer mit Trey Washington und einem zweiten Pfleger namens Bibby Luce. Der Raum war relativ groß, hatte zwei Etagenbetten und eine kleine Sitzecke, wo Trey und Bibby Karten spielten, als Teddy und Chuck hereinkamen. Auf das obere Etagenbett hatte jemand einen Stapel weißer Handtücher gelegt. Damit trockneten sie sich nun die Haare. Dann zogen sie sich Stühle heran und spielten mit.

Trey und Bibby pokerten. Zigaretten galten als angemessener Ersatz, wenn einem das Geld ausging. Teddy bluffte die anderen mit einem Blatt von sieben Karten und gewann mit einem Club Flush fünf Dollar und achtzehn Zigaretten. Er steckte die Zigaretten ein und spielte von da an zurückhaltend.

Chuck entpuppte sich indes als die wahre Spielernatur. Jovial wie immer, unmöglich zu durchschauen, häufte er Berge von Münzen und Zigaretten und schließlich sogar Geldscheine an. Er hockte davor und machte ein Gesicht, als sei er erstaunt, wie er an eine solche Menge Geld gelangt war.

»Haben wohl Röntgenaugen, Marshal?«, fragte Trey.

»Einfach Glück, würd' ich sagen.«

»Schwachsinn. Wenn ein Schweinehund so ein Glück hat, dann hat er irgendeinen Zauber drauf.«

»Vielleicht sollten sich andere Schweinehunde nicht am Ohrläppchen ziehen«, sagte Chuck.

»Hä?«

»Sie ziehen sich am Ohrläppchen, Mr. Washington. Immer wenn Sie was Niedrigeres als ein Full House haben.« Chuck zeigte auf Bibby. »Und der Schweinehund da ...«

Alle drei lachten los.

»Der ... der – nein, Moment mal, Moment – der kriegt immer so Eichhörnchenaugen und guckt auf unsere Einsätze, kurz bevor er blufft. Aber wenn er ein gutes Blatt hat, was macht er dann? Dann sitzt er ganz lässig da und träumt vor sich hin.«

Treys schallendes Gelächter erfüllte den Raum. Er schlug mit der Hand auf den Tisch. »Und was ist mit Marshal Daniels? Wie verrät der sich?«

Chuck griente. »Ich soll meinen Kollegen verpfeifen? Oh, nein, das mache ich nicht.«

»Ooooch.« Bibby zeigte auf die beiden.

»Kann ich nicht machen.«

»Schon klar, verstehe«, sagte Trey. »Ihr haltet eben zusammen, ihr *Weißen*.«

Chuck lief rot an. Er schaute Trey an, bis alle Luft aus dem Zimmer gewichen war.

Treys Adamsapfel hüpfte auf und ab, er wollte schon ent-schuldigend die Hand heben, da sagte Chuck: »Na klar. Was denn sonst?«, und grinste von einem Ohr zum anderen.

»So ein *Schweine*hund!« Trey schlug Chuck auf die Finger.

»Schweinehund!«, sagte Bibby.

»Stinkender Schweinehund«, sagte Chuck, und die drei kicherten wie kleine Jungen.

Teddy wollte mitmachen, merkte aber, dass es nicht passen würde. Er würde sich anhören wie ein Weißer, der locker drauf sein will. Aber Chuck? Chuck schaffte das irgendwie.

»Und, womit hab ich mich verraten?«, fragte Teddy Chuck, als sie im Dunkeln lagen. Auf der anderen Seite des Raumes schnarchten Trey und Bibby um die Wette. In der letzten halben Stunde war der Regen schwächer geworden, als halte er den Atem an und warte auf Verstärkung.

»Beim Kartenspielen?«, fragte Chuck vom unteren Bett zurück. »Lass gut sein.«

»Nein. Ich will es wissen.«

»Du hast bis heute geglaubt, du wärst ziemlich gut, stimmt's? Gib's zu.«

»Ich fand mich nicht gerade schlecht.«

»Bist du auch nicht.«

»Du hast mich abserviert.«

»Ich hab 'n paar Kröten gewonnen.«

»War dein Vater ein Spieler, liegt's daran?«

»Mein Vater war ein Arschloch.«

»Oh, tut mir Leid.«

»Nicht deine Schuld. Und deiner?«

»Mein Vater?«

»Nein, dein Onkel. Klar, dein Vater.«

Teddy versuchte, sich seinen Vater im Dunkeln vorzustellen, sah aber nur die Hände, überzogen mit Narben.

»Er war ein Fremder«, sagte Teddy. »Für uns alle. Sogar

für meine Mutter. Mensch, ich bin mir nicht mal sicher, dass er selbst wusste, wer er war. Er lebte für sein Boot. Als er das Boot verlor, verlor er jeden Halt.«

Chuck sagte nichts, und irgendwann glaubte Teddy, er sei eingeschlafen. Auf einmal sah er seinen Vater vor sich, so wie er an den Tagen, wenn es nichts zu arbeiten gab, auf dem Stuhl gesessen hatte, wie er von den Wänden, der Decke und dem Zimmer verschluckt wurde.

»Hey, Chef!«

»Noch wach?«

»Willst du wirklich aufgeben?«

»Ja. Wundert dich das?«

»Ich mach dir keinen Vorwurf. Ich mein nur, weiß nicht ...«

»Was?«

»Ich hab bis jetzt noch nie aufgegeben.«

Eine Weile lag Teddy schweigend da. Schließlich sagte er: »Nicht ein Mensch hier hat uns bisher die Wahrheit gesagt. Wir sind ihr nicht einen Schritt näher gekommen und haben nichts in der Hand, um diese Leute zu zwingen, den Mund aufzumachen.«

»Ich weiß, ich weiß«, sagte Chuck. »Leuchtet mir ein.«

»Aber?«

»Aber ich hab bis jetzt noch nie aufgegeben, das ist alles.«

»Rachel Solando ist nicht ohne fremde Hilfe barfuß aus einem verschlossenen Raum entwischt. Da wurde ordentlich nachgeholfen. Das ganze Haus hat geholfen. Ich weiß aus Erfahrung, dass man keine Gesellschaft gegen ihren Willen aufbrechen kann. Nicht, wenn wir nur zu zweit sind. Was jetzt bestenfalls passiert: Cawley sitzt jetzt, falls die Drohung angekommen ist, in seinem Herrenhaus und denkt noch mal über seine Entscheidung nach. Morgen früh sagt er vielleicht ...«

»Also bluffst du.«

»Das hab ich nicht gesagt.«

»Ich hab gerade mit dir Karten gespielt, Chef.«

Sie schwiegen, eine Weile lauschte Teddy dem Meer.

»Du spitzt die Lippen«, sagte Chuck, und seine Stimme wurde undeutlich.

»Was?«

»Wenn du ein gutes Blatt hast. Ist nur ganz kurz, aber machst du jedes Mal.«

»Aha.«

»Nacht, Chef.«

»Nacht.

6

SIE KOMMT IHM durch den Flur entgegen.

Dolores mit wütend funkelnden Augen. Irgendwo in der Wohnung schmalzt Bing Crosby »East Side of Heaven«, vielleicht in der Küche. Sie sagt: »Du meine Güte, Teddy. Du liebe Güte.« In der Hand hält sie eine leere Flasche JTS Brown. Seine leere Flasche. Teddy wird klar, dass sie eins seiner Verstecke gefunden hat.

»Bist du überhaupt mal nüchtern? Bist du überhaupt noch mal scheißnüchtern? Antworte mir!«

Aber Teddy kann nicht. Er kann nicht sprechen. Er weiß nicht mal genau, wo sein Körper ist. Er sieht seine Frau, sie kommt den langen Flur hinunter auf ihn zu, aber er kann seinen Körper nicht sehen, nicht einmal fühlen. Hinter Dolores, am anderen Ende des Flurs, hängt ein Spiegel, aber sich selbst sieht er darin nicht.

Dolores geht ins Wohnzimmer, und ihr Rücken ist verkohlt, er schwelt. Sie hält die Flasche nicht mehr in der Hand, aus ihrem Haar steigen kleine Rauchsäulen auf.

Vor dem Fenster bleibt sie stehen. »Ach, guck. Jetzt sind sie schön. Wie sie treiben.«

Teddy stellt sich neben sie ans Fenster, und Dolores ist nicht mehr verbrannt, sie ist klatschnass, und nun sieht er sich im Fenster, sieht seine Hand, die auf ihrer Schulter ruht, seine Finger, die auf ihrem Schlüsselbein liegen, und sie dreht den Kopf und drückt ihm einen schnellen Kuss auf die Finger.

»Was hast du getan?«, fragt er, ohne zu wissen, warum.

»Schau sie dir an da draußen.«

»Du bist ja ganz nass, Schatz«, sagt er, aber wundert sich nicht, dass sie nicht antwortet.

Der Blick aus dem Fenster ist nicht der, den er erwartet hat. Es ist nicht der Blick aus dem Apartment auf der Buttonwood, sondern der Blick von einem anderen Ort, an dem sie einmal waren, einer Hütte. Draußen ist ein kleiner Teich, in dem Holzstämme treiben, und Teddy bemerkt, wie glatt sie sind, sie drehen sich fast unmerklich. Das Wasser zittert und schimmert weiß im Mondlicht.

»Das ist ein schöner Pavillon«, sagt sie. »So schön weiß. Man kann die frische Farbe riechen.«

»Er ist schön.«

»Und?«, fragt Dolores.

»Hab im Krieg viele Menschen umgebracht.«

»Deshalb trinkst du.«

»Vielleicht.«

»Sie ist hier.«

»Rachel?«

Dolores nickt. »Sie ist nie fort gewesen. Du hast es fast gesehen. Fast.«

»Das Gesetz der 4.«

»Das ist ein Code.«

»Klar, aber wofür?«

»Sie ist hier. Du kannst nicht gehen.«

Er schlingt von hinten die Arme um sie, vergräbt das Gesicht in ihrem Nacken. »Ich werde nicht gehen. Ich liebe dich. Ich liebe dich so sehr.«

Ihr Bauch reißt auf, und die Flüssigkeit fließt ihm über die Hände.

»Ich bin nur eine Kiste voller Knochen, Teddy.«

»Nein.«

»Doch. Du musst aufwachen.«

»Du bist hier.«

»Nein. Das musst du verstehen. Sie ist hier. Du bist hier. Er ist auch hier. Zähl die Betten. Er ist hier.«

»Wer?«

»Laeddis.«

Der Name fährt ihm durch Mark und Bein.

»Nein.«

»Doch.« Sie legt den Kopf in den Nacken, schaut zu ihm auf. »Das weißt du.«

»Weiß ich nicht.«

»Doch, weißt du. Du kannst nicht weg.«

»Du bist immer so verkrampft.« Er massiert ihr die Schultern, und sie stöhnt leise, überrascht. Er bekommt einen Ständer.

»Ich bin jetzt entspannt«, sagt sie. »Ich bin zu Hause.«

»Dies ist nicht dein Zuhause«, sagt er.

»Doch, sicher. Mein Zuhause. Sie ist hier. Er ist hier.«

»Laeddis.«

»Laeddis«, sagt sie. Und dann: »Ich muss gehen.«

»Nein.« Er weint. »Nein. Bleib hier.«

»O Gott.« Sie lehnt sich an ihn. »Lass mich los.«

»Bitte geh nicht.« Seine Tränen rinnen über ihren Körper und vermischen sich mit der Flüssigkeit aus ihrem Bauch. »Ich muss dich noch ein bisschen länger in den Armen halten. Noch ein kleines bisschen. Bitte.«

Sie gibt ein leises Geräusch von sich – halb Seufzen, halb Heulen, zerrissen und schön in seiner Qual – und küsst ihn auf die Fingerknöchel.

»Na gut. Halt mich fest. So fest du kannst.«

Und er hält seine Frau. Hält sie und lässt sie nicht mehr los.

Um fünf Uhr morgens, der Regen tropfte auf die Welt, stieg Teddy aus dem oberen Etagenbett und nahm das Notizbuch aus seinem Mantel. Er setzte sich an den Tisch, an dem sie gepokert hatten, und schlug die Seite mit Rachel Solandos Gesetz der 4 auf.

Treys und Bibbys Schnarchen war so laut wie der Regen. Chuck schlief ruhig auf dem Bauch, eine Faust neben dem Ohr, als flüstere sie ihm Geheimnisse zu.

Teddy betrachtete das Blatt Papier. Es war relativ einfach, sobald man wusste, wie man es zu lesen hatte. Eigentlich ein Geheimalphabet für Kinder. Dennoch war es ein Code, und Teddy brauchte eine Stunde, um ihn zu knacken.

Er schaute auf. Chuck beobachtete ihn vom unteren Bett, das Kinn auf die Faust gestützt.

»Haun wir ab, Chef?«

Teddy schüttelte den Kopf.

»Bei dem Scheißwetter haut keiner ab«, sagte Trey, stieg aus dem Bett und zog das Rollo hoch. Eine ertrinkende Landschaft von perlgrauer Farbe kam zum Vorschein. »Wie sollte man auch?«

Plötzlich drohte der Traum Teddy zu entschwinden. Bibbys trockener Husten, Treys langes, lautes Gähnen, als er sich streckte, und das Hochziehen des Rollos ließen Dolores' Geruch verfliegen.

Teddy fragte sich – und zwar nicht zum ersten Mal, alles andere als das –, ob dies der Tag sein würde, an dem ihn die Sehnsucht nach ihr endgültig übermannen würde. Wenn er die Zeit zum Morgen des Brandes zurückdrehen und an Stelle von Dolores zu Hause bleiben könnte, er würde es sofort tun. Das stand fest. Das stand immer schon fest. Aber während die Jahre vergingen, fehlte Dolores ihm nicht weniger, sondern immer mehr, und seine Sehnsucht nach ihr wurde eine Wunde, die nicht vernarben wollte, die nicht aufhören wollte zu bluten.

Ich habe sie umarmt, wollte er Chuck, Trey und Bibby sagen. Ich habe sie festgehalten, Bing Crosby hat aus dem Küchenradio gesungen, ich konnte sie und das Apartment auf der Buttonwood und den See riechen, wo wir in jenem Sommer waren, und ihre Lippen haben meine Fingerknöchel gestreift.

Ich habe sie umarmt. Das kann mir diese Welt nicht geben. Diese Welt kann mich nur an das erinnern, was ich nicht habe, nicht haben kann, so lange nicht gehabt habe.

Wir hätten zusammen alt werden sollen, Dolores. Hätten Kinder haben sollen. Spaziergänge unter alten Bäumen machen. Ich wollte zusehen, wie sich deine Haut in Falten legt, wollte jede einzelne Runzel kennen. Mit dir zusammen sterben.

Nicht das hier. Das nicht.

Ich habe sie umarmt, wollte er sagen, und wenn ich genau wüsste, dass ich nur sterben müsste, um sie wieder umarmen zu können, dann könnte ich mir die Pistole nicht schnell genug an den Kopf setzen.

Chuck sah ihn wartend an.

»Ich hab Rachels Code geknackt«, sagte Teddy.

»Ach«, sagte Chuck. »Mehr nicht?«

ZWEITER TAG

Laeddis

7

CAWLEY ERWARTETE SIE in der Eingangshalle von Station B. Sein Gesicht und seine Kleidung waren nass, er sah aus, als hätte er die Nacht auf der Bank einer Bushaltestelle verbracht.

Chuck sagte: »Ich verrate Ihnen ein Geheimnis, Doktor Cawley: Wenn man sich hingelegt hat, macht man die Augen zu.«

Cawley wischte sich mit dem Taschentuch übers Gesicht. »Ach, das ist das Geheimnis? Ich wusste doch, dass ich was vergessen habe. Die Augen zumachen, sagen Sie. Gut.« Sie stiegen die gelb verfärbte Treppe hoch und nickten dem am ersten Treppenabsatz postierten Pfleger zu.

»Und wie ging es Dr. Naehring heute Morgen?«, fragte Teddy.

Müde hob Cawley die Augenbrauen. »Ich entschuldige mich für ihn. Jeremiah ist ein Genie, aber ein wenig bessere Manieren könnten ihm nicht schaden. Er möchte ein Buch schreiben über die Kriegerkultur im Spiegel der Jahrhunderte. Ständig bringt er sein Steckenpferd in die Unterhaltung ein und versucht, Menschen in die von ihm aufgestellten Kategorien einzuordnen. Es tut mir wirklich Leid.«

»Machen Sie das öfter?«

»Was denn, Marshal?«

»Ein Gläschen trinken und, ähm, Leute sondieren?«

»Berufsrisiko, würde ich sagen. Wie viele Psychiater braucht man, um eine Glühbirne einzuschrauben?«

»Keine Ahnung. Wie viele?«

»Acht.«

»Warum?«

»Ach, müssen Sie denn alles analysieren?«

Kurz sah Teddy Chuck an, dann lachten beide.

»Ein Psychologen-Witz«, sagte Chuck. »Wer hätte das gedacht?«

»Wissen Sie, in welchem Zustand sich das Fachgebiet der Psychiatrie momentan befindet, meine Herren?«

»Keinen blassen Schimmer«, sagte Teddy.

»Im Krieg«, sagte Cawley und gähnte in sein feuchtes Taschentuch. »Ideologischer, philosophischer und ja, sogar psychologischer Krieg.«

»Sie sind doch Ärzte«, sagte Chuck. »Ärzte spielen immer brav und teilen miteinander.«

Cawley grinste. Sie gingen an dem Pfleger auf dem Treppenabsatz im ersten Stock vorbei. Irgendwo unten schrie jemand, das Echo floh über die Treppe zu ihnen hinauf. Es war ein klagendes Geheul, und Teddy hörte die Hoffnungslosigkeit darin, die Gewissheit, dass dem Rufer nicht gewährt würde, wonach auch immer er sich sehnte.

»Die Vertreter der alten Schule«, erklärte Cawley, »propagieren Elektroschocks, partielle Lobotomien und bei besonders fügsamen Patienten Bäderkuren. Psychochirurgie nennt man das. Die neue Schule ist äußerst angetan von der

Psychopharmakologie. Das soll die Zukunft sein. Schon möglich. Ich weiß es nicht.«

Zwischen dem ersten und dem zweiten Stock blieb er stehen, die Hand auf dem Geländer, und Teddy nahm seine Erschöpfung wahr, ein lebendes, gebrochenes Wesen, eine vierte Kreatur neben ihnen im Treppenhaus.

»Was versteht man unter Psychopharmakologie?«, wollte Chuck wissen.

»Gerade ist ein neues Medikament zugelassen worden – es heißt Lithium –, das psychotische Patienten ruhig stellt, sie sozusagen bändigt. Damit sollen Fußfesseln der Vergangenheit angehören. Ketten, Handschellen – alles angeblich bald überflüssig. Sogar Gitter, behaupten die Optimisten jedenfalls. Die Vertreter der alten Schule sind natürlich überzeugt, dass sich die Psychochirurgie durch nichts ersetzen lässt, aber die neue Schule ist stärker, glaube ich, und sie hat mehr Geld im Rücken.«

»Woher kommt das Geld?«

»Von pharmazeutischen Unternehmen natürlich. Kaufen Sie Aktien, meine Herren, dann können Sie sich irgendwann eine Insel leisten. Neue Schule, alte Schule – mein Gott, manchmal schwadroniere ich wirklich herum.«

»Zu welcher Schule gehören Sie denn?«, fragte Teddy freundlich.

»Ob Sie's glauben oder nicht, Marshal, aber ich vertraue auf Gesprächstherapie, auf grundlegende zwischenmenschliche Kommunikation. Ich vertrete den ausgesprochen radikalen Ansatz, dass man vielleicht an einen Patienten herankommt, wenn man ihn mit Respekt behandelt und sich anhört, was er zu sagen hat.«

Wieder das Geheul. Dieselbe Frauenstimme, meinte Teddy zu hören. Sie schob sich zwischen die Gestalten auf der Treppe und schien Cawley abzulenken.

»Und die Patienten hier?«, warf Teddy ein.

Cawley lächelte. »Nun, ja, viele Patienten hier müssen medikamentös behandelt werden, manche müssen sogar fixiert werden. Keine Frage. Aber damit begibt man sich auf Glatteis. Wenn das Gift einmal in den Brunnen gelangt ist, wie bekommt man es dann wieder heraus?«

»Gar nicht«, sagte Teddy.

Cawley nickte. »Genau. Was der letzte Ausweg sein sollte, wird allmählich zur Standardreaktion. Ja, ich weiß, ich bringe die Bilder durcheinander. Die Augen zumachen«, sagte er zu Chuck. »Stimmt. Beim nächsten Mal versuche ich's damit.«

»Hab gehört, es soll Wunder wirken«, entgegnete Chuck. Sie stiegen die letzte Treppe hinauf.

In Rachels Zimmer ließ sich Cawley schwer auf die Bettkante sinken. Chuck lehnte sich gegen die Tür und sagte: »Hey, wie viele Surrealisten braucht man, um eine Glühbirne einzudrehen?«

Cawley sah ihn an. »Ich gebe auf. Wie viele?«

»Fisch«, sagte Chuck und stieß ein helles Lachen aus.

»Sie werden auch noch irgendwann erwachsen, Marshal«, sagte Cawley. »Oder?«

»Da hab ich so meine Zweifel.«

Teddy hielt sich das Blatt Papier vor die Brust und tippte dagegen, damit die anderen ihm zuhörten. »Sehen wir es uns noch mal an.«

DAS GESETZ DER 4

ICH BIN 47
<u>SIE WAREN 80</u>

<u>+ IHR SEID 3</u>

WIR SIND 4
ABER
WER IST 67?

Nach einer Weile sagte Cawley: »Ich bin zu müde, Marshal. Ich verstehe nur Bahnhof. Tut mir Leid.«

Teddy sah Chuck an. Chuck schüttelte den Kopf.

»Das Pluszeichen hat mich auf die richtige Spur gebracht«, erklärte Teddy. »Das hat mir keine Ruhe gelassen. Hier, der Strich unter ›Sie waren 80‹. Er bedeutet, dass wir die beiden Zeilen addieren sollen. Was ergibt das?«

»Einhundertsiebenundzwanzig.«

»Eins, zwei und sieben«, sagte Teddy. »Genau. Jetzt nehmen wir die 3 dazu. Aber dazwischen ist eine Leerzeile. Rachel möchte, dass wir die Zahlen einzeln lesen. Also haben wir eins plus zwei plus sieben plus drei. Was ergibt das?«

»Dreizehn.« Cawley richtete sich ein wenig auf.

Teddy nickte. »Hat die Zahl dreizehn eine besondere Bedeutung für Rachel Solando? Wurde sie an einem Dreizehnten geboren? Hat an einem geheiratet? Ihre Kinder am Dreizehnten umgebracht?«

»Das muss ich nachsehen«, sagte Cawley. »Aber die dreizehn ist für viele Schizophrene von Bedeutung.«

»Warum?«

Er zuckte mit den Schultern. »Aus demselben Grund wie bei gesunden Menschen. Man glaubt, sie bringt Unheil. Die meisten Schizophrenen leben in einem permanenten Zustand der Angst. Ein auffälliges Symptom dieser Krankheit. Viele Schizophrene sind auch äußerst abergläubisch. Womit wir wieder bei der dreizehn wären.«

»Dann ergibt es einen Sinn«, sagte Teddy. »Sehen wir uns die nächste Zahl an. Vier. Zählt man eins und drei zusammen, ergibt es vier. Aber eins und drei nebeneinander?«

»Dreizehn.« Chuck löste sich von der Wand und blickte mit seitlich geneigtem Kopf auf das Blatt.

»Und die letzte Zahl«, sagte Cawley. »Siebenundsechzig. Sechs und sieben ergibt dreizehn.«

Teddy nickte. »Das ist nicht das Gesetz der vier, sondern das Gesetz der dreizehn. Rachel Solandos Name besteht aus dreizehn Buchstaben.«

Teddy sah zu, wie Cawley und Chuck an den Fingern nachzählten. »Und, weiter?«, sagte Cawley.

»Wenn wir auf diese Spur gekommen sind, finden wir schnell eine Menge Brotkrumen, die Rachel für uns verstreut hat. Der Code verwendet das einfachste Prinzip der Buchstaben-Zahlen-Zuordnung. Eins gleich A, zwei gleich B. Können Sie mir folgen?«

Cawley nickte, kurz darauf auch Chuck.

»Der erste Buchstabe in ihrem Namen ist ein R. Als Zahl entspricht das der achtzehn. A ist eins. C ist drei. H ist acht. E ist fünf. L ist zwölf. Achtzehn, eins, drei, acht, fünf und zwölf. Alles zusammen macht wie viel, meine Herren?«

»Du meine Güte«, flüsterte Cawley.

»Siebenundvierzig«, sagte Chuck mit weit aufgerissenen Augen. Er starrte auf das Blatt vor Teddys Brust.

»Das wäre das ›ICH‹«, sagte Cawley. »Ihr Vorname. Das verstehe ich jetzt. Aber was ist mit dem ›SIE‹?«

»Das ist ihr Nachname«, erklärte Teddy. »Er gehört ihnen.«

»Wem?«

»Der Familie ihres Mannes und deren Vorfahren. Es ist nicht ihrer, nicht von Geburt an. Oder er bezieht sich auf die Kinder. Es läuft auf dasselbe hinaus. Es ist ihr Nachname. Solando. Wenn man einen Buchstaben nach dem anderen nimmt und die entsprechenden Zahlen addiert, dann kommt man, vertrauen Sie mir, auf achtzig.«

Cawley erhob sich vom Bett und stellte sich zusammen mit Chuck vor Teddy, um die Botschaft vor dessen Brust zu betrachten.

Nach einer Weile sagte Chuck: »Hey, wer bist du – Einstein oder was?«

»Haben Sie schon öfter verschlüsselte Botschaften geknackt, Marshal Daniels?«, fragte Cawley, den Blick noch immer auf das Blatt gerichtet. »Im Krieg?«

»Nein.«

»Aber wie konntest du dann …?«, fragte Chuck.

Teddys Arme wurden müde vom Hochhalten des Zettels. Er legte ihn aufs Bett.

»Weiß ich nicht. Ich mache oft Kreuzworträtsel. Ich knoble gern herum.« Er zuckte mit den Schultern.

»Aber Sie waren in Europa beim militärischen Nachrichtendienst, nicht wahr?«, fragte Cawley.

Teddy schüttelte den Kopf. »Bei der normalen Armee. Aber Sie, Doktor Cawley, Sie waren beim OSS.«

»Nein. Ich hatte lediglich beratende Funktion.«

»In welchem Bereich haben Sie denn beraten?«

Cawley schenkte ihm ein dahingehuschtes Lächeln, das verschwunden war, kaum dass man es gesehen hatte. »Im Darüber-spricht-man-nicht-Bereich.«

»Aber dieser Code hier«, sagte Teddy, »ist ziemlich einfach.«

»Einfach?«, meinte Chuck. »Du hast es eben erklärt, und mir brummt jetzt noch der Schädel.«

»Aber für Sie doch, Doktor?«

Cawley zuckte mit den Schultern. »Was soll ich sagen, Marshal? Ich war kein Codebrecher.«

Cawley legte den Kopf in den Nacken, strich sich übers Kinn und versenkte sich wieder in die Buchstaben und Zahlen. Teddy fing Chucks Blick auf, er schaute wie ein Fragezeichen.

»Wir haben also«, sagte Cawley, »ähm, Sie haben, Marshal, die 47 und die 80 aufgelöst. Wir haben festgestellt, dass alle Zahlenangaben Permutationen der Zahl dreizehn sind. Was ist mit der 3?«

»Noch mal«, sagte Teddy. »Entweder sind damit wir gemeint, dann müsste Rachel hellseherische Fähigkeiten haben …«

»Eher unwahrscheinlich.«

»Oder es sind ihre Kinder.«

»Das glaube ich eher.«

»Wenn man Rachel dazurechnet …«

»Kommt man zur nächsten Zeile«, ergänzte Cawley. »Wir sind 4.«

»Wer ist dann 67?«

Cawley sah Teddy an. »Ist das jetzt keine rhetorische Frage?«

Teddy schüttelte den Kopf.

Cawley fuhr mit dem Finger über die rechte Seite des Blattes. »Keine der Zahlen ergibt siebenundsechzig?«

»Nein.«

Cawley rieb sich mit der Hand über den Kopf und richtete sich auf. »Und Sie haben auch keine Theorie?«

»Das ist die einzige Zahl, die ich nicht entschlüsseln kann. Auf was auch immer sie sich bezieht, ich kenne es nicht. Deshalb nehme ich an, dass es mit der Insel zu tun hat. Was meinen Sie, Doktor Cawley?«

»Was?«

»Haben Sie irgendeine Theorie?«

»Nein. Ich hätte nicht einmal die erste Zeile geschafft.«

»Haben Sie schon gesagt, ja. Müde und so.«

»Sehr müde, Marshal«, sagte Cawley und sah Teddy geradewegs ins Gesicht. Dann trat er ans Fenster und beobachtete, wie der Regen daran herunterlief. Es regnete so heftig, dass die Landschaft nicht mehr zu erkennen war. »Sie haben gestern Abend gesagt, Sie würden die Insel verlassen.«

»Mit der ersten Fähre«, bluffte Teddy weiter.

»Heute wird keine kommen. Da bin ich mir ziemlich sicher.«

»Dann eben morgen. Oder übermorgen«, sagte Teddy. »Glauben Sie immer noch, dass sich Rachel draußen aufhält? Bei diesem Wetter?«

»Nein«, sagte Cawley. »Glaube ich nicht.«

»Wo ist sie dann?«

Cawley seufzte. »Ich weiß es nicht, Marshal. Ist nicht mein Spezialgebiet.«

Teddy nahm das Blatt Papier vom Bett. »Dies ist eine Vorlage. Eine Anleitung zum Entschlüsseln künftiger Botschaften. Darauf wette ich meinen Monatslohn.«

»Und wenn?«

»Dann will sie gar nicht flüchten. Sie hat uns hergeholt. Ich glaube, es gibt noch mehr Zettel dieser Art.«

»Nicht in diesem Zimmer«, sagte Cawley.

»Das nicht. Aber vielleicht in diesem Haus. Oder irgendwo draußen auf der Insel.«

Cawley atmete laut durch und klammerte sich an der Fensterbank fest. Der Mann konnte sich kaum noch auf den Beinen halten. Teddy fragte sich, was ihn in der letzten Nacht tatsächlich nicht hatte einschlafen lassen.

»Rachel soll Sie hergeholt haben?«, sagte Cawley. »Aus welchem Grund?«

»Sagen Sie es mir!«

Cawley schloss die Augen und schwieg so lange, dass Teddy sich schon fragte, ob er eingeschlafen sei.

Dann sah Cawley die beiden wieder an. »Ich habe einen langen Tag vor mir. Ich habe Mitarbeiterbesprechung, Etatbesprechung mit dem Kuratorium, Besprechungen mit der Technik für den Fall, dass der Sturm uns richtig in die Zange nimmt. Sie werden sich freuen zu hören, dass ich dafür gesorgt habe, dass Sie mit allen Patienten sprechen können, die am Abend, als Miss Solando verschwand, mit ihr in der Gruppentherapie waren. Diese Gespräche können in einer Viertelstunde beginnen. Meine Herren, ich bin Ihnen wirklich dankbar, dass Sie hier sind. Ich mache hier wirklich Männchen für Sie, auch wenn Sie das nicht glauben wollen.«

»Dann geben Sie mir Dr. Sheehans Personalakte.«

»Das kann ich nicht. Das geht auf gar keinen Fall.« Cawley lehnte den Kopf gegen die Wand. »Marshal, ich habe den Telefonisten angewiesen, es ständig bei Sheehan zu versuchen. Aber im Moment können wir niemanden erreichen. Soweit wir wissen, steht die gesamte Ostküste unter Wasser. Geduld, meine Herren. Um mehr bitte ich Sie nicht. Wir werden Rachel finden, zumindest bekommen wir heraus, was mit ihr passiert ist.« Er sah auf die Uhr. »Ich komme zu spät. Gibt es noch was oder kann das warten?«

Sie standen unter einer Markise draußen vor der Klinik. Der Regen fegte in heftigen Böen an ihnen vorbei.

»Meinst du, er weiß, was die 67 bedeutet?«, fragte Chuck.

»Ja.«

»Glaubst du, dass er den Code schon vor dir geknackt hatte?«

»Ich glaube, dass er beim OSS war. Ich glaube, dass er in dem Bereich ein gewisses Talent besitzt.«

Chuck wischte sich übers Gesicht und schüttelte die Finger aus. »Wie viele Patienten gibt es hier?«

»Die Klinik ist klein«, sagte Teddy.

»Ja.«

»Wie viele, vielleicht zwanzig Frauen, dreißig Männer?«

»Nicht viele.«

»Nein.«

»Jedenfalls weniger als siebenundsechzig.«

Teddy sah Chuck an. »Aber ...«, sagte er.

»Ja«, sagte Chuck. »Genau.«

Und sie schauten über die Bäume hinweg zur Spitze der Festung, vom Wolkenbruch in den Hintergrund gedrängt, verschwommen und undeutlich wie eine Kohlezeichnung in einem verrauchten Raum.

Teddy fiel wieder ein, was Dolores im Traum gesagt hatte: Zähl die Betten.

»Wie viele sind wohl da oben in der Festung, was meinst du?«

»Keine Ahnung«, sagte Chuck. »Müssen wir wohl unseren hilfsbereiten Arzt fragen.«

»O ja, der ist geradezu aufdringlich, was?«

»Ähm, Chef?«

»Ja?«

»Hast du in deinem Leben schon mal so eine Verschwendung von Steuergeldern gesehen?«

»Warum?«

»Fünfzig Patienten auf diesen beiden Stationen? Was

112

glaubst du, wie viele passen hier normalerweise rein? Ein paar hundert?«

»Mindestens.«

»Und das Verhältnis von Patienten und Personal! Auf jeden Patienten kommen hier zwei Mitarbeiter. Hast du so was schon mal gesehen?«

»Darauf ein klares Nein von mir.«

Sie betrachteten das Gelände, auf das unermüdlich Wasser prasselte.

»Was zum Teufel ist das hier?«, fragte Chuck.

Chuck und Teddy führten die Gespräche hinten in der Kantine an einem Tisch. Zwei Pfleger saßen in Rufweite, und Trey Washington hatte die Aufgabe, die Patienten hereinzubringen und anschließend wieder abzuholen.

Als Erstes kam ein unrasiertes, unablässig zwinkerndes menschliches Wrack mit tausend nervösen Ticks. Der Mann saß zusammengesunken da wie ein Pfeilschwanzkrebs, kratzte sich an den Armen und wich ihren Blicken aus.

Kurz schaute Teddy auf die erste Seite der Unterlagen, die Cawley ihnen zur Verfügung gestellt hatte – es war lediglich ein Gedächtnisprotokoll, nicht die eigentlichen Patientenakten. Der Mann vor ihnen war der Erste auf der Liste. Er hieß Ken Gage und war hier, weil er im Laden an der Ecke einem Fremden eine Dose Erbsen auf den Kopf geschlagen und dabei mit gedämpfter Stimme gesagt hatte: »Hören Sie auf, meine Post zu lesen.«

»Nun, Ken«, sagte Chuck, »wie geht es Ihnen?«

»Ich bin erkältet. Meine Füße sind erkältet.«

»Das tut mir Leid.«

»Es tut weh beim Laufen.« Ken fuhr mit dem Zeigefinger um eine schorfigen Stelle am Unterarm, so vorsichtig, als zeichne er einen Burggraben ein.

»Waren Sie am vorletzten Abend in der Gruppentherapie?«

»Meine Füße sind erkältet, und das Laufen tut weh.«

»Möchten Sie Socken?«, versuchte es Teddy. Er merkte, dass die beiden Pfleger kichernd herübersahen.

»Ja, ich will Socken, ich will Socken, ich will Socken.« Ken flüsterte und wackelte leicht mit dem gesenkten Kopf.

»Ähm, wir holen Ihnen gleich welche. Wir müssten nur kurz wissen, ob Sie –«

»Es ist aber so kalt. Meine Füße, die sind kalt, und das Laufen tut weh.«

Teddy sah Chuck an. Chuck grinste die Pfleger an, deren Gekicher zum Tisch herüberklang.

»Ken«, sagte Chuck. »Ken, könnten Sie mich bitte ansehen?«

Ken hielt den Kopf gesenkt, wackelte etwas stärker. Mit dem Fingernagel riss er die Kruste auf, und ein schmales Blutgerinnsel rann ihm den Arm hinunter.

»Ken?«

»Ich kann nicht laufen. Nicht so, nicht so. Es ist so kalt, kalt, kalt.«

»Los, Ken, sehen Sie mich an.«

Ken ballte die Fäuste auf dem Tisch.

Die Pfleger erhoben sich, Ken sagte: »Es darf nicht wehtun. Darf nicht wehtun. Aber sie wollen es. Sie tun Kälte in die Luft. Sie tun sie mir in die Kniescheiben.«

Die Pfleger steuerten auf den Tisch zu, warfen Chuck über Kens Kopf hinweg einen fragenden Blick zu. Der weiße sagte: »Seid ihr fertig mit ihm, oder wollt ihr noch mehr über seine Füße hören?«

»Meine Füße sind kalt.«

Der schwarze Pfleger hob eine Augenbraue. »Schon gut, Kenny. Wir bringen dich zur Bädertherapie, da kannst du dich aufwärmen.«

Der weiße sagte: »Bin seit fünf Jahren hier. Immer dasselbe Thema.«

»Immer?«, fragte Teddy.

»Das Laufen tut weh«, jammerte Ken.

114

»Immer«, sagte der Pfleger.

»Das Laufen tut weh, weil sie mir Kälte in die Füße getan haben …«

Der nächste, Peter Breene, war sechsundzwanzig, blond und dicklich. Er knackte mit den Knöcheln und kaute an den Fingernägeln.

»Warum sind Sie hier, Peter?«

Peter sah Teddy und Chuck über den Tisch hinweg mit feuchten Augen an. »Ich fürchte mich immer.«

»Wovor?«

»Vor so Sachen.«

»Aha.«

Peter legte den linken Fuß aufs rechte Knie, umfasste den Knöchel mit den Händen und beugte sich vor. »Hört sich blöd an, aber ich fürchte mich vor Uhren. Vor dem Ticken. Das steigt mir in den Kopf. Vor Ratten habe ich einen Riesenschiss.«

»Ich auch«, sagte Chuck.

»Ja?« Peters Miene erhellte sich.

»Echt, ja. Diese quiekenden Viecher. Ich könnte mir in die Hose pissen, wenn ich bloß eine sehe.«

»Dann gehen Sie nachts besser nicht an der Mauer vorbei«, sagte Peter. »Da sind überall welche.«

»Gut zu wissen. Danke.«

»Und vor Bleistiften«, sagte Peter. »Vor dem Blei, wissen Sie. Wie es übers Papier kratzt. Ich hab auch Angst vor Ihnen.«

»Vor mir?«

»Nein«, sagte Peter und wies mit dem Kopf auf Teddy. »Vor ihm.«

»Warum?«, wollte Teddy wissen.

Peter zuckte mit den Schultern. »Weil Sie groß sind. Der Bürstenschnitt sieht böse aus. Sie setzen Ihren Willen durch. Ihre Fingerknöchel sind voller Narben. Mein Vater war auch so. Narben hatte er zwar nicht, seine Hände waren glatt. Aber er sah böse aus. Meine Brüder auch. Sie haben mich früher immer geschlagen.«

»Ich werde Sie nicht schlagen«, sagte Teddy.

»Aber Sie könnten es. Verstehen Sie das nicht? Sie haben die Kraft. Ich nicht. Und das macht mich verletzlich. Verletzlich zu sein, macht mir Angst.«

»Und was passiert, wenn Sie Angst haben?«

Peter umklammerte seinen Knöchel und schaukelte vor und zurück, die Locken fielen ihm ins Gesicht. »Sie war nett. Ich hab mir nichts dabei gedacht. Aber ihre großen Brüste haben mir Angst gemacht, und wie sich ihr Hintern in dem weißen Kleid bewegt hat. Jeden Tag ist sie zu uns gekommen. Sie hat mich immer so angeguckt ... Wissen Sie, wie man Kinder anlächelt? So hat sie mich angelächelt. Aber sie war in meinem Alter. Na gut, vielleicht ein paar Jahre älter, aber trotzdem, noch keine dreißig. Und sie hatte so viel sexuelle Erfahrung. Das konnte man an ihren Augen sehen. Sie war gerne nackt. Sie hatte am Schwanz gelutscht. Und dann fragt sie *mich*, ob sie ein Glas Wasser haben kann. Allein in der Küche mit *mir*, als ob das normal wäre!«

Teddy schob Chuck die Akte zu, damit er Cawleys Notiz lesen konnte:

Patient griff Pflegerin des Vaters mit einem zerbrochenen Glas an. Opfer schwer verletzt, bleibende Narben. Patient leugnet seine Verantwortung für die Tat.

»Das war nur, weil sie mir Angst gemacht hat«, sagte Peter. »Sie wollte, dass ich mein Ding raushole, damit sie drüber lachen kann. Sie wollte nämlich sagen, dass ich nie eine Frau und eigene Kinder haben kann, dass ich nie ein Mann sein kann. Denn eigentlich, das wissen Sie ja, das sieht man mir doch an, kann ich keiner Fliege was zuleide tun. So was mache ich einfach nicht. Aber wenn ich Angst bekomme ... Oh, der Kopf.«

116

»Was ist mit dem Kopf?« Chucks Stimme klang beruhigend.

»Haben Sie schon mal darüber nachgedacht?«

»Über Ihren Kopf?«

»Über den Kopf an sich«, erwiderte Peter. »Meinen, Ihren, jeden. Im Grunde genommen ist er ein Motor. Ehrlich. Ein störanfälliger, komplizierter Motor. Besteht aus ganz vielen Teilen, Zahnrädern, Bolzen, Scharnieren und so. Und bei der Hälfte der Teile wissen wir nicht mal, wie sie funktionieren. Und wenn nur ein Zahnrad nicht mehr greift, nur ein einziges ... Haben Sie schon mal darüber nachgedacht?«

»In letzter Zeit nicht.«

»Sollten Sie mal. Ist genau dasselbe wie beim Auto. Nichts anderes. Ein Zahnrad greift nicht richtig, ein Bolzen bricht, und das Ganze geht drunter und drüber. Wie soll man mit diesem Wissen leben?« Er tippte sich an die Schläfe. »Dass alles hier drin steckt und man nicht drankommt und keine Kontrolle darüber hat. Im Gegenteil: Es hat die Kontrolle über dich, stimmt's? Und wenn es sich eines Tages überlegt, dass es keine Lust mehr hat?« Peter beugte sich vor, die Sehnen in seinem Hals traten hervor. »Na, dann sitzt man ganz schön in der Scheiße, was?«

»Interessante Perspektive«, bemerkte Chuck.

Peter lehnte sich auf seinem Stuhl zurück, nun plötzlich matt. »Davor fürchte ich mich am meisten.«

Teddy, dessen Migräne ihm eine gewisse Ahnung von der mangelnden Kontrolle über den eigenen Kopf gab, hätte Peter im Allgemeinen vielleicht zugestimmt, aber eigentlich wäre er dem kleinen Hosenscheißer am liebsten an die Gurgel gegangen, hätte ihn gegen einen der Backöfen hinten in der Kantine geschleudert und ihn nach der armen Krankenschwester gefragt, die er verstümmelt hatte.

Weißt du überhaupt noch, wie sie hieß, Peter? Was glaubst du, wovor *sie* Angst gehabt hat? Hä? Vor dir! Vor dir hat sie Angst gehabt. Die Frau wollte einfach nur ihrer ehrlichen Arbeit nachgehen, ihren Lebensunterhalt verdienen. Vielleicht hatte sie Kinder und einen Mann. Vielleicht wollten sie Geld sparen, um einem der Kinder irgendwann das College ermöglichen zu können, damit es ein besseres Leben hat. Kleiner Traum vom Glück.

Aber nein, da entscheidet dann so 'n schweinereiches, verzogenes Muttersöhnchen, dass aus dem Traum leider nichts wird. Tut mir Leid, aber das geht nicht. Für Sie kein normales Leben, Miss. Nie wieder.

Teddy sah Peter Breene über den Tisch hinweg an. Am liebsten hätte er ihm die Faust so in die Fresse gedonnert, dass die Ärzte die Nasenknochen nie mehr wiederfänden. Er hätte dem Schnösel am liebsten so einen Schlag verpasst, dass er auf ewig in seiner hohlen Birne widerhallte.

Stattdessen schloss er die Akte und sagte: »Sie waren am vorletzten Abend in der Gruppentherapie mit Rachel Solando. Stimmt das?«

»Ja, das stimmt, Sir.«

»Haben Sie gesehen, wie sie zu ihrem Zimmer gegangen ist?«

»Nein. Die Männer sind zuerst gegangen. Sie ist noch mit Bridget Kearns, Leonora Grant und der Schwester dageblieben.«

»Mit welcher Schwester?«

Peter nickte. »Mit der rothaarigen. Manchmal finde ich sie nett. Sie kommt mir ganz ehrlich vor. Aber dann wieder … wissen Sie?«

»Nein«, entgegnete Teddy mit ebenso weicher Stimme wie zuvor Chuck. »Weiß ich nicht.«

»Aber Sie haben sie doch gesehen, oder?«

»Klar. Wie heißt sie noch mal?«

»Die braucht keinen Namen«, sagte Peter. »So eine, die braucht keinen Namen. Schlampe. Das reicht.«

»Aber, Peter«, sagte Chuck. »Eben haben Sie gesagt, dass Sie sie nett finden.«

»Wann habe ich das gesagt?«

»Vor nicht mal einer Minute.«

»Hmm. Sie ist der letzte Dreck. Sie ist wischi-waschi.«

»Darf ich Sie etwas anderes fragen?«

»Pfui, pfui, pfui.«

»Peter?«

Peter schaute Teddy an.

»Darf ich Sie was fragen?«

»Ja, klar.«

»Ist an dem Abend in der Gruppensitzung etwas Ungewöhnliches passiert? Hat Rachel Solando etwas Unübliches gesagt oder getan?«

»Sie hat keinen Ton gesagt. War mucksmäuschenstill. Sitzt immer einfach nur da. Sie hat ihre Kinder umgebracht, wissen Sie. Drei Stück! Unglaublich, was? Was ist das für ein Mensch, der so was tut? Es gibt ganz schön kranke Menschen auf der Welt, wenn ich das sagen darf.«

»Die Menschen haben Probleme«, erklärte Chuck. »Manche haben große Probleme, manche kleine. Sie sind krank, wie Sie eben gesagt haben. Sie brauchen Hilfe.«

»Sie brauchen Gas«, sagte Peter.

»Wie bitte?«

»Gas«, sagte Peter zu Teddy. »Alle vergasen, diese Behinderten. Diese Mörder. Hat ihre eigenen Kinder umgebracht? Gehört vergast, die Alte.«

Sie schwiegen. Peter glühte, als hätte er den beiden zu einer Erleuchtung verholfen. Nach einer Weile schlug er auf den Tisch und stand auf.

»Hat mich gefreut, Sie kennen zu lernen. Ich melde mich wieder.«

Mit einem Stift kritzelte Teddy auf dem Aktendeckel herum. Peter hielt inne und sah Teddy an.

»Peter?«, sagte Teddy.

»Ja?«

»Ich wollte –«

»Könnten Sie damit aufhören?«

Mit langen, bedächtigen Bewegungen kratzte Teddy seine Anfangsbuchstaben in die Pappe. »Ich hab mich gefragt, ob –«

»Könnten Sie bitte, bitte …?«

Teddy sah auf, den Stift noch immer über die Pappe ziehend. »Was?«

»… *damit aufhören?*«

»Womit?« Teddy sah Peter an, dann den Aktenordner. Er hielt mit dem Stift inne, hob eine Augenbraue.

»Ja, bitte. Damit.«

Teddy ließ den Stift auf die Akte fallen. »Besser so?«

»Vielen Dank.«

»Kennen Sie einen Patienten namens Andrew Laeddis?«

»Nein.«

»Nein? Ist hier keiner, der so heißt?«

Peter zuckte mit den Schultern. »Nicht auf Station A. Vielleicht auf Station C. Mit denen haben wir nichts zu tun. Die sind total verrückt da.«

»Gut, vielen Dank, Peter«, sagte Teddy, griff wieder zum Stift und kritzelte weiter.

Nach Peter Breene unterhielten sie sich mit Leonora Grant. Leonora war überzeugt, sie sei Mary Pickford, Chuck sei Douglas Fairbanks und Teddy Charlie Chaplin. Sie bildete sich ein, die Kantine sei ein Büro auf dem Sunset Boulevard und sie hätten sich getroffen, um den Börsengang von United Artists zu besprechen. Immer wieder streichelte sie Chuck über den Handrücken und fragte, wer Protokoll führe.

Am Ende mussten die Pfleger sie gewaltsam von Chuck trennen, während Leonora rief: »*Adieu, mon chéri, Adieu.*«

Auf halbem Weg durch die Cafeteria riss sie sich von den Pflegern los, stürmte zu den beiden zurück und griff nach Chucks Hand.

»Vergiss nicht, die Katze zu füttern«, sagte sie.

Chuck sah ihr in die Augen und sagte: »Notiert.«

Anschließend lernten sie Arthur Toomey kennen, der darauf bestand, Joe genannt zu werden. Joe hatte die Gruppentherapie an besagtem Abend verschlafen. Es stellte sich heraus, dass er Narkoleptiker war. Zweimal nickte er während des Gesprächs ein, beim zweiten Mal war er kaum noch wachzurütteln.

Zu dem Zeitpunkt spürte Teddy schon deutlich die Stelle hinten im Schädel. Ihm juckte die Kopfhaut, und obwohl ihm außer Breene alle Patienten Leid taten, fragte er sich doch, wie man es bloß aushielt, hier zu arbeiten.

Dann kam Trey mit einer zierlichen Blondine hereingeschlendert, deren Gesicht die Form eines Medaillons hatte. Aus ihren Augen strahlte Klarheit. Nicht die Klarheit der Verrückten, sondern die alltagstaugliche Klarheit einer intelligenten Frau in einer nicht so intelligenten Welt. Nachdem sie sich hingesetzt hatte, lächelte sie und winkte den beiden schüchtern zu.

Teddy warf einen Blick auf Cawleys Notizen: Bridget Kearns.

»Ich werd' hier nie rauskommen«, sagte sie nach einer Weile. Sie rauchte ihre Zigarette nur bis zur Hälfte und drückte sie dann aus. Ihre Stimme war weich und zuversichtlich, und vor etwas mehr als zehn Jahren hatte sie ihren Mann mit einer Axt getötet.

»Vielleicht ist das besser so«, fügte sie hinzu.

»Warum?«, fragte Chuck. »Ich meine, entschuldigen Sie, wenn ich das sage, Miss Kearns –«

»Mrs.«

»Mrs. Kearns. Entschuldigen Sie, aber Sie kommen mir, na ja, ziemlich normal vor.«

Sie lehnte sich auf dem Stuhl zurück, genauso lässig wie alle, die sie hier kennen gelernt hatten, und kicherte in sich hinein. »Als ich hierher kam, war das wohl anders. Du lieber Gott. Ich bin froh, dass sie keine Fotos gemacht haben. Meine Diagnose lautet manisch-depressiv, und ich habe keinen Grund, daran zu zweifeln. Ich habe immer wieder schwarze Tage. Hat wohl jeder. Der Unterschied ist, dass die meisten Leute nicht ihren Mann mit der Axt umbringen.

121

Mir wurde gesagt, tief in mir säßen ungelöste Konflikte mit meinem Vater, und dem stimme ich ebenfalls zu. Ich glaube nicht, dass ich noch mal loslaufen und jemanden umbringen würde, aber man kann nie wissen.« Sie wies mit der Zigarette auf die beiden Männer. »Ich finde, wenn man ständig vom eigenen Mann geschlagen wird, der so gut wie alle Frauen vögelt, die ihm über den Weg laufen, und wenn einem keiner hilft, dann ist es gar nicht so abwegig, den Mann mit der Axt zu töten.«

Sie sah Teddy an, und etwas in ihren Augen – vielleicht die scheue Wankelmütigkeit eines Schulmädchens – brachte ihn zum Lachen.

»Was?«, fragte sie und lachte mit.

»Vielleicht sollten Sie doch besser nicht raus«, sagte er.

»Das sagen Sie, weil Sie ein Mann sind.«

»Da haben Sie verdammt noch mal Recht.«

»Na, dann kann ich's Ihnen nicht verübeln.«

Nach dem Gespräch mit Peter Breene war es eine Wohltat zu lachen, und Teddy wusste nicht, ob er nicht sogar ein wenig flirtete. Mit einer Geisteskranken. Einer Axtmörderin. *So weit ist es schon gekommen, Dolores.* Aber er hatte kein schlechtes Gewissen, sondern das Gefühl, nach diesen beiden langen Jahren der Trauer durchaus das Recht auf ein harmloses Geplänkel zu haben.

»Was sollte ich denn machen, wenn ich herauskäme?«, fragte Bridget. »Ich weiß nicht mehr, was draußen só passiert. Bomben, hab ich gehört. Bomben, die ganze Städte in Schutt und Asche legen. Und das Fernsehen. So heißt das doch, oder? Ich habe gehört, dass jede Station eins bekommen soll, dann können wir Theaterstücke in diesem Kasten sehen. Ich weiß nicht, was ich davon halten soll. Stimmen, die aus einem Kasten kommen. Gesichter aus einem Kasten. Ich höre jeden Tag genug Stimmen und sehe genug Gesichter. Ich brauche nicht noch mehr Krach.«

»Können Sie uns etwas über Rachel Solando erzählen?«, fragte Chuck.

Sie hielt inne. Eigentlich war es eher ein Ruck, und Teddy sah, dass sich ihre Pupillen ein wenig nach oben verdrehten, als ob sie im Kopf nach der richtigen Schublade suchte. Er schrieb »sie lügt« auf seinen Notizblock und legte sofort die Hand darüber.

Bridget sprach langsam, es klang wie auswendig gelernt.

»Rachel ist ganz nett. Sie ist eine Einzelgängerin. Manchmal erzählt sie vom Regen, aber meistens sagt sie überhaupt nichts. Sie glaubt, dass ihre Kinder noch leben. Sie glaubt, dass sie immer noch in den Berkshires lebt und dass wir ihre Nachbarn, Postboten, Lieferanten und Milchmänner sind. Es war nicht einfach, Kontakt zu ihr zu bekommen.«

Bridget sprach mit gesenktem Kopf. Danach konnte sie Teddy nicht in die Augen sehen. Ihr Blick glitt von seinem Gesicht ab, sie musterte die Tischfläche und zündete sich die nächste Zigarette an.

Teddy dachte über ihre Antwort nach und bemerkte, dass sich die Beschreibung von Rachels Wahn fast wortwörtlich mit Cawleys Schilderung vom Vortag deckte.

»Wie lange ist sie schon hier?«

»Hm?«

»Rachel. Seit wann ist sie bei Ihnen auf Station B?«

»Drei Jahre? So ungefähr, glaube ich. Ich hab mein Zeitgefühl verloren. Passiert einem hier schnell.«

»Und wo war sie vorher?«, fragte Teddy.

»Ich glaube, auf Station C. Sie wurde verlegt, glaube ich.«

»Aber das wissen Sie nicht genau.«

»Nein, ich … Das vergisst man schnell.«

»Klar. War irgendwas ungewöhnlich, als Sie sie das letzte Mal gesehen haben?«

»Nein.«

»Das war in der Gruppe?«

»Was?«

»Als Sie sie das letzte Mal gesehen haben«, wiederholte Teddy, »war das in der Gruppentherapie vorgestern Abend?«

»Ja, ja.« Bridget nickte mehrmals und strich die Asche am Rand des Aschenbechers ab. »In der Gruppe.«

»Und Sie sind alle zusammen zurück zu Ihren Zimmern gegangen?«

»Ja, mit Mr. Ganton.«

»Wie hat sich Dr. Sheehan vorgestern Abend verhalten?«

Sie blickte auf, und in ihrem Gesicht standen Verwirrung und vielleicht sogar Angst. »Ich weiß nicht, was Sie meinen.«

»War Dr. Sheehan an dem Abend dabei?«

Sie schaute erst Chuck, dann Teddy an und biss sich auf die Oberlippe. »Ja. Er war da.«

»Wie ist er so?«

»Dr. Sheehan?«

Teddy nickte.

»Ganz in Ordnung. Er ist nett. Sieht gut aus.«

»Sieht gut aus?«

»Ja. Er … ist keine Beleidigung fürs Auge, wie meine Mutter immer gesagt hat.«

»Hat er mit Ihnen geflirtet?«

»Nein.«

»Sich an Sie herangemacht?«

»Nein, nein, nein. Dr. Sheehan ist ein guter Arzt.«

»Und an dem Abend?«

»An dem Abend?« Sie dachte kurz nach. »Da ist nichts Ungewöhnliches passiert. Wir haben gesprochen über, ähm, über den Umgang mit der Wut, nicht? Rachel hat sich über den Regen beschwert. Und Dr. Sheehan ist gegangen, kurz bevor sich die Gruppe auflöste. Mr. Ganton hat uns auf unsere Zimmer gebracht, wir sind ins Bett gegangen, und das war's.«

Unter »sie lügt« schrieb Teddy »instruiert« in sein Notizbuch und schlug es zu.

»Das war's schon?«

»Ja. Am nächsten Morgen war Rachel fort.«

»Erst am nächsten Morgen?«

124

»Ja. Als ich aufwachte, hat man mir erzählt, dass sie geflüchtet ist.«

»Aber in der Nacht, so um Mitternacht, da haben Sie doch auch was gehört, nicht?«

»Was hab ich gehört?« Sie drückte die Zigarette aus und wedelte den Rauch zur Seite.

»Die Unruhe. Als die Flucht entdeckt wurde.«

»Nein, ich –«

»Es wurde gerufen, geschrien, die Wärter kamen hereingelaufen, die Alarmglocken schrillten.«

»Ich dachte, das hätte ich geträumt.«

»Geträumt.«

Schnell nickte sie. »Ja, ja. Ein Albtraum.« Sie sah Chuck an. »Könnte ich ein Glas Wasser bekommen?«

»Sicher.« Chuck stand auf und sah sich um. Im hinteren Bereich der Kantine stand ein Stapel Gläser neben einem Apparat aus Edelstahl.

Einer der Pfleger machte Anstalten, sich zu erheben. »Ist was, Marshal?«

»Hol nur ein Glas Wasser. Schon gut.«

Chuck ging zum Spender, nahm ein Glas und überlegte kurz, aus welchem Hahn Milch und aus welchem Wasser kam.

Als er den Spender hochdrückte, einen schweren Knauf, der wie ein Pferdehuf geformt war, griff Bridget Kearns nach Teddys Notizblock und Stift. Sie schaute ihm unentwegt in die Augen, blätterte zu einer freien Seite, schrieb blind etwas hinein, schlug das Deckblatt wieder darüber und schob das Notizbuch und den Stift zu Teddy zurück.

Teddy sah sie fragend an, aber sie senkte den Blick und strich gedankenverloren über ihre Zigarettenschachtel.

Chuck kam mit dem Wasserglas und setzte sich. Bridget leerte das Glas zur Hälfte. Dann sagte sie: »Vielen Dank. Haben Sie noch Fragen? Ich bin irgendwie müde.«

»Haben Sie mal einen Patienten namens Andrew Laeddis kennen gelernt?«, fragte Teddy.

Ihr Gesicht war ausdruckslos. Sie verzog keine Miene. Es sah aus, als sei ihre Haut aus Alabaster. Ihre Hände lagen flach auf dem Tisch, als drohte der Tisch an die Decke zu schweben, wenn sie die Hände fortnahm.

Teddy hatte keine Ahnung, warum, aber er hätte schwören können, dass sie kurz davor war zu weinen.

»Nein«, sagte sie. »Noch nie gehört.«

»Du meinst, sie war instruiert?«, fragte Chuck.

»Du nicht?«

»Na ja, es klang schon ein bisschen aufgesetzt.«

Sie standen unter dem überdachten Gang, der Ashecliffe mit Station B verband. Inzwischen waren sie unempfindlich gegen den Regen, gegen die Tropfen auf ihrer Haut.

»Ein bisschen? Sie hat mehrmals genau denselben Wortlaut benutzt wie Cawley. Als wir gefragt haben, um was es in der Therapiegruppe ging, hat sie kurz innegehalten und dann gesagt: ›über den Umgang mit der Wut, nicht?‹ Als ob sie nur geraten hätte. Als ob sie an einem Quiz teilnimmt und in der letzten Nacht so viel wie möglich auswendig gelernt hätte.«

»Und was hat das zu sagen?«

»Wenn ich das wüsste«, sagte Teddy. »Ich habe nichts als Fragen. Jede halbe Stunde kommen dreißig neue dazu.«

»Stimmt«, sagte Chuck. »He, ich hab auch ’ne Frage an dich: Wer ist Andrew Laeddis?«

»Ist dir nicht entgangen, was?« Teddy zündete sich eine der Zigaretten an, die er beim Poker gewonnen hatte.

»Du hast jeden Patienten danach gefragt.«

»Ken und Leonora Grant nicht.«

»Teddy, die wussten nicht mal, auf welchem Planet wir sind.«

»Stimmt.«

»Ich bin dein Kollege, Chef.«

Teddy lehnte sich gegen die Steinmauer, Chuck tat es ihm gleich. Teddy schaute Chuck an.

»Wir kennen uns noch nicht lange«, sagte er.

»Aha, du traust mir nicht.«

»Ich vertraue dir, Chuck. Wirklich. Aber ich spiele nicht ganz nach den Regeln. Ich habe ausdrücklich um diesen Fall gebeten. Sofort, als er in der Dienststelle über den Ticker kam.«

»Will sagen?«

»Will sagen, meine Motive sind nicht ganz so uneigennützig.«

Chuck nickte, zündete sich ebenfalls eine Zigarette an und dachte eine Weile nach. »Mein Mädchen, Julie – Julie Taketomi heißt sie –, ist genauso amerikanisch wie ich. Kann kein einziges Wort Japanisch. Herrgott, ihre Familie ist schon seit zwei Generationen in diesem Land. Aber man hat sie in ein Lager gesteckt und …« Er schüttelte den Kopf, achte in den Regen und zog sein Hemd hoch, sodass man seine rechte Hüfte sehen konnte. »Guck mal hier, Teddy. Das ist meine zweite Narbe.«

Teddy sah hin. Die Narbe war lang, daumenbreit und dunkel wie Gelee.

»Die ist auch nicht aus dem Krieg. Hab ich mir als Marshal geholt. Bin in Tacoma in ein Haus rein. Der Typ, den wir verfolgt haben, hat mich mit dem Säbel aufgeschlitzt. Unglaublich, was? Mit einem Scheißsäbel! Drei Wochen hab ich im Krankenhaus gelegen, haben sie mir den Bauch zusammengeflickt. Alles für den Marshal Service, Teddy. Für mein Land. Und dann werde ich aus meinem Revier verjagt, weil ich eine Amerikanerin mit asiatischer Haut und asiatischen Augen liebe?« Er stopfte das Hemd zurück in die Hose. »Ich scheiß auf die Truppe.«

»Wenn ich dich nicht besser kennen würde«, sagte Teddy nach einer Weile, »würde ich schwören, dass du die Frau wirklich liebst.«

»Ich würde für sie sterben«, sagte Chuck. »Ohne es zu bereuen.«

Teddy nickte. Er kannte kein reineres Gefühl.

»Bleib so, Junge.«

»Tu ich, Teddy. Bestimmt. Aber du musst mir sagen, warum wir hier sind. Wer zum Teufel ist Andrew Laeddis?«

Teddy ließ die Kippe auf die Steine fallen und trat sie mit dem Absatz aus.

Dolores, dachte er, ich muss es ihm sagen. Ich schaffe es nicht alleine.

Ich habe so vieles falsch gemacht – hab gesoffen, hab dich oft zu lange allein gelassen, dich im Stich gelassen, hab dir das Herz gebrochen. Wenn ich es auch nur ansatzweise jemals wieder gutmachen kann, dann ist es vielleicht jetzt so weit. Die letzte Gelegenheit, die ich habe.

Ich will das Richtige tun, Liebling. Ich will büßen. Du, gerade du, würdest das verstehen.

»Andrew Laeddis«, sagte er zu Chuck, und die Worte blieben ihm im trockenen Hals stecken. Er schluckte, sein Mund wurde feuchter, er setzte wieder an …

»Andrew Laeddis«, sagte er, »war der Hausmeister in dem Mietshaus, wo meine Frau und ich wohnten.«

»Aha.«

»Und er war ein Brandstifter.«

Chuck verarbeitete das, musterte Teddys Gesicht.

»Das heißt …«

»Andrew Laeddis«, sagte Teddy, »hat das Streichholz angezündet, das das Feuer verursacht hat …«

»Du liebe Scheiße.«

»… bei dem meine Frau ums Leben kam.«

8

TEDDY STRECKTE DEN Kopf unter dem Dach hervor, um den Regen auf Gesicht und Haaren zu fühlen. In den Regentropfen sah er Dolores. Wenn sie auftrafen, zersprang ihr Bild.

Sie hatte an jenem Morgen nicht gewollt, dass er zur Arbeit ging. In jenem letzten Jahr war sie unerklärlich furchtsam geworden und schlief schlecht, wodurch sie noch zittriger und fahriger wurde. Als der Wecker klingelte, hatte sie ihn gekitzelt, ihn gebeten, die Fensterläden nicht zu öffnen und den Tag draußen zu lassen, mit ihr im Bett zu bleiben. Sie hatte ihn umarmt, zu fest und zu lang, ihre Armknochen hatten ihm im Nacken wehgetan.

Als er duschte, kam sie ins Badezimmer, aber er war zu sehr in Eile, schon zu spät dran und hatte, wie so oft in jenen Tagen, einen dicken Kopf. Schummrig und gleichzeitig voller Nadeln. Sie schmiegte sich an ihn, ihr Körper war

rau wie Sandpapier. Der Duschstrahl so hart wie Bleiku-
geln.

»Bleib doch einfach zu Hause«, sagte sie. »Nur einen Tag.
Was macht das schon für einen Unterschied?«

Er versuchte zu lächeln, schob sie sanft zur Seite und griff
nach der Seife. »Schatz, das kann ich nicht.«

»Warum nicht?« Sie fuhr mit der Hand zwischen seine
Beine. »Hier. Gib mir die Seife. Ich wasche ihn dir.« Ihre Finger glitten unter seine Hoden, mit den Zähnen zwickte sie
ihm in die Brust.

Er musste sich zusammenreißen, um sie nicht fortzusto-
ßen. Er packte sie, so sanft er konnte, an den Schultern und
schob sie ein, zwei Schritte zurück. »Komm, bitte«, sagte er.
»Ich muss wirklich los.«

Sie lachte verhalten, wollte ihn wieder liebkosen, aber
ihr Blick wurde starr vor Verzweiflung. Der verzweifelte
Wunsch, glücklich zu sein. Nicht allein gelassen zu werden.
Die alte Zeit zurückzuhaben, als er noch nicht so viel arbeitete und trank, die Zeit, bevor sie eines Morgens aufwachte
und die Welt zu grell, zu laut und zu kalt war.

»Na gut.« Sie lehnte sich zurück, sodass er ihr ins Gesicht
sehen konnte. Das Wasser spritzte von seinen Schultern und
umnebelte ihren Körper. »Ich biete dir einen Handel an. Der
ganze Tag, das geht nicht, Schatz. In Ordnung. Aber eine
Stunde. Du kannst doch einfach eine Stunde später kommen.«

»Ich bin schon –«

»Eine Stunde«, sagte sie und streichelte ihn wieder. Ihre
Hand war voller Seife. »Eine Stunde, dann lass ich dich ge-
hen. Ich möchte dich in mir spüren.« Sie reckte sich auf die
Zehenspitzen und küsste ihn.

Er drückte ihr einen kurzen Schmatzer auf die Lippen und
sagte: »Schatz, ich kann nicht.« Dann drehte er das Gesicht
in den Duschstrahl.

»Wirst du noch mal einberufen?«, wollte sie wissen.

»Hm?«

»In den Krieg.«

»In das Drecksland? Schatz, der Krieg ist vorbei, ehe ich die Stiefel geschnürt habe.«

»Ich weiß nicht«, sagte sie. »Ich weiß nicht mal, was wir da zu suchen haben. Ich meine –«

»Weil die Kommunisten ihre Waffen nicht von ungefähr haben, Süße. Die kommen von Stalin. Wir müssen beweisen, dass wir aus München was gelernt haben. Wir hätten Hitler damals aufhalten sollen, deshalb halten wir jetzt Stalin und Mao auf. In Korea.«

»Du würdest gehorchen.«

»Wenn ich einberufen würde? Dann muss ich gehorchen. Aber so weit wird's nicht kommen.«

»Woher willst du das wissen?«

Er wusch sich das Haar.

»Hast du dich schon mal gefragt, warum die uns so hassen, die Kommunisten?«, fragte sie. »Warum können die uns nicht in Ruhe lassen? Die Welt fliegt in die Luft, und ich verstehe nicht mal, warum.«

»Wir fliegen nicht in die Luft.«

»Doch. Lies mal die Zeitung, dann –«

»Dann hör auf, die Zeitung zu lesen.«

Teddy wusch das Shampoo aus, sie schmiegte ihr Gesicht an seinen Rücken, verstohlen krochen ihre Hände um seinen Bauch nach vorne. »Ich weiß noch, wie ich dich zum ersten Mal im Grove gesehen habe. In Uniform.«

Teddy hasste es, wenn sie damit anfing. Wenn sie auf Nostalgie machte. Sie weigerte sich schlichtweg, das Jetzt wahrzunehmen, zu akzeptieren, was sie waren, Menschen mit Fehlern. Stattdessen bahnte sie sich verschlungene Wege in die Vergangenheit, um sich an ihr zu wärmen.

»Du warst so hübsch. Und Linda Cox meinte, sie hätte dich zuerst gesehen. Aber weißt du, was ich zu ihr gesagt habe?«

»Ich komme zu spät, Schatz.«

»Wieso sollte ich denn so was sagen? Nein. Ich hab gesagt: ›Du hast ihn vielleicht zuerst gesehen, Linda, aber ich sehe ihn als letzte.‹ Sie meinte, aus der Nähe würdest du böse aussehen, aber ich hab gesagt: ›Süße, hast du seine Augen gesehen? Da ist nichts Böses drin.‹«

Teddy stellte die Dusche aus und drehte sich um. Sie hatte es geschafft, sich mit Seife zu beschmieren. Hatte Schaum auf der Haut.

»Soll ich das Wasser wieder anstellen?«

Sie schüttelte den Kopf.

Er wickelte sich ein Handtuch um die Hüften und rasierte sich am Waschbecken. Dolores lehnte sich gegen die Wand und sah ihm zu. Der Schaum auf ihrer Haut trocknete.

»Warum trocknest du dich nicht ab?«, fragte Teddy. »Zieh dir doch den Bademantel über!«

»Ist alles weg«, sagte sie.

»Nein, ist noch nicht weg. Sieht aus, als wärst du voller weißer Blutegel.«

»Nicht die Seife«, sagte sie.

»Was denn?«

»Der Nachtclub, Cocoanut Grove. Ist abgebrannt, als du drüben warst.«

»Ja, Schatz, habe ich mitbekommen.«

»Da drüben«, sang sie leise, um sich aufzumuntern. »Da drüben …«

Sie hatte immer schon eine unheimlich hübsche Stimme gehabt. Als er aus dem Krieg heimgekehrt war, hatten sie sich ein Zimmer im Parker House Hotel geleistet. Sie hatten miteinander geschlafen, dann war sie ins Badezimmer gegangen, und er lag im Bett und hörte sie zum ersten Mal singen, »Buffalo Girls«. Unter der Badezimmertür war der Dampf hervorgekrochen.

»Hey«, sagte sie.

»Ja?« Im Spiegel sah er ihre linke Körperhälfte. Die Seife auf ihrer Haut war fast vollständig getrocknet, irgendetwas daran störte ihn. Es war für ihn eine Entweihung, ohne dass er es hätte erklären können.

»Hast du eine andere?«

»Was?«

»Ja?«

»Was redest du da für eine Scheiße? Ich *arbeite*, Dolores.«

»Du stehst in der Dusche und ich streichel deinen –«

»Du sollst das Wort nicht sagen. Herrgott noch mal.«

»– Schwanz, und er wird nicht mal hart?«

»Dolores.« Er wandte sich vom Spiegel ab. »Du hast von Bomben geredet. Vom Ende der Welt.«

Sie zuckte mit den Schultern, als sei das bedeutungslos für ihr jetziges Gespräch. Sie stützte sich mit dem Fuß an der Wand ab und strich sich mit dem Finger Wasser von der Innenseite des Oberschenkels. »Du fickst mich nicht mehr.«

»Dolores, ich meine es ernst – ich will so was in diesem Haus nicht hören.«

»Also muss ich davon ausgehen, dass du eine andere fickst.«

»Ich ficke überhaupt niemanden, und könntest du jetzt aufhören, dieses Wort zu sagen?«

»Welches Wort?« Sie legte die Hand auf ihr dunkles Schamhaar. »Ficken?«

»Ja.« Er hob abwehrend die Hand. Mit der anderen fuhr er fort, sich zu rasieren.

»Das ist also ein schlechtes Wort?«

»Das weißt du ganz genau.« Er zog die Rasierklinge am Hals nach oben, hörte durch den Schaum das schabende Geräusch.

»Was ist denn ein gutes Wort?«

»Hm?« Er tauchte die Klinge ins Wasser und spülte sie aus.

»Bei welchem Wort über meinen Körper machst du keine Faust?«

»Ich habe keine Faust gemacht.«

»Doch.«

Er war fertig mit dem Hals und wischte die Rasierklinge an einem Waschlappen ab. Dann setzte er unter der linken

Kotelette an. »Nein, Schatz, hab ich nicht.« Er sah ihr linkes Auge im Spiegel.

»Welches Wort soll ich benutzen?« Sie fuhr sich mit der einen Hand durchs Kopfhaar, mit der anderen durchs Schamhaar. »Ich meine, man kann sie lecken und küssen und ficken. Man kann zusehen, wie Babys rauskommen. Aber aussprechen darf man das Wort nicht?«

»Dolores!«

»Fotze«, sagte sie.

Das Rasiermesser schnitt so tief in Teddys Wange, dass er meinte, den Knochen getroffen zu haben. Unwillkürlich riss er die Augen auf. Die gesamte linke Gesichtshälfte brannte. Dann lief Rasiercreme in die Wunde. Durch seinen Kopf zuckten Zitteraale, Blut tropfte in den weißen Schaum und das Wasser im Becken.

Sie brachte ihm ein Handtuch, aber er stieß sie zur Seite und rang nach Luft. Der Schmerz grub sich in seine Augen, versengte ihm das Gehirn, er blutete ins Waschbecken und hätte am liebsten geweint. Nicht weil es weh tat. Nicht weil er einen dicken Kopf hatte. Sondern weil er nicht wusste, was mit seiner Frau los war, mit dem Mädchen, das im Cocoanut Grove zum ersten Mal mit ihm getanzt hatte. Er wusste nicht, was aus ihr geworden war, was aus der Welt geworden war mit ihren Verletzungen durch kleine, schmutzige Kriege, wütenden Hass, Spione in Washington, in Hollywood, Gasmasken in Schulen, Betonbunker in Kellergeschossen. Irgendwie hatte alles miteinander zu tun – seine Frau, die Welt, das Trinken, der Krieg, in dem er gekämpft hatte, weil er überzeugt gewesen war, es würde alldem ein Ende machen …

Er blutete ins Waschbecken, und Dolores sagte: »Es tut mir Leid, entschuldige, es tut mir Leid«, und als sie ihm zum zweiten Mal das Handtuch anbot, nahm er es, aber er konnte sie nicht berühren, konnte sie nicht ansehen. Er hörte die Tränen in ihrer Stimme und wusste, sie hatte Tränen in den Augen und auf den Wangen, und er verabscheute, wie verkommen und obszön die Welt geworden war und alles in ihr.

In der Zeitung hatte gestanden, als letztes hätte er seiner Frau gesagt, dass er sie liebte.

Gelogen.

Was er tatsächlich als letztes zu ihr gesagt hatte?

Er hatte zum Türknauf gegriffen, ein drittes Handtuch an die Wange gedrückt, ihren flehenden Blick auf ihm: »Mensch noch mal, Dolores, jetzt reiß dich zusammen! Du trägst Verantwortung, schon vergessen? Hör endlich mit dieser Scheiße auf!«

Das waren die letzten Worte, die seine Frau von ihm gehört hatte. Er hatte die Tür hinter sich geschlossen, war die Treppe hinuntergegangen und auf der letzten Stufe stehen geblieben. Er hatte überlegt, umzukehren. Er hatte überlegt, die Treppe wieder hochzusteigen, in die Wohnung zu gehen und es irgendwie gutzumachen. Und wenn nicht gutmachen, dann wenigstens sich versöhnen.

Versöhnen. Das wäre schön gewesen.

Die Frau mit der Lakritznarbe am Hals kam den überdachten Gang hinunter auf sie zugewatschelt, an Füßen und Händen gefesselt, an jeder Seite ein Pfleger. Sie sah glücklich aus, schnatterte wie eine Ente und versuchte, mit den Ellenbogen zu flattern.

»Was hat sie verbrochen?«, fragte Chuck.

»Die hier?«, fragte der Pfleger. »Das ist die alte Maggie. Maggie Moonpie nennen wir sie. Sie geht gerade zur Bädertherapie. Aber bei ihr muss man aufpassen.«

Maggie blieb stehen. Halbherzig versuchten die Pfleger, sie weiterzuschieben, aber sie stieß sie mit den Ellenbogen fort und stemmte die Fersen in den Steinboden. Ein Pfleger verdrehte die Augen und seufzte.

»Fängt sie wieder an zu predigen, hm?«

Mit seitlich geneigtem Kopf schaute Maggie Teddy und

Chuck an, als sei sie eine Schildkröte, die sich vorsichtig unter ihrem Panzer hervorwagte.

»Ich bin der Weg«, sagte sie. »Ich bin das Licht. Und ich werde eure verfluchten Kuchen nicht backen. Das mache ich nicht. Ist das klar?«

»Klar«, sagte Chuck.

»Verstanden«, sagte Teddy. »Keine Kuchen.«

»Ihr wart hier. Ihr bleibt hier.« Maggie schnupperte die Luft. »Es ist eure Zukunft und eure Vergangenheit, die wie der Mond um die Erde kreist.«

»Jawohl.«

Sie beugte sich vor und schnüffelte. Zuerst an Teddy, dann an Chuck.

»Sie haben Geheimnisse. Davon lebt diese Hölle.«

»Tja, davon und vom Kuchen«, sagte Chuck.

Sie lächelte ihn an, und für einen Augenblick hatte es den Anschein, als habe ein klarer Mensch ihren Körper betreten.

»Lachen Sie«, sagte sie zu Chuck. »Das ist gut für die Seele. Lachen Sie.«

»Gut«, sagte Chuck. »Mache ich.«

Mit gekrümmtem Finger berührte sie seine Nase. »So möchte ich Sie in Erinnerung behalten – lachend.«

Dann schlurfte sie weiter. Die Pfleger setzten sich ebenfalls in Bewegung. Zu dritt betraten sie das Krankenhaus durch eine Seitentür.

»Lustiges Mädchen«, sagte Chuck.

»Die Sorte stellt man gerne Mom zu Hause vor.«

»Bis sie Mom umlegt und anschließend in einem Schuppen verscharrt, aber trotzdem …« Chuck zündete sich eine Zigarette an. »Laeddis.«

»Hat meine Frau getötet.«

»Das hast du schon gesagt. Wie?«

»Er hat den Brand gelegt.«

»Hast du auch schon gesagt.«

»Er war Hausmeister bei uns im Haus. Hat sich mit dem Eigentümer verkracht. Wurde gefeuert. Damals wussten wir nur, dass das Feuer Brandstiftung war. Irgendjemand hatte es gelegt. Laeddis stand auf der Liste der Verdächtigen, aber sie brauchten ziemlich lange, bis sie ihn zu fassen bekamen, und als es so weit war, hatte er schon ein Alibi aufgetrieben. Mensch, ich hab selbst dran gezweifelt, ob er es war.«

»Was hat dich schließlich überzeugt?«

»Vor einem Jahr lese ich zufällig die Zeitung, und da ist er wieder. Hat die Schule abgefackelt, an der er angestellt war. Die gleiche Geschichte: Er wird entlassen, kommt zurück, legt das Feuer im Keller, manipuliert den Boiler, damit er explodiert. Exakt dieselbe Vorgehensweise. Identisch. Kinder waren nicht mehr in der Schule, aber die Direktorin war da, arbeitete noch. Sie starb. Laeddis kam vor Gericht, behauptete, Stimmen zu hören und so weiter, wurde in Shattuck eingewiesen. Irgendwas ist da vorgefallen – was, weiß ich nicht –, jedenfalls wurde er vor sechs Monaten hierher verlegt.«

»Seitdem hat ihn keiner mehr gesehen.«

»Nicht auf Station A und B.«

»Das könnte bedeuten, er ist in C.«

»Ja.«

»Oder tot.«

»Möglich. Ein Grund mehr, den Friedhof zu finden.«

»Nehmen wir aber mal an, er ist nicht tot.«

»Gut …«

»Teddy, was willst du machen, wenn du ihn findest?«

»Keine Ahnung.«

»Erzähl keinen Scheiß, Chef.«

Mit klappernden Absätzen kamen zwei Schwestern auf sie zu, eng an der Wand entlang, damit sie nicht nass wurden.

»Ihr werdet nass, Jungs«, sagte eine von ihnen.

»Überall?«, fragte Chuck, und die Schwester, die innen ging, eine Kleine mit kurzem schwarzem Haar, lachte.

Ein paar Meter weiter sah sie sich über die Schulter um. »Flirten alle Marshals so gerne?«

»Kommt drauf an«, sagte Chuck.

»Worauf?«

»Auf die Qualität des Personals.«

Kurz stutzten beide, dann barg die Schwarzhaarige das Gesicht in der Schulter der anderen. Beide prusteten los und verschwanden durch die Tür ins Krankenhaus.

O Gott, wie Teddy Chuck beneidete. Um seinen Glauben an das, was er sagte. Seinen Glauben an das alberne Flirten. An schnelle, bedeutungsleere Wortspiele, wie Soldaten sie mögen. Aber vor allem um die Leichtigkeit seines Charmes.

Charmant zu sein, war Teddy nie leicht gefallen. Nach dem Krieg war es noch schwerer geworden. Und nach Dolores – Fehlanzeige.

Charme war der Luxus derer, die an die grundsätzliche Richtigkeit der Dinge glaubten. An Makellosigkeit und Gartenzäune.

»Weißt du«, sagte er zu Chuck, »am letzten Morgen hat meine Frau von dem Brand im Cocoanut Grove gesprochen.«

»Ja?«

»Da haben wir uns nämlich kennen gelernt. Im Cocoanut Grove in Boston. Sie wohnte mit einem Mädchen aus gutem Hause zusammen und ich konnte rein, weil es einen Rabatt für Militärangehörige gab. Kurze Zeit später bin ich an Bord gegangen. Hab die ganze Nacht mit ihr getanzt. Sogar Foxtrott.«

Chuck sah Teddy an. »Du und Foxtrott? Ich versuch's mir gerade vorzustellen, aber …«

»He, alter Freund«, sagte Teddy, »wenn du meine Frau an dem Abend gesehen hättest … Du wärst wie ein Karnickel über die Tanzfläche gehüpft, wenn sie dich drum gebeten hätte.«

»Also hast du sie im Cocoanut Grove kennen gelernt.«

Teddy nickte. »Und als ich gerade – wo? – in Italien war, ist er abgebrannt. Ja, damals war ich in Italien – und sie fand es irgendwie, weiß nicht, bedeutungsvoll, glaube ich. Sie hatte panische Angst vor Feuer.«

»Aber ist im Feuer gestorben«, sagte Chuck leise.

»Das haut einen um, oder?« Teddy schluckte das Bild von ihr hinunter, wie sie am letzten Morgen den Fuß gegen die Wand stemmte, nackt, den Körper mit weißem Schaum betupft.

»Teddy?«

Teddy sah auf.

Chuck spreizte die Hände. »Ich helf dir. Egal, was passiert. Auch wenn du Laeddis töten willst, wenn du ihn findest. Alles paletti.«

»Alles paletti.« Teddy grinste. »Das habe ich seit –«

»Aber eins noch, Chef. Ich muss wissen, worauf ich mich einlasse. Das meine ich ernst. Wir müssen das auf die Reihe kriegen, sonst sitzen wir am Ende vor der nächsten Untersuchungskommission oder so. Heutzutage kann man nichts mehr verbergen, weißt du? Jedem wird auf die Finger geguckt. Jeder wird beobachtet. Die Welt wird jede Minute kleiner.« Chuck strich sich das Haar aus der Stirn. »Ich glaube, du weißt Bescheid über dieses Haus. Ich glaube, du weißt Sachen, die du mir nicht erzählt hast. Ich glaube, du bist hier, um Schaden anzurichten.«

Teddy winkte ab.

»Das meine ich ernst, Chef.«

»Wir werden nass«, sagte Teddy.

»Ja, und?«

»Mein Reden. Stört's dich, wenn wir noch nasser werden?«

Durch das Tor gingen sie hinunter zum Meer. Der Regen verdeckte alles. An den Felsen brachen sich haushohe Wellen. Sie türmten sich auf und fielen in sich zusammen, um Platz für die nächsten zu machen.

»Ich will ihn nicht umbringen«, schrie Teddy über das Brausen hinweg.

»Nein?«

»Nein.«

»Weiß nicht, ob ich dir das glaube.«

139

Teddy zuckte mit den Schultern.

»Wenn das meine Frau gewesen wäre«, sagte Chuck, »würde ich ihn zweimal umbringen.«

»Ich hab das Töten satt«, sagte Teddy. »Im Krieg; da hab ich die Übersicht verloren. Ist doch unglaublich, oder? Trotzdem war es so.«

»Aber, Teddy, es geht um deine Frau.«

Sie stießen auf spitze schwarze Steine, die sich vom Strand bis zu den Bäumen erstreckten und ihnen den Weg versperrten. Sie kletterten landeinwärts.

»Pass auf«, sagte Teddy, als sie eine kleine Ebene mit einem Kreis hoher Bäume erreichten, die ein wenig Regen abhielten, »der Beruf kommt für mich immer noch an erster Stelle. Wir finden heraus, was mit Rachel Solando passiert ist. Und wenn ich dabei Laeddis finde, gut. Dann werde ich ihm sagen, ich weiß, dass du meine Frau auf dem Gewissen hast. Ich werde ihm sagen, ich warte auf dich, wenn du entlassen wirst. Solange ich lebe, wirst du keine Sekunde Ruhe haben.«

»Und das soll alles sein?«, fragte Chuck.

»Das ist alles.«

Chuck wischte sich mit dem Ärmel über die Augen, strich sich das Haar aus der Stirn. »Das glaub ich dir nicht. Glaub ich einfach nicht.«

Teddy blickte hinüber zur Spitze von Ashecliffe, zu den lauernden Dachgauben.

»Glaubst du wirklich, dass Cawley nicht weiß, warum du tatsächlich hier bist?«

»Ich bin wirklich wegen Rachel Solando hier.«

»Ach, Scheiße, Teddy, wenn der Typ, der deine Frau umgebracht hat, hier eingewiesen wurde, dann …«

»Dafür wurde er nicht verurteilt. Es gibt keine Verbindung zu mir. Nichts.«

Chuck setzte sich auf einen großen Stein und zog den Kopf ein. »Dann also der Friedhof. Warum versuchen wir nicht jetzt, den zu finden, wo wir schon draußen sind? Wenn wir einen Grabstein mit Laeddis' Namen finden, wissen wir, dass die Schlacht schon so gut wie geschlagen ist.«

Teddy sah zu den Bäumen in ihrer schwarzen Tiefe hinüber. »Gut.«

Chuck stand auf. »Was hat sie dir eigentlich gesagt?«

»Wer?«

»Die Patientin.« Chuck schnippte mit den Fingern. »Bridget. Ich sollte ihr doch Wasser bringen. Da hat sie dir was gesagt, das weiß ich genau.«

»Hat sie nicht.«

»Hat sie nicht? Du lügst. Ich weiß, dass sie –«

»Sie hat was geschrieben«, sagte Teddy und klopfte die Taschen seines Trenchcoats nach dem Notizbuch ab.

Schließlich zog er es aus der Innentasche und suchte die betreffende Seite.

Chuck pfiff vor sich hin und stampfte wie im Stechschritt in die weiche Erde.

Teddy fand die Seite und sagte: »Hör auf damit.«

Chuck stand auf. »Gefunden?«

Teddy nickte und drehte das Notizbuch um, damit Chuck das einzige Wort auf der Seite lesen konnte. Es war klein geschrieben und verlief bereits im Regen:

lauf

9

SIE ENTDECKTEN DIE Steine ungefähr achthundert
Meter landeinwärts. Unter schiefergrauen, flachen Wolken
stürmte der Himmel der Dunkelheit entgegen. Sie erklommen rutschige, steile Böschungen, auf denen das lange Seegras im Regen glänzte, und waren anschließend von oben
bis unten mit Schlamm bespritzt.

Vor ihnen lag ein Feld, so flach wie die Wolken von unten.
Es war nicht viel zu sehen, lediglich einige Büsche, herbeige-
wehtes Laub und viele kleine Steine, von denen Teddy zuerst
annahm, der Wind hätte sie mit den Blättern herbeigetra-
gen. Als er auf der anderen Seite der Böschung hinunterstieg,
blieb er auf halbem Wege kurz stehen und sah genauer hin.

Die Steine waren in Häufchen über das Feld verteilt, jeweils ungefähr fünfzehn Zentimeter voneinander entfernt.
Teddy legte Chuck die Hand auf die Schulter und wies auf
die Steine.

»Wie viele Häufchen siehst du?«

»Was?«, fragte Chuck.

»Die Steine«, sagte Teddy. »Kannst du sie sehen?«

»Ja.«

»Sie sind aufgetürmt. Wie viele Stapel sind es?«

Chuck blickte ihn an, als sei Teddy der Sturm zu Kopfe gestiegen. »Das sind doch bloß Steine.«

»Nein, jetzt mal ehrlich.«

Chuck starrte ihn ungläubig an, dann blickte er aufs Feld. Nach einer Weile sagte er: »Ich sehe zehn.«

»Ich auch.«

Der schlammige Boden gab nach, Chuck rutschte und ruderte mit den Armen. Teddy hielt ihn fest, bis Chuck sich wieder aufgerichtet hatte.

»Sollen wir runtergehen?«, fragte Chuck und verzog leicht verdrossen das Gesicht.

Mühsam kletterten sie hinunter. Teddy ging zu den Steinhäufchen und erkannte, dass sie zwei parallele Reihen bildeten. Einige Häufchen waren deutlich kleiner als andere. Manche bestanden aus lediglich drei, vier Steinen, andere hingegen zählten mehr als zehn Steine, vielleicht sogar zwanzig.

Teddy lief zwischen den beiden Reihen entlang, blieb stehen und sagte zu Chuck: »Wir haben uns geirrt.«

»Wieso?«

»Sieh mal zwischen den beiden Häufchen hier.« Teddy wartete auf Chuck, um das Phänomen zusammen mit ihm zu begutachten. »Das ist ein einzelner Stein. Der bildet für sich allein einen Haufen.«

»Bei diesem Wind? Nein, der ist runtergefallen.«

»Die beiden Häufchen daneben sind gleich weit entfernt. Jeweils fünfzehn Zentimeter. Und in der anderen Reihe kommt das auch zweimal vor. Einzelne Steine.«

»Ja, und?«

»Das heißt, es sind dreizehn Steinhaufen, Chuck.«

»Du glaubst, das ist von *ihr*? Glaubst du das wirklich?«

144

»Ich glaube, dass es von Menschenhand gemacht ist.«

»Noch eine geheime Botschaft.«

Teddy hockte sich neben die Steine. Er zog den Trench-coat über den Kopf und die Seitenteile nach vorne, damit das Notizbuch nicht nass wurde. Wie ein Krebs bewegte er sich seitwärts und blieb vor jedem Häufchen hocken, um die Steine zu zählen und die Menge zu notieren. Als er fertig war, hatte er dreizehn Zahlen: 18 – 1 – 4 – 9 – 5 – 4 – 23 – 1 – 12 – 4 – 19 – 14 – 5.

»Vielleicht ist das die Kombination für das größte Schloss der Welt«, schlug Chuck vor.

Teddy klappte das Notizbuch zu und steckte es in die Tasche. »Guter Witz.«

»Schon gut, schon gut«, sagte Chuck. »Ich werde mit der Nummer jeden Abend zweimal als Alleinunterhalter auftreten. Kommst du auch mal vorbei?«

Teddy zog den Trenchcoat vom Kopf und richtete sich auf. Der Regen trommelte auf ihn ein, der Wind heulte.

Sie ließen die Klippen rechts liegen und marschierten in nördliche Richtung. Im Getöse von Wind und Regen wurde Ashecliffe zu ihrer Linken immer kleiner. In der folgenden halben Stunde verschlechterte sich das Wetter erheblich. Wie zwei Betrunkene lehnten sie sich beim anderen an, um sich besser zu verstehen.

»Cawley hat dich gefragt, ob du beim militärischen Nachrichtendienst warst. Hast du ihn angelogen?«

»Ja und nein«, erwiderte Teddy. »Entlassen wurde ich von der normalen Armee.«

»Und wo warst du vorher?«

»Nach der Grundausbildung war ich auf der Funkerschule.«

»Und dann?«

»Ein Schnellkurs am War College und dann, ja, beim Nachrichtendienst.«

»Und warum bist du hinterher wieder bei den Braunen gelandet?

145

»Hab was verbockt.« Der Wind war so laut, dass Teddy schreien musste. »Hab was falsch entschlüsselt. Koordinaten einer feindlichen Stellung.«

»Wie schlimm war's?«

Teddy hörte noch immer den Lärm aus dem Funkgerät: Schreie, Rauschen, Weinen, Rauschen, Maschinengewehrfeuer, dann wieder Schreie, Weinen, Rauschen. Und im Hintergrund fragte eine Jungenstimme: »Wisst ihr, wo der Rest von mir ist?«

»Ungefähr ein halbes Bataillon«, schrie Teddy in den Wind. »Hab sie serviert wie eine Fleischpastete.«

Eine Weile brauste ihnen der Wind um die Ohren, dann brüllte Chuck: »Das tut mir Leid. Das ist ja schrecklich.«

Sie erklommen eine Hügelkuppe, oben wurden sie beinahe wieder hinuntergepustet, aber Teddy packte Chuck am Ellenbogen, und so schwankten sie mit gesenkten Köpfen voran. Sie liefen eine Weile, Kopf und Oberkörper gegen den Wind gestemmt, und hätten die Grabsteine beinahe übersehen. Sie trotteten vor sich hin, Regen in den Augen, bis Teddy gegen einen Schieferstein stieß, der nach hinten kippte und dann flach auf dem Rücken lag.

JACOB PLUGH
BOOTSMANNSMAAT
1832–1858

Links von ihnen zerbarst ein Baum, das Krachen klang wie eine Axt, die ein Blechdach durchschlug. Chuck rief: »Du lieber Himmel!« Teile des Baumes wurden vom Wind erfasst und schossen an ihren Köpfen vorbei.

Die Arme schützend vors Gesicht haltend, liefen sie über den Friedhof. Staub, Blätter, Äste sausten umher, entwickelten ein Eigenleben. Mehrmals stolperten die beiden, sie konnten so gut wie nichts mehr sehen, doch plötzlich entdeckte Teddy einen breiten, anthrazitgrauen Schatten vor sich. Er stieß Chuck an; sein Schreien verlor sich im Wind.

Etwas Großes flog so nahe an Teddys Kopf vorbei, dass es sein Haar streifte. Sie rannten um ihr Leben, der Wind peitschte ihnen entgegen, der Schlamm spritzte ihnen bis an die Knie.

Ein Mausoleum. Die Tür war aus Stahl, die Angeln waren gebrochen, Unkraut wuchs aus dem Fundament. Teddy zog die Tür auf, der Wind erfasste ihn und schleuderte ihn mitsamt der Tür zur Seite. Teddy fiel hin, die Tür drückte sich aus der unteren Angel, quietschte und schlug gegen die Wand. Teddy rutschte aus, stand wieder auf, und der Wind schob ihn nach vorn. Er fiel auf ein Knie, sah die schwarze Türöffnung vor sich, warf sich nach vorn und kroch hinein.

»Hast du so was schon mal erlebt?«, fragte Chuck, als sie in der Tür standen und zusahen, wie die Insel sich in ihren Zorn hineinsteigerte. Der Wind wirbelte Erde und Laub, Äste, Steine und den Regen durch die Luft, er quiekte wie eine Horde Wildschweine und pflügte den Boden.

»Noch nie«, sagte Teddy. Sie traten vom Türrahmen zurück.

In der Innentasche seiner Jacke fand Chuck eine noch trockene Packung Streichhölzer. Er entzündete drei auf einmal, den Wind mit dem Körper abschirmend. In der Mitte des Raumes befand sich eine Betonplatte, jedoch lag darauf weder ein Sarg noch eine Leiche. Wenn dort einmal etwas gelegen haben sollte, war es inzwischen umgebettet oder gestohlen worden. Hinter der Platte war eine Steinbank in die Wand eingelassen, auf die sie nun zusteuerten. Die Streichhölzer wurden schwächer. Teddy und Chuck setzten sich. Der Wind fegte ums Mausoleum und schlug die Tür gegen die Mauer.

»Nicht schlecht, was?«, sagte Chuck. »Die Natur spielt verrückt, die Farbe des Himmels ... Hast du gesehen, wie der Grabstein einen Salto rückwärts gemacht hat?«

»Ich bin ja dagegengestoßen, aber stimmt, es war wirklich beeindruckend.«

»Puh!« Chuck drückte die Aufschläge seiner Hose aus, neben seinen Schuhen bildeten sich kleine Wasserlachen. Er ließ das durchnässte Hemd auf seine Brust klatschen. »Wahrscheinlich wären wir besser nicht so weit gegangen. Kann sein, dass wir das aussitzen müssen. Hier.«

Teddy nickte. »Ich hab nicht viel Ahnung von Orkanen, aber ich hab das Gefühl, er macht sich gerade mal warm.«

»Wenn der Wind dreht, kommt der ganze Friedhof hier reingeflogen.«

»Bin trotzdem froh, dass ich hier drin bin und nicht draußen.«

»Klar, aber wie schlau sind wir eigentlich, bei einem Gewitter eine erhöhte Stelle aufzusuchen?«

»Nicht besonders schlau.«

»Das ging aber auch schnell. Eben war es noch ein starker Regen, und plötzlich sind wir mitten in einem Sturm.«

»Das war ein Tornado.«

»Was?«

»Der sie aus Kansas nach Oz geweht hat.«

»Aha.«

Das Pfeifen wurde schriller, und der Wind stürzte sich auf die dicke Steinmauer hinter Teddy, als trommele er mit den Fäusten dagegen. Teddy spürte leichte Erschütterungen im Kreuz.

»Der macht sich gerade erst warm«, wiederholte er.

»Was glaubst du, was die ganzen Irren jetzt machen?«

»Die schreien zurück«, sagte Chuck.

Eine Weile saßen sie schweigend da und rauchten. Teddy dachte an den Tag auf dem Boot seines Vaters und an seine Erkenntnis, dass die Natur viel stärker war als er und keine Rücksicht auf ihn nahm. Er stellte sich den Wind als Fabelwesen mit Falkenkopf und krummem Schnabel vor, das krächzend über dem Mausoleum schwebte. Ein zorniges Wesen, das Wellen zu Bergen auftürmte, Häuser in ihre Einzelteile zerlegte und ihn packte und bis nach China schleuderte.

»Ich war '42 in Afrika«, sagte Chuck. »Hab ein paar Sandstürme mitgemacht. Aber so was wie das hier noch nie. Sicher, man vergisst so einiges. Vielleicht war's doch genauso schlimm.«

»Hiermit komme ich schon klar«, sagte Teddy. »Ich meine, ich würde jetzt auch nicht nach draußen laufen und durch die Gegend bummeln, aber Kälte ist noch schlimmer. In den Ardennen, mein Gott, da ist einem der Atem schon auf den Lippen eingefroren. Das kann ich heute noch spüren. Meine Finger waren so kalt, dass es sich anfühlte, als würden sie brennen. Kannst du dir das vorstellen?«

»In Nordafrika war es die Hitze. Die Kerle kippten um wie die Fliegen. Ohne mit der Wimper zu zucken, zack, lagen sie da. Herzversagen. Ich hab einen erschossen, der hatte von der Hitze so weiche Haut, dass er den Kopf drehen und zugucken konnte, wie die Kugel hinten aus dem Rücken wieder rauskam.« Chuck klopfte mit dem Finger auf die Bank. »Konnte selbst dabei zugucken«, sagte er leise. »Ich schwör's bei Gott.«

»War das der einzige, den du umgebracht hast?«

»Der einzige aus kurzer Distanz. Und du?«

»Ich hab viele getötet und fast alle aus der Nähe.« Teddy lehnte den Kopf gegen die Wand und schaute hoch zur Decke. »Wenn ich einen Sohn hätte, weiß ich nicht, ob ich ihn in den Krieg gehen lassen würde. Auch wenn es ein Krieg ist wie damals, als wir keine Wahl hatten. Ich weiß nicht, ob man so was von anderen verlangen darf.«

»Was?«

»Zu töten.«

Chuck zog ein Knie an die Brust. »Meine Eltern, meine Freundin oder manche Kumpel, die die Tauglichkeitsprüfung nicht bestanden haben, die löchern mich mit Fragen. Kennst du das?«

»Ja.«

»Alle wollen wissen, wie es gewesen ist. Am liebsten würde ich sagen: ›Ich weiß es selbst nicht. Ich war nicht dabei.

Ich hab nur von oben zugeguckt.‹« Hilflos streckte Chuck die Hände aus. »Ich kann das nicht besser erklären. Ergibt das ein bisschen Sinn?«

Teddy sagte: »In Dachau ergaben sich die SS-Leute, als wir kamen. Fünfhundert Mann. Wir hatten Reporter dabei, aber die hatten vorher schon die Leichenberge am Bahnhof gesehen. Und den Gestank gerochen. Sie wollten, dass wir das tun, was wir damals getan haben. Und wir wussten sowieso genau, was wir wollten. Wir haben alle verfluchten Krautfresser exekutiert. Entwaffnet, an die Wand gestellt, erschossen. Mit dem Maschinengewehr dreihundert auf einen Schlag. Dann mit der Pistole die Reihe entlang und jedem eine Kugel in den Kopf, der noch atmete. Ein Kriegsverbrechen, ganz klar. Aber, Chuck, das war das Mindeste, was wir tun konnten. Die verfluchten Reporter haben geklatscht. Die Lagerinsassen waren so glücklich, dass sie geheult haben. Wir haben ihnen ein paar SA-Leute überlassen. Die haben sie richtiggehend zerfetzt. Am Ende hatten wir fünfhundert Seelen von der Erdoberfläche getilgt. Ermordet. Mit Selbstverteidigung oder Kriegsführung hatte das nichts mehr zu tun. Es war Mord. Trotzdem war es eine Grauzone. Diese Schweine hätten noch viel Schlimmeres verdient. So weit, so gut – aber wie lebt man mit so was? Wie erzählst du deiner Frau, deinen Eltern und Kindern, was du getan hast? Dass du Unbewaffnete exekutiert hast? Dass du Kinder getötet hast? Bewaffnete Jungen in Uniform, aber nichtsdestotrotz Kinder. Die Antwort ist: Man kann es ihnen nicht sagen. Sie würden es nicht verstehen. Was du getan hast, hast du aus gutem Grund getan. Dennoch war es falsch. Das wirst du nie wieder los.«

Nach einer Weile sagte Chuck: »Wenigstens gab es einen guten Grund. Hast du schon mal welche von den armen Schweinen gesehen, die aus Korea zurückkommen? Die wissen bis heute nicht, was sie da sollten. Wir haben damals Hitler aufgehalten. Wir haben Millionen Menschen gerettet. Stimmt's? Wir haben wenigstens was getan, Teddy.«

»Stimmt«, gab Teddy zu. »Manchmal reicht das.«

»Muss es, oder?«

In dem Moment flog ein kompletter Baum kopfüber an der Tür vorbei, die Wurzeln ragten in die Luft wie Hörner.

»Hast du das gesehen?«

»Ja. Der wacht irgendwann mitten im Meer auf und sagt: Moment, hier stimmt was nicht.«

»Ich war doch eben noch da hinten auf der Insel.«

»Jahrelang hab ich mich abgemüht, bis der Hügel so aussah, wie ich ihn haben wollte.«

Leise lachten sie im Dunkeln vor sich hin und schauten der wie im Fiebertraum wütenden Insel zu.

»Jetzt mal ehrlich: Was weißt du wirklich über diese Insel, Chef?«

Teddy zuckte mit den Schultern. »Ein bisschen. Aber nicht annähernd genug. Trotzdem reicht es schon, um Angst zu bekommen.«

»Na, toll. Du hast Angst. Was soll dann ein normal Sterblicher haben?«

Teddy grinste. »Panik?«

»Aha. Dann geh davon aus, dass ich Panik bekomme.«

»Bekannt ist, dass es sich bei Ashecliffe um eine Forschungseinrichtung handelt. Wie ich schon sagte: experimentelle Behandlungsmethoden. Ein Teil des Geldes kommt vom Staat und von der Bundesbehörde für den Strafvollzug, aber der größte Teil stammt aus einem Fonds, der '51 vom Ausschuss für unamerikanische Aktivitäten eingerichtet wurde.«

»Oh, klasse«, sage Chuck. »Wir bekämpfen die Kommunisten von einer Insel im Hafen von Boston aus. Wie macht man denn so was?«

»Ich vermute, dass hier mit dem Gehirn experimentiert wird. Die Ergebnisse werden schriftlich festgehalten und gehen eventuell an Cawleys alte Kumpel vom OSS, jetzt CIA. Keine Ahnung. Schon mal was von Phencyclidin gehört?«

Chuck schüttelte den Kopf.

»LSD? Meskalin?«

»Beides negativ.«

»Das sind Halluzinogene«, erklärte Teddy. »Also Drogen, die Halluzinationen hervorrufen.«

»Aha.«

»Selbst bei kleinsten Dosen würden völlig gesunde Menschen wie du und ich Erscheinungen haben.«

»Zum Beispiel Bäume, die kopfüber an der Tür vorbeifliegen?«

»Ah, das ist der Haken an der Sache: Wenn es beide sehen, ist es keine Halluzination. Jeder sieht unter dem Einfluss was anderes. Sagen wir, du würdest an dir runtergucken und plötzlich wären deine Arme Kobras, die sich aufrichten, das Maul aufreißen und deinen Kopf verschlingen wollen.«

»Dann würde ich sagen, dass ich einen verdammt schlechten Tag erwischt habe.«

»Oder wenn die Regentropfen zu Flammen würden? Wenn sich ein Busch in einen angreifenden Tiger verwandelte?«

»Ein noch schlechterer Tag. Wäre ich besser gar nicht aufgestanden. Aber, hey, du sagst, eine Droge kann dir vormachen, dass so was wirklich passiert?«

»Das kann sie nicht nur. Sie tut es. Mit der richtigen Dosis halluziniert man auf jeden Fall.«

»Unglaublich.«

»Ja. Die Wirkung dieser Drogen ist angeblich identisch mit dem Zustand eines schwer Schizophrenen. Wie hieß der Typ noch mal? Ken, der die Erkältung in den Füßen hat. Der glaubt das wirklich. Leonora Grant, die hat nicht mit dir gesprochen, sondern mit Douglas Fairbanks.«

»Und mit Charlie Chaplin, vergiss das nicht!«

»Ich würde ihn ja nachmachen, aber ich weiß nicht, wie er spricht.«

»Hey, nicht schlecht, Chef. Du kannst mit mir zusammen auftreten.«

»Es gibt dokumentierte Fälle von Schizophrenen, die ihr eigenes Gesicht zerkratzt haben, weil sie glaubten, ihre Hände gehörten nicht zu ihnen, wären Tiere oder so. Sie sehen Dinge, die nicht vorhanden sind, hören Stimmen, die kein anderer hört, springen von völlig intakten Dächern, weil sie glauben, das Haus stände in Flammen und so weiter und so fort. Halluzinogene erzeugen ähnliche Wahnvorstellungen.«

Chuck zeigte mit dem Finger auf Teddy. »Jetzt hast du dich viel hochgestochener ausgedrückt als sonst.«

»Was soll ich dazu sagen?«, erwiderte Teddy. »Ich hab mich ein bisschen schlau gemacht. Chuck, was glaubst du, würde passieren, wenn man Menschen mit starker Schizophrenie Halluzinogene verabreichen würde?«

»So was würde doch keiner machen.«

»Und ob das gemacht wird, und es ist gesetzlich erlaubt. Schizophrenie gibt es nur bei Menschen. Bei Ratten, Kaninchen oder Kühen kommt so was nicht vor. Wie also soll man ein Medikament dagegen testen?«

»An Menschen?«

»Dieser Mann hat eine Zigarre verdient.«

»Aber eine richtige Zigarre, nicht so eine von Freud, ja?«

»Wie du willst«, entgegnete Teddy.

Chuck stand auf, stützte die Hände auf die Betonplatte und sah nach draußen in den Sturm. »Sie geben den Schizophrenen also Drogen, die sie noch schizophrener machen?«

»Nur einer bestimmten Testgruppe.«

»Und den anderen?«

»Patienten ohne Schizophrenie bekommen Halluzinogene, um zu sehen, wie ihr Gehirn darauf reagiert.«

»Blödsinn.«

»Das ist alles nachzulesen, Junge. Geh mal auf einen Psychiaterkongress. Ich hab einen erlebt.«

»Aber du hast gesagt, es wäre gesetzlich erlaubt.«

»Ist es auch«, sagte Teddy. »Eugenik war auch nicht verboten.«

»Aber wenn es legal ist, können wir nichts dagegen tun.«

Teddy lehnte sich gegen den Stein. »Völlig richtig. Ich bin auch nicht hier, um Leute zu verhaften. Ich soll Informationen sammeln. Mehr nicht.«

»Warte mal kurz – du sollst? Mensch, Teddy, was hat das hier für Dimensionen?«

Teddy seufzte. »Große.«

»Noch mal von Anfang an.« Chuck hob die Hand. »Von Null. Wie bist du an die Sache geraten?«

»Alles begann mit Laeddis. Vor einem Jahr«, erklärte Teddy. »Ich bin unter dem Vorwand nach Shattuck gefahren, ihn zu befragen. Hab mir eine Geschichte aus den Fingern gesaugt, ein Komplize von ihm würde per landesweitem Haftbefehl gesucht und ich wäre der Meinung, Laeddis könnte mir was über seinen Aufenthaltsort verraten. Bloß war Laeddis nicht in Shattuck. Er war nach Ashecliffe verlegt worden. Als ich hier anrufe, behaupten sie, es gebe hier keinen Laeddis.«

»Und?«

»Das hat mich neugierig gemacht. Ich hab ein paar psychiatrische Anstalten angerufen. Alle kannten Ashecliffe, aber keiner wollte drüber reden. Ich hab mit dem Leiter der Renton-Klinik für kriminelle Geisteskranke gesprochen. Ich hatte ihn vorher schon ein paar Mal getroffen. Hab gefragt: ›Bobby, was soll das alles? Ashecliffe ist halb Anstalt, halb Gefängnis, genau wie dein Laden.‹ Aber er schüttelt den Kopf und sagt: ›Teddy, das ist was völlig anderes. Ashecliffe unterliegt der Geheimhaltung. Schwarze Aktenkoffer. Geh da bloß nicht hin.‹«

»Aber du hast nicht auf ihn gehört«, sagte Chuck. »Und ich wurde dir zugeteilt und musste mit.«

»Das war nicht so geplant«, sagte Teddy. »Mein Vorgesetzter hat gesagt, ich muss einen Kollegen mitnehmen, also hab ich einen Kollegen mitgenommen.«

»Du hast also bloß auf einen Grund gewartet, um hier rauszufahren.«

»Eigentlich schon«, sagte Teddy. »Scheiße, ich wusste doch nicht, ob es jemals klappen würde. Ich meine, selbst wenn ein Patient ausbricht, konnte ich nicht davon ausgehen, dass ich in dem Moment in der Stadt sein würde. Oder dass nicht jemand anders losgeschickt würde. Ach, da gab es zig Unwägbarkeiten. Ich hatte Glück.«

»Glück? Dass ich nicht lache!«

»Wieso?«

»Das war kein Glück, Chef. So zuverlässig ist es auch wieder nicht. So glatt läuft es nicht im Leben. Glaubst du, du wurdest zufällig mit diesem Fall beauftragt?«

»Klar. Hört sich ein bisschen abwegig an, aber –«

»Als du wegen Laeddis zum ersten Mal in Ashecliffe angerufen hast, hast du da deinen Namen genannt?«

»Sicher.«

»Na, dann –«

»Chuck, das ist ein volles Jahr her.«

»Na, und? Glaubst du, die bekommen das nicht mit? Insbesondere bei einem Patienten, den es angeblich nicht gibt?«

»Noch mal: Das ist zwölf Monate her.«

»Mensch, Teddy.« Chuck senkte die Stimme, legte die Hände auf die Betonplatte und atmete tief durch. »Nehmen wir mal an, hier laufen krumme Sachen. Was ist, wenn sie schon hinter dir her waren, bevor du zum ersten Mal einen Fuß auf die Insel gesetzt hast? Was ist, wenn sie dich hergelockt haben?«

»Ach, völliger Quatsch.«

»Quatsch? Wo ist Rachel Solando? Gibt es auch nur den geringsten Beweis, dass sie je existiert hat? Wir haben das Bild einer Frau und eine Akte gesehen, die jeder verfasst haben könnte.«

»Chuck, warte. Selbst wenn Rachel gar nicht existiert, selbst wenn sie die ganze Sache hier inszenieren, hätten sie nie im Leben voraussehen können, dass ausgerechnet ich mit dem Fall beauftragt werde.«

»Du hast Erkundigungen eingeholt, Teddy. Du hast dich

über diese Anstalt informiert, hast dich umgehört. Hier steht eine Kläranlage hinter einem Elektrozaun. Eine Station ist in einer Festung untergebracht. In dieser Klinik sind keine hundert Patienten, obwohl man leichterdings dreihundert unterbringen könnte. Dieser Laden ist mir verdammt unheimlich, Teddy. Keine andere Klinik will über Ashecliffe reden, und das sagt dir nichts? Der ärztliche Direktor hier hat Verbindungen zur CIA, finanziert wird der ganze Laden durch einen Schmiergeldfonds, eingerichtet vom Ausschuss für unamerikanische Aktivitäten. Das stinkt doch bis zum Himmel nach Geheimdienst. Und du findest die Überlegung abwegig, dass nicht du sie im vergangenen Jahr beobachtet hast, sondern sie dich?«

»Wie oft muss ich dir das sagen, Chuck: Woher sollten sie wissen, dass ich mit dem Rachel-Solando-Fall beauftragt würde?«

»Bist du dämlich oder was?«

Teddy richtete sich drohend auf.

Chuck hob die Hand. »'tschuldigung, tut mir Leid. Ich bin etwas nervös.«

»Gut.«

»Ich will dir nur eins sagen, Chef: Es war bekannt, dass dir der kleinste Anlass genügen würde, um herzukommen. Schließlich ist der Mörder deiner Frau hier. Man musste doch nur behaupten, hier wäre jemand geflüchtet. Die wussten, dass du notfalls per Stabhochsprung herüberkommen würdest.«

Die Tür wurde aus der verbliebenen Angel gerissen und knallte gegen den Rahmen. Dann schlug sie wieder auf, wurde emporgetragen, schoss über den Friedhof und verschwand im Himmel.

Die beiden starrten auf die Türöffnung, und Chuck sagte: »Das haben wir aber gerade *beide* gesehen, oder?«

»Die missbrauchen die Patienten als menschliche Meerschweinchen«, sagte Teddy. »Macht dir das keine Angst?«

»Es macht mir eine Heidenangst, Teddy. Aber woher

willst du das alles wissen? Du hast gesagt, du sollst Informationen sammeln. Wer hat dich hergeschickt?«

»Kannst du dich erinnern, dass Cawley bei unserem ersten Gespräch nach einem Senator fragte?«

»Ja.«

»Das war Senator Hurly, Demokrat aus New Hampshire. Er leitet einen Unterausschuss zur staatlichen Finanzierung psychiatrischer Einrichtungen. Ihm fiel auf, wie viel Geld in diese Klinik fließt, und das machte ihn stutzig. So, nun kannte ich einen Mann namens George Noyce. Noyce war früher mal hier. Auf Station C. Er war keine zwei Wochen entlassen, da geht er in eine Kneipe in Attleboro und sticht auf die Leute ein. Auf Fremde. In der U-Haft erzählt er von Drachen auf Station C. Sein Anwalt will auf unzurechnungsfähig plädieren. Wenn das je angebracht war, dann bei Noyce. Der ist wirklich irre. Aber Noyce schickt seinen Anwalt in die Wüste, stellt sich vor den Richter und bekennt sich schuldig. Er bettelt geradezu darum, ins Gefängnis gesteckt zu werden, in irgendein Gefängnis, bloß nicht in die Klinik. Nach einem knappen Jahr im Knast kommt die Erinnerung zurück, und er fängt an, von Ashecliffe zu erzählen. Die Geschichten klingen abwegig, aber der Senator glaubt, dass sie vielleicht doch nicht ganz so abwegig sind, wie alle meinen.«

Chuck richtete sich auf und zündete sich die nächste Zigarette an. Eine Weile rauchte er und musterte Teddy.

»Aber wie hat der Senator dich gefunden und wie seid ihr auf Noyce gestoßen?«

Kurz meinte Teddy, in dem Tosen draußen Lichter schwanken zu sehen.

»Genau genommen, lief es andersrum. Ich hab von Noyce erfahren und dann den Senator gesucht. Es lief über Bobby Farris, den Direktor von Renton. Er rief eines Tages an und fragte, ob ich mich noch immer für Ashecliffe interessieren würde. Ich sagte Ja, und er erzählte mir von einem Häftling in Dedham, der ständig von Ashecliffe palavert. Also bin ich ein paarmal nach Dedham gefahren und hab mit Noyce gesprochen. Noyce hat erzählt, er wäre am College kurz vor dem Examen mit den Nerven am Ende gewesen. Hätte einen Dozenten angeschrien, mit der Faust eine Fensterscheibe im Wohnheim zerschlagen. Irgendwann hat er mit jemandem vom Psychologischen Institut geredet. Ohne richtig nachzudenken, erklärt er sich einverstanden, zur Aufbesserung seines Taschengeldes bei einem Test mitzumachen. Ein Jahr später ist er runter vom College, klassisch schizophren, tobt auf der Straße rum, hat Halluzinationen, das ganze Programm.«

»Also ein Mann, der am Anfang halbwegs normal war ...«

Wieder sah Teddy im Sturm Lichter blinken. Er ging zur Tür und schaute hinaus. Blitze? Schon möglich, auch wenn er bisher noch keine gesehen hatte.

»Stinknormal. Kann sein, dass er zwischendurch – wie nennt man das hier noch mal? – ›Probleme mit dem Umgang mit der Wut‹ hatte, aber im Großen und Ganzen war er geistig völlig gesund. Ein Jahr später ist er komplett durchgedreht. Irgendwann sieht er am Park Square einen Typen und meint, es wäre der Professor, der ihm empfohlen hatte, zum Psychologischen Institut zu gehen. Langer Rede kurzer Sinn: Noyce richtet den Falschen ziemlich übel zu. Er kommt nach Ashecliffe. Station A. Bleibt da aber nicht lange. Er ist ausgesprochen aggressiv, daher stecken sie ihn in Station C. Sie stopfen ihn mit Halluzinogenen voll und warten ab, ob die Drachen ihn fressen und er endgültig durchdreht. Es funktioniert wohl besser, als sie erwartet haben, denn am Ende operieren sie ihn, nur um ihn ruhig zu stellen.«

»Er wurde operiert?«, fragte Chuck.

Teddy nickte. »Transorbitale Lobotomie. Das macht Spaß, Chuck. Zuerst verpassen sie dir Elektroschocks, dann bohren sie dir durch das Auge in den Kopf, aber pass auf: mit einem Eispickel! Kein Blödsinn. Ohne Narkose. Sie stochern dir im Hirn herum und ziehen ein paar Nervenfasern raus. Das war's, Schluss. Kinderspiel.«

»Der Nürnberger Code verbietet –«, begann Chuck.

»Experimente an Menschen aus rein wissenschaftlichem Interesse, ja. Ich dachte auch, wir hätten es mit einem Verstoß gegen den Nürnberger Code zu tun. Der Senator ebenfalls. Nix da. Experimente sind statthaft, wenn man damit das Krankheitsbild des Patienten direkt bekämpfen kann. Solange ein Arzt sagt: ›He, wir wollen dem armen Schwein doch nur helfen, wir untersuchen, ob diese Drogen Schizophrenie verursachen und die anderen sie wieder aufheben‹ – solange er das behauptet, kann man ihm nichts anhaben.«

»Wart mal kurz, Moment«, sagte Chuck. »Du hast doch gesagt, dieser Noyce hatte eine trans… ähm …«

»Eine transorbitale Lobotomie, ja.«

»Aber wenn sie das gemacht haben – egal, wie überholt das ist –, um ihn ruhig zu stellen, wie kann er dann eine Messerstecherei in Attleboro haben?«

»Offensichtlich hat es nicht funktioniert.«

»Kommt das öfter vor?«

Wieder sah Teddy Lichtbögen, jetzt war er auch ziemlich sicher, durch das Getöse das Heulen eines Motors zu hören.

»Hallo!« Schwach drang eine Stimme durch den Wind, aber beide hörten sie.

Chuck schwang sich über die Betonplatte und stellte sich neben Teddy in den Türrahmen. Sie sahen Scheinwerfer am anderen Ende des Friedhofs und hörten das Raspeln eines Megaphons, das Pfeifen der Rückkopplung und dann: »Marshals! Wenn Sie hier irgendwo sind, geben Sie uns ein Zeichen! Ich bin's, McPherson, der stellvertretende Direktor. Marshals!«

»Wie finde ich das?«, sagte Teddy. »Sie haben uns gefunden.«

»Wir sind auf einer Insel, Chef. Früher oder später würden sie uns immer finden.«

Teddy schaute Chuck an und nickte. Zum ersten Mal sah er Angst in Chucks Blick, auch wenn er das Kinn trotzig vorreckte.

»Wird schon werden, Kollege.«

»Marshals! Sind Sie hier irgendwo?«

»Ich weiß nicht«, sagte Chuck.

»Aber ich«, entgegnete Teddy, auch wenn es nicht stimmte. »Bleib bei mir. Wir verlassen jetzt diesen verfluchten Bunker, Chuck. Da gibt's kein Vertun.«

Sie traten durch die Tür nach draußen. Der Wind warf sich gegen sie wie eine Angriffsformation beim Football, aber es gelang ihnen, sich auf den Füßen zu halten, indem sie sich gegenseitig den Arm um die Schultern legten. So stolperten sie dem Licht entgegen.

10

»SIND SIE VERRÜCKT geworden oder was?«, schrie McPherson.

Der Jeep holperte einen unbefestigten Pfad am westlichen Rand des Friedhofs hinunter.

McPherson saß auf dem Beifahrersitz und drehte sich mit roten Augen zu ihnen um. Der Sturm hatte ihm den kernigen Jungen aus Texas ausgetrieben. Den Fahrer kannten sie nicht mit Namen. Ein junger Mann, schmales Gesicht, spitzes Kinn, mehr konnte Teddy unter der Kapuze des Regenmantels nicht erkennen. Den Jeep fuhr er jedoch wie ein Profi, steuerte ihn durch Buschwerk und heruntergerissene Äste, als liege ihm nichts im Weg.

»Gerade ist er offiziell vom Tropensturm zum Hurrikan erklärt worden. Der Wind bläst momentan mit rund hundertsechzig Stundenkilometern. Um Mitternacht werden Windgeschwindigkeiten von bis zu zweihundertvierzig Stundenkilometern erwartet. Und da gehen Sie einfach mal spazieren?«

»Woher wissen Sie von der offiziellen Erklärung?«, fragte Teddy.

»Amateurfunk, Marshal. Aber der dürfte auch nicht mehr lange funktionieren.«

»Klar«, sagte Teddy.

»Wir könnten schon längst die Anstalt verbarrikadieren, stattdessen fahren wir durch die Gegend und suchen Sie.« Er schlug auf die Rückenlehne und drehte sich wieder um. Er war fertig mit ihnen.

Der Jeep schnellte über eine Anhöhe, und kurz sah Teddy nur Himmel, spürte die Leere unter den Reifen, dann setzten sie wieder auf. Sie schleuderten durch eine scharfe Kurve, und Teddy konnte das Meer zu seiner Linken sehen. Das Wasser schäumte, wie Atompilzwolken schossen weiße Fontänen empor.

Der Jeep bretterte über mehrere Buckel nach unten und raste dann in einen kleinen Wald. Teddy und Chuck auf der Rückbank klammerten sich an die Sitze, wurden immer wieder gegeneinander gestoßen. Schon hatten sie die Bäume hinter sich gelassen. Vor ihnen lag die Rückfront von Cawleys Prachtbau. Es ging über Mulch und Tannennadeln, dann waren sie auf der Straße zum Krankenhaus. Der Fahrer fuhr die niedrigen Gänge aus und röhrte auf das Haupttor zu.

»Wir bringen Sie gleich zu Dr. Cawley«, sagte McPherson, nach hinten gewandt. »Er kann es gar nicht erwarten, mit Ihnen zu reden.«

»Und ich hab gedacht, meine Mutter wäre in Seattle«, sagte Chuck.

Sie duschten im Keller des Wohnheims und bekamen frische Hemden und Hosen aus dem Klinikbestand. Ihre nasse Kleidung wurde in die Wäscherei gebracht. Im Badezimmer kämmte Chuck sein Haar nach hinten und betrachtete sich in weißer Pflegertracht. »Darf ich Ihnen die Weinkarte bringen? Wir empfehlen heute Rinderfilet Wellington. Wirklich gut.«

Trey Washington steckte den Kopf herein. Er verkniff sich ein Grinsen, als er ihre neue Aufmachung sah. Dann sagte er: »Ich soll euch zu Dr. Cawley bringen.«

»Bekommen wir großen Ärger?«

»Oh, ein bisschen schon, würde ich sagen.«

»Meine Herren«, sagte Cawley, als sie die Tür öffneten, »wie schön, Sie zu sehen.«

Er schien großmütig aufgelegt zu sein. Seine Augen leuchteten. Teddy und Chuck betraten einen Sitzungsraum im obersten Stock der Klinik. Trey blieb vor der Tür stehen.

Der Saal war voller Ärzte, einige in weißen Laborkitteln, andere in Anzügen. Sie saßen an einem langen Teakholztisch mit grünen Bankerlampen und dunklen Aschenbechern, in denen Zigaretten und Zigarren glühten. Die einzige Pfeife rauchte Naehring, der am Kopfende saß.

»Liebe Kollegen, das sind die Marshals der Bundesregierung, über die wir gesprochen haben. Marshal Daniels und Marshal Aule.«

»Wo ist Ihre Uniform?«, erkundigte sich einer.

»Gute Frage«, sagte Cawley. Er schien sich köstlich zu amüsieren.

»Wir waren draußen im Sturm«, erklärte Teddy.

»Da draußen?« Der Arzt zeigte auf die hohen Fenster. Sie waren kreuz und quer mit dickem Band beklebt und schienen unmerklich Luft abzugeben, in den Raum zu atmen. Gegen die Scheiben trommelte der Regen, das ganze Gebäude ächzte unter dem Druck des Windes.

»Leider ja«, sagte Chuck.

»Wenn Sie bitte Platz nehmen würden, meine Herren«, sagte Naehring. »Wir sind gleich fertig.«

Am Ende des Tisches standen zwei leere Stühle.

»John«, sagte Naehring, »wir müssen uns einigen.«

»Du kennst meine Meinung.«

»Ja, und die respektieren wir auch alle, aber wenn Neuroleptika zum notwendigen Abbau des gestörten Serotoninspiegels führen, dann haben wir gar keine andere Wahl, denke ich. Wir dürfen die Forschungsreihe nicht einstellen. Diese erste Testpatientin, diese, ähm, Doris Walsh, erfüllt alle Kriterien. Ich kann da kein Problem erkennen.«

»Ich mache mir nur Sorgen wegen der Kosten.«

»Die Therapie ist weitaus günstiger als operieren, und das weißt du.«

»Ich spreche von dem Risiko, dass Basalganglien und Hirnrinde geschädigt werden. Ich spreche von älteren europäischen Studien, die auf das Risiko neurologischer Störungen hinweisen, ähnlich den Folgen von Enzephalitis und Schlaganfall.«

Naehring wischte den Einwurf mit erhobener Hand zur Seite. »Alle, die für Dr. Brotigans Antrag sind, heben bitte die Hand.«

Teddy sah alle Hände am Tisch in die Höhe schnellen, außer die von Cawley und einem anderen Mann.

»Damit ist die Entscheidung gefallen«, sagte Naehring. »Wir beantragen beim Kuratorium Gelder für Dr. Brotigans Forschungsprojekt.«

Ein junger Mann, es musste Brotigan sein, dankte mit einem Nicken zur rechten und zur linken Tischseite. Mit seinem kantigen Kinn, dem athletischen Körper und den glatten Wangen war er der Typ Mann, dachte Teddy, den man nicht aus den Augen lassen durfte. Allzu zielstrebig erfüllte er die ausgefallensten Träume seiner Eltern.

»Nun, gut«, sagte Naehring, schloss die vor ihm liegende Akte und blickte über den Tisch zu Teddy und Chuck. »Wie sieht es bei Ihnen aus, meine Herren?«

Cawley stand auf und goss sich am Sideboard eine Tasse Kaffee ein. »Es wird erzählt, man hätte Sie in einem Mausoleum gefunden.«

Einige am Tisch schmunzelten vor sich hin, den Mund hinter der Faust verborgen.

»Kennen Sie einen besseren Ort, um einen Hurrikan abzuwarten?«, fragte Chuck.

»Hier im Haus«, entgegnete Cawley. »Vorzugsweise im Keller.«

»Wir haben gehört, es soll Sturmböen von bis zu zweihundertvierzig Stundenkilometern geben.«

Cawley nickte den versammelten Ärzten zu. »Heute Morgen wurden in Newport, Rhode Island, dreißig Prozent der Häuser zerstört.«

»Hoffentlich nicht das von den Vanderbilts«, warf Chuck ein.

Cawley setzte sich. »Provincetown und Truro hat es heute Nachmittag erwischt. Niemand weiß, wie schlimm sie getroffen wurden, weil die Straßen unbefahrbar sind und die Funkverbindung zusammengebrochen ist. Allem Anschein nach kommt der Sturm genau auf uns zu.«

»Der schlimmste Sturm an der Ostküste seit dreißig Jahren«, sagte ein Arzt.

»Die Luft kribbelt, weil sie so stark elektrostatisch aufgeladen ist«, sagte Cawley. »Deshalb hat die Telefonanlage gestern Abend den Geist aufgegeben. Und aus demselben Grund funktioniert der Funk nur noch unzuverlässig. Wenn der Sturm uns mit aller Wucht trifft, weiß ich nicht, was stehen bleibt.«

»Weshalb ich«, sagte Naehring, »noch einmal darauf bestehen muss, dass alle Patienten in der blauen Zone an den Händen fixiert werden.«

»Was für eine blaue Zone?«, fragte Teddy.

»Station C«, erklärte Cawley. »Patienten, die für sich selbst, für diese Einrichtung oder für die Öffentlichkeit eine Gefahr darstellen.« Er wandte sich an Naehring. »Das geht nicht. Wenn das Gebäude überflutet wird, ertrinken die Leute. Das weißt du.«

»Dafür müsste es aber ganz schön kräftig stürmen.«

»Wir sind hier mitten im Ozean. Uns stehen Hurrikanwinde von zweihundertvierzig Stundenkilometern bevor.

Starke Überflutungen liegen durchaus im Bereich des Möglichen. Wir werden die Zahl der Wärter verdoppeln. Wir werden die Patienten der blauen Zone zu jedem Zeitpunkt im Auge haben. Ohne Ausnahme. Aber wir können sie nicht an die Betten ketten. Sie sind schon in den Zellen eingesperrt, Himmel noch mal. Das ist zu viel.«

»Das ist hoch gepokert, John«, sagte ruhig ein braunhaariger Mann an der Mitte des Tisches. Mit Cawley war er der einzige gewesen, der sich der Stimme enthalten hatte. Er drückte mehrmals auf seinen Kugelschreiber und blickte starr zum Kopfende des Tisches, aber Teddy merkte an seinem Ton, dass er ein Freund von Cawley war. »Das ist sehr hoch gepokert. Was ist, wenn der Strom ausfällt?«

»Wir haben einen Notstromgenerator.«

»Und wenn der auch ausfällt? Dann gehen die Zellen auf.«

»Wir sind auf einer Insel«, sagte Cawley. »Wo soll man hier schon hin? Ist ja nicht so, dass man sich eine Fähre nehmen könnte, nach Boston rüberflitzen und alles in Schutt und Asche legen könnte. Wenn die Patienten an den Händen fixiert sind und Station C überflutet wird, meine Herren, dann werden alle ertrinken. Das sind vierundzwanzig Menschen. Wenn, gottbewahre, irgendwas hier im Haus passiert? Mit den anderen zweiundvierzig? Du lieber Himmel. Können Sie damit leben? Ich nicht.«

Cawley sah den Tisch hoch und runter, und plötzlich spürte Teddy in Cawley eine Mitleidsfähigkeit, die er vorher nicht wahrgenommen hatte. Teddy wusste nicht, warum Cawley sie zu dieser Besprechung gebeten hatte, aber allmählich bekam er den Eindruck, dass der ärztliche Direktor in diesem Raum nicht viele Freunde hatte.

»Doktor Cawley«, sagte Teddy, »ich möchte Sie nicht unterbrechen.«

»Schon gut, Marshal. Wir haben Sie ja hergeholt.«

Fast hätte Teddy gesagt: Im Ernst?

»Als wir heute Morgen über Rachel Solandos Geheimbotschaft gesprochen haben –«

»Wissen alle, wovon der Marshal redet?«

»Das Gesetz der 4«, sagte Brotigan mit einem Grinsen, das Teddy am liebsten seziert hätte. »Finde ich einfach toll.«

»Bei unserem Gespräch heute Morgen sagten Sie, Sie könnten mit dem letzten Anhaltspunkt nichts anfangen«, erklärte Teddy.

»Wer ist 67?«, sagte Naehring. »Ja, und?«

Teddy nickte und lehnte sich auf seinem Stuhl zurück. Wartete.

Alle blickten ihn verständnislos an.

»Fällt Ihnen wirklich nichts auf?«, fragte er.

»Was denn, Marshal Daniels?«, fragte Cawleys Freund zurück. Teddy las an seinem Laborkittel ab, dass er Miller hieß.

»Sie haben hier sechsundsechzig Patienten.«

Sie starrten ihn an wie die kleinen Gäste eines Kindergeburtstags, die darauf warten, dass der Clown den nächsten Blumenstrauß hervorzaubert.

»Insgesamt zweiundvierzig Patienten auf den Stationen A und B. Vierundzwanzig in Station C. Macht sechsundsechzig.«

Teddy sah, dass es einigen Ärzten dämmerte, aber die meisten machten noch immer einen vollkommen ratlosen Eindruck.

»Sechsundsechzig Patienten«, sagte Teddy. »Da liegt doch nahe, was die Frage ›Wer ist 67?‹ zu bedeuten hat: Es gibt hier einen siebenundsechzigsten Patienten.«

Stille. Die Ärzte schauten sich über den Tisch hinweg an.

»Ich kann Ihnen nicht folgen«, sagte Naehring schließlich.

»Was ist daran so schwer zu verstehen? Rachel Solando behauptet, dass es einen siebenundsechzigsten Patienten gibt.«

»Gibt es aber nicht«, sagte Cawley, die Hände vor sich auf dem Tisch. »Die Idee ist hervorragend, Marshal, und wenn sie stimmte, wäre der Code jetzt geknackt. Aber zwei und zwei ergibt niemals fünf, auch wenn Sie es sich noch so sehr wünschen. Wenn es auf der Insel nur sechsundsechzig Patienten gibt, dann ist es müßig, nach einem siebenundsechzigsten zu fragen. Verstehen Sie, was ich meine?«

»Nein«, entgegnete Teddy mit ruhiger Stimme. »Ich kann Ihnen da nicht ganz folgen.«

Cawley wählte seine Worte sorgfältig, so als suche er die einfachsten Ausdrücke. »Wenn dieser Hurrikan nicht toben würde, hätten wir heute Morgen zwei neue Patienten bekommen. Dann wären es nun insgesamt achtundsechzig. Wenn ein Patient, gottbewahre, in der letzten Nacht im Schlaf gestorben wäre, hätten wir jetzt insgesamt fünfundsechzig. Die Gesamtzahl kann sich täglich, wöchentlich ändern, sie hängt von sehr vielen Variablen ab.«

»Aber«, sagte Teddy, »in der Nacht, als Miss Solando den Code verfasste …«

»Da waren es sechsundsechzig, sie selbst eingerechnet. Das gebe ich zu, Marshal. Aber trotzdem fehlt noch einer, damit es siebenundsechzig werden, nicht wahr? Sie versuchen mit allen Mitteln, das zurechtzubiegen.«

»Aber genau das sagt sie doch.«

»Das ist mir klar, ja. Aber sie hat sich geirrt. Es gibt hier keinen siebenundsechzigsten Patienten.«

»Würden Sie meinem Kollegen und mir gestatten, die Patientenakten einzusehen?«

Stirnrunzeln und befremdliche Blicke am ganzen Tisch.

»Auf gar keinen Fall«, sagte Naehring.

»Das geht leider nicht, Marshal.«

Kurz senkte Teddy den Kopf, betrachtete sein albernes weißes Hemd und die Hose. Er sah aus wie eine Tresenhilfe. Besaß im Moment wahrscheinlich auch die Autorität eines Aushilfskellners. Er sollte den Ärzten Eiscreme verkaufen, dann hätte er vielleicht bessere Chancen.

»Wir bekommen keine Einsicht in Ihre Personalakten. Wir bekommen keine Einsicht in Ihre Patientenakten. Wie sollen wir die vermisste Patientin finden, meine Herren?«

Naehring lehnte sich zurück, den Kopf zur Seite geneigt.

Cawley hielt mitten in der Bewegung inne, die Zigarette auf halbem Weg zu den Lippen.

Einige Ärzte begannen, miteinander zu flüstern.

Teddy sah Chuck an.

Chuck wisperte: »Guck mich nicht an. Ich habe keine Ahnung.«

»Hat der Direktor es Ihnen nicht gesagt?«, fragte Cawley.

»Wir haben nicht mit dem Direktor gesprochen. McPherson hat uns zurückgebracht.«

»Ach«, sagte Cawley. »Du meine Güte.«

»Was?«

Cawley sah die anderen Ärzte mit weit aufgerissenen Augen an.

»Was?«, wiederholte Teddy.

Cawley seufzte und schaute wieder zu Teddy und Chuck hinüber. »Wir haben sie gefunden.«

»Sie haben – was?«

Cawley nickte und zog an der Zigarette. »Rachel Solando. Wir haben sie heute Nachmittag gefunden. Sie ist hier. Hier durch die Tür und den Korridor hinunter.«

Teddy und Chuck sahen sich über die Schulter zur Tür um.

»Sie können sich jetzt ausruhen. Die Suche ist vorbei.«

11

CAWLEY UND NAEHRING führten sie durch einen schwarz-weiß gefliesten Korridor und eine Doppeltür in den Klinikbereich. Zur Linken lag das Schwesternzimmer, aber sie gingen nach rechts in einen großen Raum mit langen Neonröhren und U-förmigen Vorhangstangen, die an Haken von der Decke hingen, und da war sie, in einem blassgrünen Kittel, der knapp über dem Knie aufhörte. Sie saß auf einem Bett, das dunkle Haar frisch gewaschen und aus der Stirn gekämmt.

»Rachel«, sagte Cawley, »wir haben Freunde mitgebracht. Ich hoffe, es stört Sie nicht.«

Rachel strich den Kittelsaum glatt und schaute Teddy und Chuck mit kindlicher Erwartung an.

Sie war völlig unversehrt.

Ihre Haut hatte die Farbe von Sandstein. Gesicht, Arme und Beine waren makellos. Sie hatte nackte Füße, aber auch die hatten keine Kratzer, geschweige denn Verletzungen von Zweigen, Dornen oder Steinen.

»Wie kann ich Ihnen helfen?«, fragte sie Teddy.

»Miss Solando, wir sind hier, weil wir Ihnen –«

»Etwas verkaufen möchten?«

»Wie bitte?«

»Sie wollen mir doch hoffentlich nichts verkaufen. Ich möchte nicht unhöflich sein, aber bei uns kümmert sich mein Mann um solche Angelegenheiten.«

»Nein, Ma'am. Wir möchten Ihnen nichts verkaufen.«

»Na, dann ist gut. Was kann ich für Sie tun?«

»Könnten Sie mir sagen, wo Sie gestern gewesen sind?«

»Ich war hier. Zu Hause.« Sie sah Cawley an. »Was sind das für Männer?«

»Das sind Polizeibeamte, Rachel«, erklärte Cawley.

»Ist Jim etwas zugestoßen?«

»Nein«, sagte Cawley. »Nein, nein. Jim geht es gut.«

»Doch nicht die Kinder!« Sie sah sich um. »Sie sind draußen im Hof. Sie haben doch nichts angestellt, oder?«

»Nein, Miss Solando«, sagte Teddy. »Ihre Kinder sind nicht in Schwierigkeiten. Und Ihrem Mann geht es auch gut.« Er warf Cawley einen fragenden Blick zu. Cawley nickte zustimmend. »Wir haben bloß, ähm, wir haben gehört, dass sich gestern hier in der Gegend ein aktenkundiger Aufwiegler aufgehalten hat. Er wurde gesehen, als er auf der Straße kommunistische Literatur verteilte.«

»Ach, du lieber Gott, nein! An Kinder?«

»Soweit wir wissen, nicht.«

»Aber hier in der Gegend? Auf unserer Straße?«

»Leider ja, Ma'am«, sagte Teddy. »Ich hatte gehofft, Sie könnten uns über Ihren gestrigen Tag Auskunft geben, damit wir wüssten, ob Sie dem betreffenden Herrn über den Weg gelaufen sind.«

»Wollen Sie damit sagen, dass ich Kommunistin bin?« Sie richtete sich im Bett auf und zerknüllte die Decke.

Cawley sah Teddy an, als wolle er sagen: Das haben Sie

172

sich selbst eingebrockt. Sehen Sie zu, wie Sie da wieder rauskommen.

»Sie eine Kommunistin, Ma'am? Nein. Wer käme denn auf so eine Idee? Sie sind so amerikanisch wie Betty Grable. Nur ein Blinder würde das nicht sehen.«

Eine von Rachels Händen entkrampfte sich, sie rieb sich die Kniescheibe. »Aber ich sehe nicht aus wie Betty Grable.«

»Sie sind nur eine ebenso glühende Patriotin. Nein, ich würde sagen, Sie sehen eher aus wie Teresa Wright, Ma'am. Wie hieß noch mal der Film mit Joseph Cotton, so vor ungefähr zehn, zwölf Jahren?«

»*Im Schatten des Zweifels*. Das hat man mir schon öfter gesagt«, erwiderte sie, und ihr Lächeln war gleichzeitig freundlich und sinnlich. »Jim ist im Krieg gewesen. Als er zurückkam, hat er gesagt, die Welt wäre jetzt frei, weil die Amerikaner dafür gekämpft hätten, und jetzt wüsste die ganze Welt, dass die amerikanische Lebensweise die beste ist.«

»Genau«, sagte Teddy. »Ich war auch im Krieg.«

»Kennen Sie Jim vielleicht?«

»Leider nicht, Ma'am. Er ist bestimmt ein beeindruckender Mann. Ist er bei der Armee?«

Sie zog die Nase kraus. »Bei den Marines.«

»*Semper fi*«, zitierte Teddy das Motto der Marines. »Miss Solando, es ist für uns wichtig, genau zu wissen, was dieser Aufwiegler gestern gemacht hat. Vielleicht haben Sie ihn wirklich nicht gesehen. Er geht sehr verstohlen vor. Deshalb müssen wir wissen, was *Sie* getan haben, damit wir das mit den Erkenntnissen über seinen Aufenthaltsort vergleichen können. So können wir herausfinden, ob sich Ihre und seine Wege gekreuzt haben.«

»Wie Schiffe in der Nacht?«

»Genau so. Verstehen Sie?«

»O ja.« Sie setzte sich im Bett auf und zog die Beine an. Ihre Bewegungen fuhren Teddy in den Bauch und in den Schoß.

173

»Wenn Sie mir Ihren Tagesablauf erklären könnten«, sagte er.

»Nun, mal sehen. Ich habe Jim und den Kindern Frühstück gemacht, dann habe ich das Mittagessen für Jim vorbereitet, Jim ist zur Arbeit gefahren, ich habe die Kinder zur Schule geschickt, und hinterher bin ich lange im See geschwommen.«

»Tun Sie das oft?«

»Nein«, sagte sie, beugte sich vor und lachte, als hätte er einen Annäherungsversuch gemacht. »Ich war einfach, keine Ahnung, irgendwie ein bisschen verrückt. Wissen Sie, manchmal ist das doch so. Man ist ein kleines bisschen verrückt, nicht wahr?«

»Sicher.«

»Nun, so ging es mir jedenfalls. Ich habe alle Kleider ausgezogen und bin im See geschwommen, bis meine Arme und Beine so schwer wie Baumstämme waren, so schwer waren sie. Dann bin ich wieder rausgegangen, habe mich abgetrocknet und sofort wieder meine Sachen angezogen und hab einen langen Spaziergang am Ufer gemacht. Ich habe Steine übers Wasser hüpfen lassen und kleine Sandburgen gebaut. Klitzekleine.«

»Wissen Sie noch, wie viele?«, fragte Teddy und spürte Cawleys Blick auf sich ruhen.

Sie dachte nach, die Augen zur Decke verdreht. »Allerdings.«

»Und? Wie viele waren es?«

»Dreizehn.«

»Das ist nicht wenig.«

»Einige waren wirklich klein«, sagte sie. »Wie Teetassen.«

»Und was haben Sie dann gemacht?«

»Ich habe über Sie nachgedacht«, erwiderte Rachel.

Teddy merkte, dass Naehring Cawley einen Blick zuwarf. Teddy schaute Naehring an, doch der hob die Hände, genauso überrascht wie die anderen.

»Warum über mich?«, fragte Teddy.

Rachels Lächeln entblößte ihre weißen Zähne, zwischen denen nur die kleine rote Zungenspitze zu sehen war. »Weil du mein Jim bist, du Dummerchen. Du bist mein Soldat.« Sie hockte sich auf die Knie, nahm Teddys Hand und strich darüber. »So eine raue Hand. Ich liebe deine Schwielen. Ich finde es herrlich, wenn du mich damit streichelst. Du fehlst mir, Jim. Du bist nie zu Hause.«

»Ich arbeite viel«, sagte Teddy.

»Setz dich.« Sie zupfte an seinem Ärmel.

Mit einem Blick forderte Cawley Teddy auf, auf Rachel einzugehen. Teddy ließ sich auf das Bett ziehen. Er setzte sich neben sie. Der verängstigte Blick, der ihn auf Rachels Foto so berührt hatte, war verschwunden, zumindest vorübergehend. Wenn man so nah neben ihr saß, konnte man nicht umhin, ihre Schönheit zu bewundern. Der stärkste Eindruck, den sie vermittelte, war der von etwas Fließendem: glänzende dunkle Augen, so klar wie Wasser, träge Bewegungen, nur ein Gleiten der Gliedmaßen, an Lippen und Kinn leicht überreife Gesichtszüge.

»Du arbeitest zu viel«, sagte sie und fuhr ihm mit den Fingern über die Brust, als glätte sie eine Falte in seiner Krawatte.

»Muss ja das Geld nach Hause bringen«, sagte Teddy.

»Ach, uns geht's doch gut«, sagte sie, und er spürte ihren Atem am Hals. »Wir haben doch alles.«

»Fürs erste«, sagte Teddy. »Ich denke an die Zukunft.«

»Kenne ich nicht«, sagte Rachel. »Weißt du, was mein Papa immer gesagt hat?«

»Hab ich vergessen.«

Sie fuhr ihm mit den Fingern durch das Schläfenhaar. »Die Zukunft, auf die lässt man anschreiben, hat er immer gesagt. Ich zahle bar.« Sie kicherte leise und schmiegte sich so eng an ihn, dass er ihre Brüste an der Schulter spürte. »Nein, mein Schatz, wir müssen für das Jetzt leben. Für das Hier und Jetzt.«

Das hatte Dolores auch immer gesagt. Die Lippen und das

Haar erinnerten ihn ebenfalls an sie, und zwar so stark, dass man es ihm nicht würde vorwerfen können, wenn er glaubte, mit Dolores zu sprechen, falls Rachel noch etwas näherrückte. Rachel besaß sogar dieselbe flirrende Sinnlichkeit, von der Teddy nicht sagen konnte – selbst nach all den gemeinsamen Jahren nicht –, ob seine Frau sich ihrer bewusst gewesen war.

Er versuchte sich zu erinnern, wonach er Rachel fragen wollte. Er wusste, dass er sie eigentlich zurück aufs Thema lenken musste. Sie sollte ihm von ihrem gestrigen Tag erzählen – genau, das war's gewesen –, sie sollte erzählen, was passiert war, nachdem sie an den Strand gegangen war und Burgen gebaut hatte.

»Was hast du gemacht, nachdem du um den See herumgegangen bist?«, fragte er.

»Das weißt du doch.«

»Nein.«

»Ach, willst du, dass ich es laut sage? Ja?«

Sie beugte sich vor, nun nah an seinem Gesicht. Ihre dunklen Augen blickten zu ihm auf, ihr Atem stieg ihm in die Nase.

»Kannst du dich nicht erinnern?«

»Nein.«

»Du lügst.«

»Ich meine es ernst.«

»Tust du nicht. Wenn du das vergessen hast, James Solando, dann bekommst du großen Ärger.«

»Sag's mir bitte«, flüsterte Teddy.

»Du willst es bloß hören.«

»Ich will's bloß hören.«

Sie streichelte seine Wange und das Kinn und sagte mit belegter Stimme: »Als ich vom See zurückkam, war ich noch nass, und du hast mich trockengeleckt.«

Teddy strich ihr über die Wange, damit sie nicht die letzte Distanz zu ihm verlor. Er fuhr ihr mit den Fingern über die Schläfen nach hinten, durch das feuchte Haar, und sah ihr in die Augen.

»Sag mir, was du gestern gemacht hast«, flüsterte er. In ihren Augen kämpfte etwas gegen die Wasserklarheit. Angst, vermutete Teddy. Dann stahl sich die Angst in ihre bebende Unterlippe und zwischen die Augenbrauen. Teddy spürte, dass Rachel zitterte.

Sie versuchte, in seinem Gesicht zu lesen. Ihre Augen wurden immer größer, schossen hin und her.

»Ich habe dich begraben«, sagte sie.

»Nein, ich bin doch hier.«

»Ich habe dich begraben. In einem leeren Sarg, weil dein Körper über den ganzen Nordatlantik verstreut ist. Ich habe nur deine Erkennungsmarken begraben, weil das alles ist, was von dir übrig war. Dein Körper, dein wunderbarer Körper, wurde verbrannt und von Haien gefressen.«

»Rachel«, mahnte Cawley.

»Wie Tierfutter«, sagte sie.

»Nein«, widersprach Teddy.

»Wie zähes, verbranntes schwarzes Fleisch.«

»Nein, das war ich nicht.

»Jim ist gefallen. Mein Jim ist tot. Und wer bist du, verdammt noch mal?«

Sie löste sich aus seiner Umarmung, kroch zur Wand und drehte sich um.

»Wer ist das, verflucht noch mal?« Sie wies auf Teddy und bespuckte ihn.

Teddy war unfähig, sich zu bewegen. Er starrte sie an, ihre Wut, die die Augen überschwemmte.

»Willst du mich ficken, Seemann? Geht's darum? Deinen Schwanz in mich stopfen, während meine Kinder draußen im Hof spielen? Hattest du das vor? Sieh zu, dass du verschwindest! Hast du mich verstanden? Pass auf, dass du –«

Mit erhobener Hand wollte sie sich auf ihn stürzen, aber Teddy sprang vom Bett, und zwei Pfleger traten mit dicken Lederriemen über den Schultern dazwischen. Sie fassten Rachel unter die Arme und warfen sie zurück aufs Bett.

Teddy zitterte am ganzen Körper, Schweiß trat ihm aus den Poren, und Rachels Stimme gellte durch die Station: »Vergewaltiger! Verfluchter brutaler Vergewaltiger! Mein Mann kommt und schneidet dir die Kehle durch! Hast du das gehört? Er schneidet dir deinen beschissenen Kopf ab, und wir trinken dein Blut! Wir baden darin, du verfluchtes krankes Schwein!«

Ein Pfleger lag auf ihr, der andere hielt sie mit seinen kräftigen Händen an den Füßen fest. Sie schoben die Riemen durch Metallschlaufen im Bettgitter, legten sie über Rachels Brust und Fußknöchel und führten sie durch Schlaufen auf der anderen Seite, zogen die Riemen fest, schnallten die Enden zu und traten zurück.

»Rachel«, sagte Cawley mit sanfter, väterlicher Stimme.

»Ihr seid alle verfluchte Vergewaltiger! Wo sind meine Babys? Wo sind meine Babys? Gebt mir meine Babys zurück, ihr kranken Hurensöhne! Gebt mir meine Babys!«

Sie stieß einen markerschütternden Schrei aus, der Teddy wie ein Schuss durch die Wirbelsäule fuhr, dann warf sie sich so heftig gegen die Fixierung, dass das Gestell des fahrbaren Bettes krachte. Cawley sagte: »Wir sehen später noch mal nach Ihnen, Rachel.«

Sie spuckte nach ihm, der Speichel klatschte auf den Boden, dann kreischte sie wieder. Ihre Lippe blutete, sie musste sich gebissen haben. Cawley nickte den Männern zu und ging, die anderen schlossen sich ihm an. Teddy schaute sich noch einmal über die Schulter um. Rachel sah ihm direkt in die Augen, stemmte sich gegen die Lederriemen, die Sehnen in ihrem Hals traten hervor, die Lippen waren mit Blut und Speichel verschmiert. Sie schrie aus vollem Hals, kreischte, als wären alle Toten des Landes durch das Fenster hineingeklettert und marschierten auf ihr Bett zu.

In Cawleys Büro war eine Minibar, auf die er zusteuerte, kaum dass sie den Raum betreten hatten. Er bewegte sich nach rechts, und in dem Moment verlor Teddy ihn kurz aus den Augen. Cawley verschwand hinter einem weißen Schleier, und Teddy dachte: O nein, nicht jetzt. Nicht jetzt, bloß das nicht.

»Wo haben Sie sie gefunden?«, erkundigte er sich.

»Am Strand in der Nähe des Leuchtturms. Ließ Steine übers Wasser hüpfen.«

Cawley tauchte wieder auf, aber nur weil Teddy den Kopf nach links drehte. Teddy schaute nach rechts, und der Schleier verdeckte zuerst ein Einbau-Bücherregal, dann das Fenster. Er rieb sich das rechte Auge, gegen alle Vernunft hoffend, aber es nützte nichts. In dem Moment spürte er es in der linken Kopfhälfte: Direkt unterhalb des Scheitels riss eine Schlucht in den Schädel und füllte sich mit Lava. Zuerst hatte Teddy gemeint, Rachels Kreischen, ihr wütendes Geschrei, würde in seinem Kopf nachhallen, aber es war mehr. Der Schmerz explodierte, als würden ihm langsam ein Dutzend Dolchspitzen in den Schädel geschoben. Teddy zuckte zusammen und legte die Finger an die Schläfe.

»Marshal?«

Teddy sah auf. Cawley stand auf der anderen Seite des Schreibtisches – eine verschwommene, geisterhafte Gestalt zu seiner Linken.

»Ja?«, brachte Teddy hervor.

»Sie sind leichenblass.«

»Alles in Ordnung, Chef?« Plötzlich stand Chuck neben ihm.

»Alles klar«, murmelte Teddy. Cawley stellte das Scotchglas auf den Tisch. Es klang, als knallte ein Schuss.

»Setzen Sie sich«, schlug Cawley vor.

»Geht schon«, sagte Teddy, aber die Worte stolperten vom Gehirn zur Zunge über eine Leiter voller Eisenspitzen.

Cawleys Knochen krachten wie brennendes Holz, als er sich vor Teddy gegen den Tisch lehnte. »Migräne?«

Teddy sah die verschwommene Gestalt an. Normalerweise hätte er genickt, aber aus Erfahrung wusste er, dass er das auf keinen Fall tun durfte. »Ja«, brachte er heraus.

»Das hab ich an der Art gesehen, wie Sie sich die Schläfe gerieben haben.«

»Ah.«

»Haben Sie das oft?«

»So fünf, sechs ...« Teddys Mund wurde trocken, er brauchte eine Weile, um seine Zunge wieder zu befeuchten. »... Mal im Jahr.«

»Sie können von Glück sagen«, bemerkte Cawley. »Wenigstens in einer Hinsicht.«

»Wieso?«

»Viele Migränekranke bekommen die Anfälle einmal pro Woche.« Mit dem Geräusch brennenden Holzes löste sich Cawley vom Schreibtisch. Teddy hörte, dass er einen Schrank aufschloss.

»Wie äußert es sich bei Ihnen?«, fragte er Teddy. »Beeinträchtigung der Sehkraft, trockener Mund, brennende Kopfschmerzen?«

»Volltreffer.«

»Seit Jahrhunderten beschäftigen wir uns mit dem Gehirn, und trotzdem weiß keiner, wodurch Migräne ausgelöst wird. Kaum zu glauben, was? Wir wissen, dass für gewöhnlich der Parietallappen betroffen ist. Wir wissen, dass das Blut gerinnt. Das sind minimalste Prozesse, aber wenn sie in einem so kleinen, empfindlichen Organ wie dem Gehirn stattfinden, verursachen sie Explosionen. Schon so lange wird alles Mögliche erforscht, und trotzdem wissen wir weniger über die Ursachen und langfristigen Folgen von Migräne als über eine ganz normale Erkältung.«

Cawley reichte Teddy ein Glas Wasser und legte ihm zwei gelbe Tabletten in die Hand. »Die müssten Ihnen helfen. Ein, zwei Stunden lang sind Sie ausgeschaltet, aber wenn Sie dann zu sich kommen, geht's Ihnen wieder besser. Dann ist ihr Kopf wieder glasklar.«

Teddy musterte die gelben Tabletten und das Glas Wasser in seiner Hand, das gefährlich Schlagseite hatte.

Er sah Cawley an, versuchte sich mit dem gesunden Auge

zu konzentrieren, doch der Arzt stand in einem derart weißen, grellen Licht, dass es von Schultern und Armen ab-
strahlte.

Egal, was du tust, flüsterte eine Stimme in Teddys
Kopf …

Etwas bohrte sich in seine linke Schädelhälfte und schüttete eine Packung Reißnägel hinein. Teddy rang nach Luft.

»Du meine Güte, Chef.«

»Marshal Daniels, entspannen Sie sich.«

Die Stimme versuchte es erneut: Egal, was du tust, Teddy …

Ein Stahlrohr wurde in die Reißzwecken getrieben. Aus
Teddys gesundem Auge schossen Tränen, er drückte mit
dem Handrücken dagegen. Sein Magen zog sich zusammen.

… nimm nicht die Tabletten.

Der Magen drehte sich, rutschte ihm in die Hose, und
Flammen leckten an der Schlucht in seinem Kopf. Wenn das
noch schlimmer wurde, da war er ziemlich sicher, würde er
sich glatt die Zunge abbeißen.

Nimm nicht diese Scheißtabletten, schrie die Stimme, raste wie von Sinnen durch die brennende Schlucht, schwenk-
te eine Fahne, trommelte ihre Truppen zusammen.

Teddy senkte den Kopf und kotzte auf den Boden.

»Chef, Chef! Alles in Ordnung?«

»O je«, sagte Cawley. »Sie haben es ja wirklich schlimm.«

Teddy hob den Kopf.

Nimm …

Tränen liefen ihm über die Wangen.

… nicht …

Ein Sägeblatt schob sich quer durch die Schlucht.

… diese …

Es sägte vor und zurück.

… Tabletten.

Teddy knirschte mit den Zähnen, wieder drehte sich sein
Magen. Er versuchte, sich auf das Glas in seiner Hand zu

konzentrieren, sah etwas Sonderbares an seinem Daumen und meinte, die Migräne spiele seiner Wahrnehmung einen Streich.

nimmnichtdiesetabletten.

Noch einmal wurde das Sägeblatt durch die grauen Windungen seines Gehirns gezogen. Teddy unterdrückte einen Schrei. Er hörte Rachels Schreie, dazu das Feuer, und er sah, wie sie ihm in die Augen schaute, er spürte ihren Atem auf seinen Lippen und ihr Gesicht in seinen Händen, als er ihr die Schläfen massiert hatte, und die verfluchte Säge ging immer wieder vor und zurück –

nimmnichtdieseverfluchtentabletten

– und er warf sich die Tabletten in den Mund, spürte sie auf der Zunge, spülte sie mit Wasser hinunter und schluckte. Sie rutschten durch die Speiseröhre, und er leerte das Glas in einem Zug.

»Sie werden mir noch dankbar sein«, sagte Cawley.

Chuck kam auf Teddy zu und reichte ihm ein Taschentuch. Teddy wischte sich über Stirn und Mund und ließ es zu Boden fallen.

»Helfen Sie mir bitte, Marshal«, sagte Cawley.

Sie hievten Teddy vom Stuhl. Vor sich sah er eine schwarze Tür.

»Erzählen Sie's keinem«, sagte Cawley, »da hinten ist ein Zimmer, in dem ich manchmal ein Nickerchen halte. Na gut, einmal täglich. Wir bringen Sie da rein, Marshal, und Sie schlafen sich gesund. In zwei Stunden sind Sie wieder quietschfidel.«

Teddy sah seine Hände über den Schultern der Männer hängen. Sie sahen lustig aus, seine Hände, als gehörten sie nicht zu ihm. Und die Daumen, auf denen war diese optische Täuschung. Was war das, verdammt noch mal? Er hätte gerne darübergekratzt, aber Cawley öffnete die Tür, und Teddy warf einen letzten Blick auf die Flecken an seinen Daumen.

Schwarze Flecken.

Schuhcreme, dachte er, als er in das dunkle Zimmer geführt wurde.

Wie um alles in der Welt kommt Schuhcreme an meine
Daumen?

12

ES WAR DER schlimmste Traum, den er je gehabt hatte.

Am Anfang ging Teddy durch die Straßen von Hull, Straßen, durch die er von der Kindheit bis zum Mannesalter unzählige Male gelaufen war. Er kam an seiner alten Schule vorbei. Er sah den kleinen Gemischtwarenladen, wo er früher Kaugummi und Brause gekauft hatte. Er lief vorbei am Haus der Dickersons und Pakaskis, an den Murrays, den Boyds, den Vernons, den Constantines. Aber niemand war zu Hause. Nirgends war jemand. Sie war leer, die gesamte Stadt. Und totenstill. Er hörte nicht einmal das Meer, und in Hull konnte man das Meer immer hören.

Es war furchtbar: Er war in seiner Heimatstadt, und alle waren fort. Er setzte sich auf den Hafendamm an der Ocean Avenue, suchte den leeren Strand ab und wartete, aber es kam niemand. Alle waren tot, wurde ihm klar, längst tot, längst verschwunden. Er war ein Geist, nach Jahrhunderten in seine Geisterstadt zurückgekehrt. Sie war nicht mehr da. Er war nicht mehr da. Es gab kein Hier.

Als nächstes fand er sich in einem großen Marmorsaal voller Menschen und Liegen und roter Infusionsbeutel wieder, und sofort ging es ihm besser. Es war egal, wo er sich befand, Hauptsache, er war nicht allein. Drei Kinder – zwei Jungen und ein Mädchen – kreuzten seinen Weg. Alle drei trugen Krankenhaushemden, und das Mädchen hatte Angst. Es umklammerte die Hände seines Bruders. Es sagte: »Sie ist hier. Sie wird uns finden.«

Andrew Laeddis beugte sich vor und gab Teddy Feuer. »Hey, nicht nachtragend sein, Junge.«

Laeddis war ein abgrundtief hässliches Exemplar von Mann: ein schlaksiger, verwachsener Körper, ein schmales Gesicht mit vorspringendem Kinn, doppelt so lang wie üblich, schiefe Zähne, ein blonder Haarbüschel auf einem schorfigen rosa Schädel. Dennoch freute sich Teddy, ihn zu sehen. Laeddis war der einzige im Raum, den er kannte.

»Hab mir 'ne Flasche besorgt«, sagte Laeddis, »falls du dir später einen genehmigen willst.« Er zwinkerte Teddy zu, klopfte ihm auf den Rücken und wurde zu Chuck, und das war völlig normal.

»Wir müssen los«, sagte Chuck. »Die Uhr tickt, mein Freund.«

»Meine Stadt ist leer«, sagte Teddy. »Keine Menschenseele da.«

Und er begann zu laufen, denn da war sie: Rachel Solando. Kreischend lief sie mit einem Hackebeil durch den Saal. Ehe Teddy bei ihr war, hatte sie die drei Kinder gepackt, das Hackbeil ging hoch und runter, hoch und runter, und Teddy erstarrte, sonderbar fasziniert, denn er wusste, dass er in diesem Moment nichts tun konnte. Diese Kinder waren tot.

Rachel sah zu ihm auf. Ihr Gesicht und ihr Hals waren blutbefleckt. Sie sagte: »Hilf mir!«

»Was?«, sagte Teddy. »Ich könnte Ärger bekommen.«

»Hilf mir, dann werde ich Dolores«, sagte sie. »Dann bin ich deine Frau. Dann kommt sie zurück.«

»Na klar«, sagte er und half. Irgendwie gelang es ihnen gemeinsam, die drei Kinder hochzuhieven und durch die Hintertür nach draußen zum See zu tragen. Sie warfen sie nicht ins Wasser, sondern gingen vorsichtig mit ihnen um. Sie ließen sie ins Wasser gleiten, und die Kinder gingen unter. Einer der Jungen kam wieder hoch, fuchtelte mit der Hand, und Rachel sagte: »Ist schon in Ordnung. Er kann nicht schwimmen.«

Sie standen am Ufer und sahen zu, wie der Junge versank, dann legte Rachel Teddy den Arm um die Hüfte und sagte: »Du sollst mein Jim sein. Ich bin deine Dolores. Wir machen neue Babys.«

Das war völlig einleuchtend, und Teddy fragte sich, warum er nicht schon früher darauf gekommen war.

Er folgte ihr zurück nach Ashecliffe, wo sie Chuck trafen. Zu dritt gingen sie durch einen langen Korridor, der sich über eineinhalb Kilometer erstreckte. Teddy sagte zu Chuck: »Sie bringt mich zu Dolores. Ich gehe nach Hause, Kumpel!«

»Das ist toll!«, sagte Chuck. »Das freut mich. Ich komme nicht mehr von dieser Insel runter.«

»Nein?«

»Nein, aber das ist gut so, Chef. Wirklich. Ich gehöre hierher. Dies ist mein Zuhause.«

»Mein Zuhause ist Rachel«, sagte Teddy.

»Dolores, meinst du.«

»Ja, ja. Was habe ich gesagt?«

»Du hast Rachel gesagt.«

»Oh, tut mir Leid. Glaubst du wirklich, dass du hierher gehörst?«

Chuck nickte. »Ich war noch nie fort. Ich werde nie gehen. Ich meine, sieh dir meine Hände an, Chef.«

Teddy betrachtete sie. Er fand sie völlig normal. Das sagte er auch.

Chuck schüttelte den Kopf. »Sie passen nicht. Manchmal werden die Finger zu Mäusen.«

»Na, dann bin ich froh, dass du zu Hause bist.«

»Danke, Chef.« Chuck schlug ihm auf den Rücken und wurde zu Cawley, und Rachel war ein ganzes Stück voraus, sodass Teddy einen Schritt zulegen musste.

»Man kann keine Frau lieben, die ihre Kinder umgebracht hat«, sagte Cawley.

»Ich schon«, entgegnete Teddy und ging noch schneller. »Das verstehen Sie bloß nicht.«

»Was?« Cawley bewegte sich nicht, hielt aber dennoch mit Teddy Schritt. Er schwebte. »Was verstehe ich nicht?«

»Ich kann nicht allein sein. Ich ertrage es nicht. Nicht in dieser beschissenen Welt. Ich brauche sie. Sie ist meine Dolores.«

»Sie ist Rachel.«

»Ich weiß. Aber wir haben etwas vereinbart. Sie will meine Dolores sein. Ich werde ihr Jim sein. Das ist eine gute Vereinbarung.«

»Aha«, machte Cawley.

Die drei Kinder kamen den Korridor hinunter auf sie zugelaufen. Sie waren durchnässt und schrien wie am Spieß.

»Was für eine Mutter tut so was?«, fragte Cawley.

Teddy sah die Kinder auf der Stelle rennen. Sie waren an ihm und Cawley vorbei, dann veränderte sich die Luft oder etwas anderes, denn sie liefen weiter, ohne vorwärtszukommen.

»Was für eine Mutter tötet die eigenen Kinder?«, fragte Cawley.

»Das wollte sie gar nicht«, entgegnete Teddy. »Sie hatte bloß Angst.«

»So wie ich?«, fragte Cawley, aber nun war er nicht mehr Cawley. Er war Peter Breene. »Sie hat Angst, also bringt sie ihre Kinder um, und das ist in Ordnung?«

»Nein. Ich meine, ja. Ich mag dich nicht, Peter.«

»Und? Was willst du dagegen tun?«

188

Teddy setzte Peter den Dienstrevolver an die Schläfe.

»Weißt du, wie viele Menschen ich erschossen habe?«, fragte Teddy. Tränen liefen ihm über die Wangen.

»Ähm, nicht«, sagte Peter. »Bitte nicht.«

Teddy drückte ab und sah, wie die Kugel auf der anderen Seite aus Breenes Kopf trat. Die drei Kinder hatten alles mit angesehen und kreischten wie von Sinnen. Peter Breene sagte »Verflucht« und lehnte sich, die Hand auf das Einschussloch gedrückt, gegen die Wand. »Vor den Kindern?«

Dann schrie jemand in der Dunkelheit. Es war sie. Das Geräusch kam näher. Sie war irgendwo im Dunkeln und rannte ihnen entgegen. Das kleine Mädchen sagte: »Hilf uns!«

»Ich bin nicht dein Daddy. Das ist nicht mein Haus.«

»Ich werde Daddy zu dir sagen.«

»Gut«, sagte Teddy seufzend und ergriff die Hand der Kleinen.

Sie liefen über die Felsen hoch über der Küste von Shutter Island, dann wanderten sie auf den Friedhof, und Teddy fand einen Laib Brot und Erdnussbutter und Gelee und machte im Mausoleum Butterbrote, und das kleine Mädchen war so glücklich, setzte sich auf seinen Schoß und aß das Butterbrot. Dann zeigte Teddy dem Mädchen den Grabstein seines Vaters und den Grabstein seiner Mutter und seinen eigenen:

EDWARD DANIELS
SCHLECHTER SEEMANN
1920–1957

»Warum bist du ein schlechter Seemann?«, wollte das Mädchen wissen.

»Ich mag kein Wasser.«

»Ich mag auch kein Wasser. Dann sind wir Freunde.«

»Kann schon sein.«

»Du bist tot. Du hast ein – wie heißt das noch mal?«

»Einen Grabstein.«

»Ja.«

»Dann hast du wohl Recht. In meiner Stadt war keine Menschenseele.«

»Ich bin auch tot.«

»Ich weiß. Das tut mir Leid.«

»Du hast sie nicht aufgehalten.«

»Was hätte ich denn tun sollen? Als ich endlich da war, hatte sie schon, du weißt ja ...«

»O nein.«

»Was ist?«

»Da kommt sie schon wieder.«

Und da erschien Rachel neben dem Grabstein, den Teddy im Sturm umgekippt hatte. Sie ließ sich Zeit. Sie war so schön, aus ihrem nassen Haar tropfte der Regen. Das Hackebeil hatte sie eingetauscht gegen eine Axt mit langem Stiel, die sie hinter sich herzog. Sie sagte: »Komm, Teddy. Sie gehören mir.«

»Ich weiß. Aber ich kann sie dir nicht geben.«

»Diesmal ist es anders.«

»Wieso?«

»Ich bin jetzt in Ordnung. Ich weiß, dass ich Verantwortung habe. Ich reiße mich zusammen.«

Teddy weinte. »Ich liebe dich so.«

»Und ich liebe dich, mein Schatz. Wirklich.« Sie trat auf ihn zu und küsste ihn, küsste ihn richtig, legte die Hände auf seine Wangen und schob ihm die Zunge in den Mund, und ein tiefes Stöhnen stieg aus ihrer Kehle, sie küsste ihn voller Leidenschaft, und er liebte sie so.

»Jetzt gib mir das Mädchen«, sagte sie.

Er gab ihr das Mädchen, sie hielt es am Arm fest, nahm die Axt in die andere Hand und sagte: »Bin gleich wieder da, in Ordnung?«

»Klar«, sagte Teddy.

Er winkte dem Mädchen zu, wusste aber, dass die Kleine es nicht verstand. Es war nur zu ihrem Besten. Davon war er überzeugt. Als Erwachsener musste man harte Entscheidungen treffen, die Kinder unmöglich verstehen konnten. Aber man tat es für sie. Teddy hörte nicht auf zu winken, auch wenn das Mädchen nicht zurückwinkte, als es von seiner Mutter zum Mausoleum geschleppt wurde. Es starrte Teddy an, in den Augen keine Hoffnung auf Rettung, der Welt ergeben, den Opfertod vor sich, den Mund verschmiert mit Erdnussbutter und Gelee.

»O Gott!« Teddy setzte sich auf. Er hatte das Gefühl, sich selbst ans Bewusstsein gezerrt zu haben, den Kopf in den Wachzustand gerissen zu haben, nur um diesen Traum hinter sich zu lassen. Er spürte ihn noch immer im Hinterkopf wüten, mit weit geöffneten Türen warten. Teddy musste nur die Augen schließen und mit dem Kopf aufs Kissen sinken, dann würde er wieder in den Traum stürzen.

»Wie geht's Ihnen, Marshal?«

Teddy blinzelte in die Dunkelheit. »Wer ist da?«

In einer Ecke des Raumes knipste Cawley eine kleine Lampe neben seinem Stuhl an. »Das tut mir Leid. Ich wollte Sie nicht erschrecken.«

Teddy sah sich um. »Wie lange liege ich hier schon?«

Cawley lächelte entschuldigend. »Die Tabletten waren ein wenig stärker, als ich gedacht hatte. Vier Stunden lang waren Sie weg.«

»Scheiße.« Mit den Handballen rieb sich Teddy die Augen.

»Sie hatten Albträume, Marshal, heftige Albträume.«

»Ich bin auf einer Insel in einer psychiatrischen Einrichtung, und draußen wütet ein Orkan«, sagte Teddy.

»Touché«, erwiderte Cawley. »Ich habe einen Monat gebraucht, bis ich zum ersten Mal ordentlich geschlafen habe. Wer ist Dolores?«

»Was?«, fragte Teddy und setzte sich auf die Bettkante.

»Sie haben immer wieder ihren Namen gesagt.«

»Mein Mund ist trocken.«

Cawley nickte und nahm ein Glas Wasser vom Tisch neben sich. Er brachte es Teddy. »Leider eine Nebenwirkung der Tabletten. Hier.«

Teddy nahm das Glas und leerte es in wenigen Zügen.

»Wie geht's Ihrem Kopf?«

Teddy fiel wieder ein, warum er überhaupt in diesem Zimmer war. Er machte eine schnelle Bestandsaufnahme: Ungetrübter Blick. Keine Reißzwecken mehr im Kopf. Magen leicht flau, aber erträglich. Ein schwacher Schmerz in der rechten Kopfhälfte, eigentlich nicht stärker als ein drei Tage alter blauer Fleck.

»Schon gut«, sagte er. »Das waren vielleicht Tabletten!«

»Wir tun unser Bestes. Also: Wer ist Dolores?«

»Meine Frau«, antwortete Teddy. »Sie ist tot. Und, ja, Doktor, ich versuche immer noch, mich damit abzufinden. Ist das in Ordnung?«

»Das ist völlig in Ordnung, Marshal Daniels. Und Ihr Verlust tut mir Leid. Starb sie unvorhergesehen?«

Teddy sah Cawley an und lachte.

»Was ist?«

»Ich bin nicht so richtig in der Stimmung, mich analysieren zu lassen, Doc.«

Cawley schlug die Beine übereinander und zündete sich eine Zigarette an. »Und ich habe nicht vor, Ihnen Scheiße in den Kopf zu setzen, Marshal. Das können Sie glauben oder auch nicht. Trotzdem bin ich überzeugt, dass da heute Abend in Rachels Zimmer irgendwas passiert ist. Das ging nicht nur von ihr aus. Ich würde meine Pflichten als Therapeut vernachlässigen, wenn ich mich nicht fragen würde, was für Dämonen Sie mit sich herumtragen.«

»Was soll da passiert sein?«, fragte Teddy. »Ich habe die Rolle gespielt, die sie von mir erwartet hat.«

Cawley schmunzelte. »Erkenne dich selbst, Marshal. Ich bitte Sie. Wollen Sie mir allen Ernstes erzählen, Sie wären beide noch komplett angezogen geblieben, wenn wir Sie allein gelassen hätten?«

»Ich bin Polizeibeamter, Doktor. Was auch immer Sie glauben, gesehen zu haben, es stimmt nicht.«

Cawley hob die Hand. »Gut. Wie Sie meinen.«

»Wie ich meine«, sagte Teddy.

Cawley lehnte sich zurück, betrachtete Teddy und rauchte. Teddy hörte den Sturm draußen, fühlte ihn gegen die Mauern drücken, spürte, wie er sich durch Lücken unter dem Dach zwängte. Cawley schwieg und lauerte, und schließlich sagte Teddy: »Sie starb bei einem Brand. Sie fehlt mir wie … Wenn ich unter Wasser wäre, würde sie mir mehr fehlen als Sauerstoff.« Er sah Cawley mit erhobenen Augenbrauen an. »Reicht das?«

Cawley beugte sich vor, gab Teddy eine Zigarette und Feuer. »Ich war mal in Frankreich in eine Frau verliebt«, sagte er. »Aber erzählen Sie das nicht meiner Gattin, ja?«

»Nein, nein.«

»Ich habe diese Frau geliebt, wie man … ach, nichts«, sagte er mit einem verdutzten Unterton. »So eine Liebe lässt sich mit nichts anderem vergleichen, nicht wahr?«

Teddy schüttelte den Kopf.

»Sie ist ein einzigartiges Geschenk.« Cawley sah dem Rauch seiner Zigarette nach, sein Blick verließ das Zimmer, wanderte über den Ozean.

»Was haben Sie in Frankreich gemacht?«

Cawley grinste und drohte Teddy spielerisch mit dem Finger.

»Aha«, machte Teddy.

»Na, egal, jedenfalls wollte sich diese Frau eines Abends mit mir treffen. Sie hat sich beeilt, denke ich. Es war ein verregneter Abend in Paris. Dann ist sie gestolpert. Das war's.«

»Wie?«

»Sie ist gestolpert.«

»Und?« Teddy starrte Cawley an.

»Nichts. Sie ist gestolpert und auf den Kopf gefallen. War schwer verletzt und ist daran gestorben. Ist das zu fassen?

193

Im Krieg! Da gibt es hundert Möglichkeiten zu sterben. Und sie stolpert und fällt hin.«

Teddy sah den Schmerz in Cawleys Gesicht, selbst nach so vielen Jahren noch. Er sah das ungläubige Staunen, Zielscheibe eines kosmischen Treppenwitzes geworden zu sein.

»Manchmal gelingt es mir«, sagte Cawley leise, »drei Stunden lang nicht an sie zu denken. Manchmal kann ich mich wochenlang nicht an ihren Geruch erinnern oder an ihren Blick, wenn sie wusste, dass wir an einem Abend Zeit füreinander haben würden, an ihr Haar, wie sie beim Lesen damit spielte. Manchmal …« Cawley drückte die Zigarette aus. »Wohin ihre Seele auch gegangen ist … Wenn sich im Moment ihres Todes, sagen wir mal, ein Tor unter ihr geöffnet und sie verschluckt hat, und wenn ich wüsste, dieses Tor würde sich öffnen, dann würde ich morgen nach Paris fahren und zu ihr hinabsteigen.«

»Wie hieß sie?«, fragte Teddy.

»Marie«, erwiderte Cawley, und selbst das Aussprechen des Namens kostete ihn Überwindung.

Teddy nahm einen Zug von der Zigarette und blies den Rauch langsam aus.

»Dolores«, sagte er, »warf sich im Schlaf immer hin und her, und sieben von zehn Mal hat sie mir dabei ins Gesicht geschlagen, ungelogen. Auf den Mund oder die Nase. *Peng*, das war's. Ich hab ihre Hand weggeschoben, klar. Manchmal ziemlich grob. Da schlafe ich so schön und klatsch, bin ich wach. Vielen Dank, Schätzchen. Aber manchmal hab ich die Hand auch liegen lassen. Hab sie geküsst, an ihr geschnuppert, alles Mögliche. Hab sie eingeatmet. Doch, ich würde alles dafür geben, die Hand wieder auf meinem Gesicht zu haben.«

Die Wände bebten, der Wind erschütterte die Nacht.

Cawley beobachtete Teddy, wie man Kinder an einer stark befahrenen Straßenkreuzung beobachtet. »Ich mache meine Arbeit ziemlich gut, Marshal. Ich bin ein Egoist, das gebe ich zu. Mein IQ liegt weit über dem Durchschnitt, schon als kleiner Junge habe ich die Leute durchschaut. Besser als alle anderen. Ich will Ihnen jetzt nicht zu nahe treten, wenn ich das sage, aber haben Sie schon mal in Erwägung gezogen, dass Sie möglicherweise suizidgefährdet sein könnten?«

»Tja«, sagte Teddy, »da bin ich ja froh, dass Sie mir nicht zu nahe treten wollen.«

»Haben Sie das schon mal überlegt?«

»Ja«, sagte Teddy. »Deshalb trinke ich nicht mehr.«

»Weil Sie wissen, dass ...«

»... ich mir schon vor langer Zeit den Lauf in den Mund gesteckt hätte, ja.«

Cawley nickte. »Immerhin machen Sie sich nichts vor.«

»Ja«, sagte Teddy. »Wenigstens das spricht für mich.«

»Wenn Sie fahren«, sagte Cawley, »kann ich Ihnen ein paar Adressen geben. Richtig gute Ärzte. Die können Ihnen helfen.«

Teddy schüttelte den Kopf. »Wir Marshals gehen nicht zu Seelenklempnern. Tut mir Leid, aber wenn das rauskäme, würde ich direkt in Pension geschickt.«

»Schon gut, schon gut. Wie Sie meinen. Aber eins noch, Marshal.«

Teddy sah ihn an.

»Wenn Sie so weitermachen, stellt sich gar nicht die Frage, ob etwas passiert. Bloß wann.«

»Das können Sie nicht wissen.«

»O doch. Das weiß ich. Meine Spezialgebiete sind Verlusttrauma und Schuldgefühle von Überlebenden. Ich leide selbst darunter, deshalb bin ich drauf spezialisiert. Vor ein paar Stunden war ich Zeuge, wie Sie Rachel Solando in die Augen gesehen haben. Das war ein Mann, der sterben wollte. Ihr Vorgesetzter, der zuständige Marshal auf der Dienststelle, hat mir gesagt, Sie seien der Kollege mit den höchsten Auszeichnungen. Sie wären mit einer ganzen Truhe voller Medaillen aus dem Krieg zurückgekommen, stimmt das?«

Teddy zuckte mit den Schultern.

»Sie wären in den Ardennen gewesen und hätten zu den Befreiungstruppen von Dachau gehört.«

Wieder Achselzucken.

»Und dann stirbt Ihre Frau? Wie viel Gewalt kann ein Mann Ihrer Meinung nach ertragen, Marshal, bevor er zerbricht?«

»Keine Ahnung, Doc. Frage ich mich selbst.«

Cawley beugte sich vor und tätschelte Teddy das Knie. »Nehmen Sie meine Adressen mit, wenn Sie fahren. Ja? Ich würde hier gerne in fünf Jahren sitzen und wissen, dass es Sie noch gibt.«

Teddy blickte auf die Hand auf seinem Knie, dann sah er zu Cawley auf.

»Würde ich auch gerne«, sagte er leise.

13

TEDDY TRAF SICH mit Chuck im Keller des Männer-
wohnheims. Dort waren Feldbetten aufgestellt worden, auf
denen die Männer während des Sturms schlafen sollten. Auf
dem Weg dahin war Teddy durch unterirdische Gänge gelaufen, die die verschiedenen Gebäude der Anstalt miteinander verbanden. Ein Pfleger namens Ben, ein klotziger Kerl
mit wippenden Speckmassen, hatte ihn durch vier verschlossene Türen und vorbei an drei bemannten Kontrollposten
gelotst. Hier unten merkte man nichts vom Sturm draußen.
Die Gänge waren lang, grau und schwach beleuchtet, und
Teddy fiel unangenehm auf, dass sie starke Ähnlichkeit mit
den Korridoren aus seinem Traum hatten. Sie waren nicht
ganz so lang und duster, aber dennoch kugellagergrau und
kalt.

Teddy schämte sich vor Chuck. Noch nie zuvor hatte er
einen so heftigen Migräneanfall in der Öffentlichkeit ge-

habt. Es war ihm peinlich, auf den Boden gebrochen zu haben. Wie hilflos er gewesen war, wie ein Baby. Sie hatten ihn vom Stuhl heben müssen.

Aber als Chuck ihm quer durch den Raum zurief: »Hey, Chef!«, da war Teddy überrascht, wie sehr er sich freute, wieder mit ihm zusammen zu sein. Er hatte seinen Vorgesetzten gebeten, diesen Auftrag allein ausführen zu dürfen, aber es war ihm verwehrt worden. Damals hatte es ihn geärgert, aber jetzt, nach zwei Tagen auf der Insel, nach dem Mausoleum, Rachels Atem auf seinen Lippen und diesem beschissenen Traum, musste er zugeben, dass er froh war, nicht allein zu sein.

Sie gaben sich die Hand, und Teddy fiel ein, was Chuck im Traum zu ihm gesagt hatte: »Ich komme nicht mehr von dieser Insel runter«. Teddy hatte das Gefühl, ein kleiner Spatz sitze in seiner Brust und flattere mit den Flügeln.

»Wie geht's, Chef?« Chuck schlug ihm auf die Schulter.

Teddy grinste dümmlich. »Besser. Noch etwas wacklig, aber im Großen und Ganzen okay.«

»Scheiße, Mann«, sagte Chuck mit gesenkter Stimme und entfernte sich von zwei Pflegern, die an einer Säule standen und rauchten. »Du hast mir eine Heidenangst eingejagt, Chef. Ich dachte, du hättest einen Herzinfarkt oder einen Schlaganfall oder so.«

»War nur Migräne.«

»Nur«, wiederholte Chuck. Er senkte die Stimme und führte Teddy zur beige gestrichenen Wand gegenüber. »Zuerst dachte ich, du tust nur so, weißt du, dass du einen Plan hättest, um an die Akten zu kommen oder so.«

»Ganz so gerissen bin ich leider nicht.«

Chucks Augen glänzten, drängten. »Aber das hat mich auf eine Idee gebracht.«

»Nein!«

»Doch.«

»Was hast du gemacht?«

»Ich hab zu Cawley gesagt, ich würde bei dir bleiben.

Hab ich auch getan. Nach einer Weile bekam er einen Anruf und verließ das Büro.«

»Und du hast dich auf die Suche nach den Akten gemacht?«

Chuck nickte.

»Und was hast du gefunden?«

Chuck machte ein langes Gesicht. »Na ja, nicht sehr viel. An die Aktenschränke bin ich nicht drangekommen. Da sind Schlösser vor, so was hab ich noch nicht gesehen. Und ich hab schon viele Schlösser geknackt. Die hätte ich auch irgendwann geschafft, aber das hätte Spuren hinterlassen, verstehst du?«

Teddy nickte. »Hast du richtig gemacht.«

»Ja, ähm ...« Chuck nickte einem vorbeigehenden Pfleger zu, und Teddy hatte das surreale Gefühl, sie seien Häftlinge in einen alten Cagney-Film, die beim Hofgang die Flucht planen. »An den Schreibtisch bin ich aber drangekommen.«

»Du bist was?«

»Verrückt, hm? Kannst mir später auf die Finger hauen.«

»Auf die Finger hauen? Du bekommst einen Orden.«

»Nicht nötig. Ich hab nicht viel gefunden, Chef. Nur seinen Kalender. Aber jetzt kommt's: Gestern, heute, morgen und übermorgen, die Tage hat er alle freigehalten, verstehst du? Er hat sie schwarz umrandet.«

»Wegen des Hurrikans«, sagte Teddy. »Er wusste, dass der kommt.«

Chuck schüttelte den Kopf. »Er hat quer über die vier Spalten geschrieben. Verstehst du, was ich meine? Als würde man schreiben: Ferien in Cape Cod. Kannst du mir folgen?«

»Klar«, sagte Teddy.

Trey Washington schlenderte zu ihnen herüber, eine billige Zigarre zwischen den Lippen, Haare und Kleidung durchweicht vom Regen. »Was gibt's denn hier zu tuscheln? Was Geheimes?«

»Extrem geheim«, sagte Chuck.

»Sind Sie draußen gewesen?«, erkundigte sich Teddy.

»O ja. Das ist brutal. Wir haben das gesamte Gebäude mit Sandsäcken eingepackt. Alle Fenster verbarrikadiert. Mannomann. Die Schweinehunde da draußen können gar nicht schnell genug machen.« Trey zündete seine Zigarre mit einem Zippo wieder an und fragte Teddy: »Alles in Ordnung? Die Buschtrommel sagt, Sie hätten irgend so 'n Anfall gehabt.«

»Was für 'n Anfall?«

»Ach, wenn Sie die ganze Nacht hier bleiben würden, könnten Sie alle möglichen Versionen der Geschichte hören.«

Teddy grinste. »Ich hab Migräne. Bekomme furchtbare Kopfschmerzen.«

»Hatte mal 'ne Tante, die das auch ganz schlimm hatte. Die hat sich immer im Schlafzimmer eingeschlossen, Licht aus, Fenster zu, vierundzwanzig Stunden weg.«

»Kann ich ihr nachempfinden.«

Trey paffte seine Zigarre. »Na ja, ist längst tot und so, aber ich schick heute Abend ein Gebet zu ihr hoch. War sowieso 'ne gemeine Frau, Kopfschmerzen hin oder her. Hat mich und meinen Bruder immer mit 'nem Hickory-Stock geschlagen. Manchmal einfach nur so. Hab ich gefragt: ›Tante, was hab ich jetzt wieder getan?‹, hat sie gesagt: ›Weiß ich nicht, aber du hattest irgendwas Schreckliches vor.‹ Was soll man mit so einer Frau machen?«

Er schien tatsächlich eine Antwort zu erwarten, und so sagte Chuck: »Schnell weglaufen.«

Trey stieß ein tiefes »Hahaha« aus, ohne die Zigarre aus dem Mund zu nehmen. »Das kommt hin. Genau.« Er seufzte. »Ich geh mich mal trocken machen. Bis später.«

»Bis später.«

Der Raum füllte sich mit Männern, die von draußen hereinkamen, sie schüttelten die Nässe von ihren schwarzen Pellerinen und Rangerhüten, husteten, rauchten, reichten jetzt ganz offen Flachmänner herum.

Teddy und Chuck lehnten sich an die beige Wand und unterhielten sich mit gesenkter Stimme, ohne den Raum aus den Augen zu lassen.

»Im Kalender stand also nicht …«

»Hm?«

»… Urlaub auf Cape Cod?«

»Nein.«

»Sondern?«

»Patient Nr. 67.«

»Wirklich?«

»Wirklich.«

»Das reicht, was?«

»O ja, würde ich sagen.«

Er konnte nicht schlafen. Er lauschte, wie die Männer schnarchten und schnauften, ein- und ausatmeten, einige mit leichtem Pfeifen, andere redeten im Schlaf, einer sagte: »Ich hätte es nur wissen müssen. Mehr nicht. Man kann doch wohl …« Ein anderer sagte: »Ich hab Popcorn im Hals.« Es gab Männer, die strampelten in den Laken, und andere, die sich hin- und herwarfen, wieder andere richteten sich kurz auf und knufften das Kopfkissen, bevor sie sich zurück auf die Matratze fallen ließen. Nach einer Weile bekam die Unruhe einen behaglichen Rhythmus, der Teddy an eine gedämpft gespielte Hymne erinnerte.

Auch die Geräusche von außen waren gedämpft, dennoch hörte Teddy den Sturm über den Boden schürfen und gegen die Grundmauern hämmern. Es wäre ihm lieber gewesen, wenn im Keller Fenster gewesen wären und er die Blitze gesehen hätte, das unheimliche Licht, das sie an den Himmel malten.

Er dachte über das nach, was Cawley gesagt hatte.

Es ist keine Frage, ob was passiert. Bloß wann.

War er selbstmordgefährdet?

Wahrscheinlich schon. Seit Dolores' Tod hatte es keinen Tag gegeben, an dem er nicht mit dem Gedanken gespielt hätte, wieder mit ihr vereint zu werden. Manchmal war es noch schlimmer, dann hatte er das Gefühl, weiterzuleben sei feige. Wozu war das alles gut? Lebensmittel einkaufen, den Chrysler tanken, rasieren, Socken anziehen, Schlange stehen, Krawatte aussuchen, Hemden bügeln, Gesicht waschen, Haare kämmen, Schecks einlösen, Führerschein erneuern, Zeitung lesen, pinkeln gehen, essen – allein, immer allein –, ins Kino gehen, Schallplatte kaufen, Rechnungen bezahlen, wieder rasieren, wieder waschen, wieder schlafen, wieder aufwachen …

Wozu war das gut, wenn ihn das alles nicht näher zu ihr brachte?

Er wusste, dass er durchhalten musste. Darüber hinwegkommen musste. Es hinter sich lassen. Das hatten die wenigen Freunde und Verwandten gesagt, und er wusste, wenn er sich selbst von außen sehen würde, würde er zu sich sagen, er solle sich zusammenreißen, tief Luft holen und weitermachen.

Aber dafür müsste er in der Lage sein, Dolores in ein Regal zu stellen und sie in der Hoffnung verstauben zu lassen, dass die Staubschicht irgendwann dick genug sein würde, um die Erinnerung an sie zu verwischen. Ihr Bild zu verschleiern. Bis sie eines Tages weniger ein Mensch war, der einmal gelebt hatte, sondern eher ein Traum.

Du musst drüber wegkommen, sagen die Leute, komm drüber weg, aber dann? Soll ich mein beschissenes Leben leben? Wie soll ich dich aus dem Kopf bekommen? Bis jetzt hat es nicht funktioniert, wie also soll ich das anstellen? Wie soll ich dich loslassen? Mehr will ich gar nicht wissen. Ich möchte dich wieder in den Armen halten, möchte dich riechen und, doch, das auch, ich wünsche mir nur noch, dass du verblasst. Bitte, bitte, verblasse …

Er ärgerte sich, die Tabletten genommen zu haben. Es war drei Uhr nachts, und er war hellwach. Hellwach vernahm er ihre Stimme, die düstere Nuance, den schwachen Bostoner Akzent, den man immer durchhörte. Dolores liebte ihn flüsternd *foreva and eva*. Im Dunkeln lächelte er, sah sie vor sich, ihre Zähne, ihre Wimpern, die träge fleischliche Lust in ihrem Blick am Sonntagmorgen.

Dieser Abend damals, als er sie im Nachtclub kennen gelernt hatte. Die Band spielte eine Reihe bombastischer Blechbläserstücke, die Luft war silbrig vom Rauch, und alle waren piekfein angezogen: Matrosen und Soldaten in ihren besten Ausgehuniformen – weiß, blau, grau –, Zivilisten in Zweireihern mit Krawatten in auffälligem Blumenmuster, dreieckige Taschentücher adrett in die Brusttasche gesteckt, scharfkrempige Fedoras auf den Tischen, und die Frauen, sie waren überall. Sogar auf dem Weg zur Damentoilette tanzten sie. Sie hüpften von einem Tisch zum anderen, drehten sich auf den Zehenspitzen, wenn sie sich eine Zigarette anzündeten oder das Puderdöschen aufschnappen ließen, schwebten an die Bar und warfen beim Lachen den Kopf in den Nacken, ihr seidenglänzendes Haar reflektierte das Licht, wenn sie sich bewegten.

Teddy war mit Frankie Gordon, einem Sergeant von der Aufklärung, und ein paar anderen Freunden gekommen, aber als er das Mädchen sah, ließ er Frankie einfach stehen, ließ ihn mitten im Satz stehen und ging auf die Tanzfläche, verlor sie kurz in der Menge aus den Augen, denn alle drängten zur Seite, um Platz zu machen für eine Blondine in einem weißen Kleid und einen Matrosen, der die Frau über den Rücken wirbelte, in die Luft warf, wieder auffing und fast bis auf den Boden neigte. Applaus brandete auf, und in dem Moment erhaschte Teddy wieder einen Blick auf ihr veilchenblaues Kleid.

Es war wunderschön, und als allererstes war ihm die Farbe aufgefallen. An dem Abend waren viele schöne Kleider zu sehen, unzählig viele, daher fesselte nicht allein die Robe seine Aufmerksamkeit, sondern die Art, wie sie sie trug. Nervös. Unsicher. Mit einem Anflug von Besorgnis strich sie über den Stoff. Zupfte ihn unablässig zurecht. Drückte die Schulterpolster flach.

Es war geliehen. Oder gemietet. Ein solches Kleid hatte sie noch nie getragen. Es schüchterte sie so sehr ein, dass sie nicht beurteilen konnte, ob die Männer und Frauen sie aus Begierde, Neid oder Mitleid musterten.

Sie hatte Teddys Blick bemerkt, als sie am Träger ihres BHs herumnestelte. Schnell zog sie den Daumen heraus. Sie senkte den Blick, errötete vom Hals aufwärts, dann schaute sie wieder auf, und Teddy sah ihr in die Augen, lächelte und dachte: Ich komme mir in diesem Aufzug auch lächerlich vor. Er konzentrierte sich und schickte ihr den Gedanken zu. Vielleicht kam er an, denn sie lächelte zurück, eher kokett als dankbar, und Teddy ließ Frankie Gordon an Ort und Stelle stehen, Frankie erzählte gerade von Futtermittelhandlungen in Iowa oder so, und als Teddy die verschwitzte Belagerungsmauer der Tänzer durchbrochen hatte, wusste er nicht, was er sagen sollte. Hübsches Kleid? Darf ich Ihnen etwas ausgeben? Sie haben wunderschöne Augen?

»Verirrt?«, fragte sie.

Nun war er dran. Sie war kleiner als er, maximal eins sechzig auf hohen Absätzen. Unerhört schön. Keine makellose Schönheit wie viele Frauen dort mit perfekter Nase, perfekten Lippen und perfekter Frisur. Ihr Gesicht hatte etwas Ungeordnetes, die Augen standen ein bisschen zu weit auseinander, ihr Mund war so breit, dass er ihr kleines Gesicht in Unordnung brachte, das Kinn war unentschlossen.

»Ein bisschen«, sagte er.

»Was suchen Sie denn?«

Bevor er sich auf die Zunge beißen konnte, war es schon heraus: »Sie.«

Ihre Augen weiteten sich, und er entdeckte einen bronzenen Fleck in ihrer linken Pupille, und schmerzhaft fühlte er am ganzen Körper, dass er es verbockt hatte, dass er als Romeo versagt hatte. Er war zu selbstsicher, zu sehr von sich eingenommen gewesen.

Sie.

Wie um alles in der Welt war er auf diese Antwort gekommen? Was zum Teufel hatte er –?

»Nun«, sagte sie …

Er wäre am liebsten fortgelaufen. Nicht eine Sekunde länger konnte er ihren Blick ertragen.

»… da mussten Sie wenigstens nicht weit laufen.«

Ein dämliches Grinsen machte sich auf seinem Gesicht breit, spiegelte sich in ihren Augen. Er war ein Dummkopf. Ein Esel. Dankbar, überhaupt atmen zu dürfen.

»Nein, Miss, brauchte ich wohl nicht.«

»Meine Güte«, sagte sie, lehnte sich zurück, um ihn anzusehen, das Martiniglas an die Brust gedrückt.

»Was?«

»Sie sind hier genauso fehl am Platz wie ich, stimmt's?«

Er beugte sich vor und schaute durchs Fenster ins Taxi. Sie saß mit ihrer Freundin Linda Cox im Fond, Linda nannte dem Fahrer gerade die Adresse, und Teddy sagte: »Dolores.«

»Edward.«

Er lachte.

»Was ist?«

Er hob entschuldigend die Hand. »Schon gut.«

»Nein, ehrlich!«

»Nur meine Mutter nennt mich Edward.«

»Dann sag ich besser Teddy.«

Es war herrlich, den Namen aus ihrem Mund zu hören.

»Ja.«

»Teddy«, sagte sie abermals, probierte das Wort aus.

»He, wie heißen Sie mit Nachnamen?«, fragte er.

»Chanal.«

Teddy hob fragend die Augenbraue.

»Ich weiß«, sagte sie. »Passt überhaupt nicht zu mir. Klingt so eingebildet.«

»Darf ich Sie anrufen?«

»Können Sie sich Zahlen merken?«

Teddy grinste. »Nichts leichter als das …«

»Winter Hill 64346«, sagte sie.

Da stand er auf dem Bürgersteig, das Taxi fuhr los, und die Erinnerung an ihr Gesicht so nah vor ihm – im Taxi, auf der Tanzfläche – hätte beinahe einen Kurzschluss in seinem Gehirn verursacht und ihren Namen und die Telefonnummer gelöscht.

Er dachte: So fühlt es sich also an, wenn man liebt. Nichts daran war logisch – er kannte sie kaum. Und dennoch war das Gefühl da. Er hatte gerade die Frau getroffen, die er schon seit alters her kannte, schon vor seiner Geburt. Sie war das Maß aller Träume, die er sich nie gestattet hatte zu träumen.

Dolores. Sie saß nun auf der dunklen Rückbank und dachte an ihn, spürte ihn so, wie er sie spürte.

Dolores.

Mehr hatte er nie gebraucht, jetzt hatte es einen Namen.

Teddy drehte sich auf seinem Feldbett, streckte die Hand aus und tastete auf dem Boden herum, bis er sein Notizbuch und die Streichholzschachtel fand. Am Daumen riss er das erste Streichholz an und hielt es vor das Blatt, das er im Wind vollgekritzelt hatte. Er verbrauchte vier Hölzer, bis er die Buchstaben und Zahlen zugeordnet hatte:

18 – 1 – 4 – 9 – 5 – 4 – 19 – 1 – 12 – 4 – 23 – 14 – 5
R – A – D – I – E – D – S – A – L – D – W – N – E

Danach dauerte es nicht mehr lange, und er hatte die Wörter entschlüsselt. Noch zwei Streichhölzer, und Teddy starrte auf den Namen. Die Flamme kam seinen Fingern immer näher.

Andrew Laeddis.

Das Streichholz wurde heißer, Teddy sah zu Chuck hinüber, der zwei Betten weiter schlief, und hoffte, es würde seiner Karriere nicht schaden. Das wäre nicht gut. Teddy würde alle Schuld auf sich nehmen. Chuck würde schon klarkommen. Er hatte diese Ausstrahlung: Was auch passierte, Chuck bekam keinen Kratzer ab.

Teddy schaute auf das Blatt und erhaschte einen letzten Blick, ehe das Streichholz erlosch.

Ich werde dich heute finden, Andrew. Wenn ich Dolores nicht mein Leben schulde, dann bin ich ihr zumindest das schuldig.

Ich werde dich finden.

Und dann bringe ich dich um.

DRITTER TAG

Patient Nr. 67

14

DIE BEIDEN HÄUSER hinter der Mauer – das des Direktors und das von Cawley – waren stark beschädigt. Das halbe Dach von Cawley war abgetragen, wie eine Lektion in Demut lagen die Ziegel überall auf dem Klinikgelände verstreut. Durch das Wohnzimmerfenster des Direktors, mitten durch das zum Schutz davor genagelte Sperrholz, war ein Baum gebrochen. Wurzeln, Äste, Blätter, alles lag im Haus herum.

Auf dem Hof häuften sich Muscheln und Zweige, stand vier Zentimeter hoch das Wasser. Cawleys Dachziegel, tote Ratten, Unmengen fauliger, mit Schlamm überzogener Äpfel. Die Grundmauern der Klinik sahen aus, als hätte sich jemand mit einem Presslufthammer an ihnen zu schaffen gemacht, Station A hatte vier Fensterscheiben eingebüßt, an mehreren Stellen rollte sich die Dachpappe auf wie eine überdimensionierte Haartolle. Zwei Häuschen waren zu

Kleinholz zerlegt, andere waren umgekippt. In den Wohnheimen der Schwestern und der Pfleger fehlten mehrere Fensterscheiben und Wasserschäden gab es. Station B war verschont worden, hatte nicht einen Kratzer abbekommen. Wohin Teddy auch sah, überall standen Bäume mit abgerissenen Kronen, wie Speere wiesen die nackten Stämme gen Himmel.

Wieder war die Luft schwül, schwer und dumpf. Es nieselte erschöpft, aber ununterbrochen. Am Strand lagen tote Fische. Als Teddy und Chuck am Morgen vor die Tür getreten waren, hatte eine Flunder unter dem überdachten Gang gelegen, gezappelt und nach Luft geschnappt. Ihr geschwollenes Auge schaute traurig zum Meer.

Teddy und Chuck sahen zu, wie McPherson und ein Wärter einen umgekippten Jeep auf die Räder stellten. Beim fünften Versuch sprang der Wagen an, und die beiden brausten durch das Tor davon. Kurz darauf sah Teddy den Wagen die Anhöhe hinter der Klinik zur Station C hinaufrasen.

Cawley betrat den Hof, blieb stehen, hob einen Dachziegel auf, betrachtete ihn und ließ ihn wieder auf die durchweichte Erde fallen. Zweimal schaute er an Teddy und Chuck vorbei, ehe er sie in ihrer weißen Pflegerkleidung und den schwarzen Regenjacken und Rangerhüten erkannte. Gequält lächelnd, steuerte er auf sie zu, als aus der Klinik ein Arzt mit Stethoskop um den Hals auf ihn zugelaufen kam.

»Nummer zwei hat den Geist aufgegeben. Wir bekommen ihn nicht ans Laufen. Wir haben zwei im kritischen Zustand. Die sterben uns, John.«

»Wo ist Harry?«

»Harry arbeitet dran, aber er bekommt keine Spannung. Wozu ist das Notstromteil da, wenn es im Notfall keinen Strom bringt?«

»Okay. Ich komme.«

Mit großen Schritten eilten sie in die Klinik. Teddy fragte: »Der Notstromgenerator ist kaputt?«

»Kann bei Wirbelstürmen wohl vorkommen«, entgegnete Chuck.

»Hast du irgendwo Licht gesehen?«

Chuck sah sich um. »Nee.«

»Meinst du, das gesamte Stromsystem ist im Eimer?«

»Gut möglich«, erwiderte Chuck.

»Also auch der Elektrozaun.«

Chuck stieß mit dem Schuh gegen einen Apfel und hob ihn auf. Er holte aus, trat mit dem Bein in die Luft und schleuderte den Apfel gegen die Mauer. »Erster out!«, rief er. Dann sagte er zu Teddy: »Ja, auch der Elektrozaun.«

»Wahrscheinlich das gesamte elektrische Sicherungssystem. Die Pforten. Die Türen.«

»Ach, du lieber Gott, steh uns bei«, sagte Chuck. Er hob den nächsten Apfel auf, warf ihn in die Luft und fing ihn hinter dem Rücken. »Du willst in die Festung rein, stimmt's?«

Teddy hielt das Gesicht in den Nieselregen. »Jetzt oder nie.«

Der Direktor kam. Zusammen mit drei Wärtern fuhr er in einem Jeep auf den Hof, das Wasser spritzte zur Seite. Er registrierte, dass Chuck und Teddy untätig herumstanden, und schien sich darüber zu ärgern. Teddy wurde klar, dass der Direktor sie, wie schon zuvor Cawley, für Pfleger halten musste, und erbost war, weil sie keine Harken oder Pumpen in der Hand hatten. Abrupt wandte er den Blick von ihnen ab und fuhr weiter, wichtigeren Aufgaben entgegen. Teddy fiel auf, dass er den Mann noch nie hatte sprechen hören, und fragte sich, ob seine Stimme so schwarz war wie sein Haar oder so blass wie seine Haut.

»Dann machen wir uns jetzt besser auf die Socken«, sagte Chuck. »So wird's nicht ewig bleiben.«

Teddy steuerte auf das Tor zu.

Chuck holte ihn ein. »Ich würde ja pfeifen, aber mein Mund ist zu trocken.«

»Muffensausen?«, fragte Teddy leichthin.

»Der angebrachte Ausdruck lautet Riesenschiss, Chef.«
Chuck pfefferte den Apfel erneut gegen die Mauer.

Am Tor stand ein Wärter mit einem Kindergesicht und arroganter Miene. Er sagte: »Alle Pfleger melden sich bei Mr. Willis in der Verwaltung. Ihr gehört zum Aufräumtrupp.«

Chuck und Teddy musterten die weißen Hosen und Hemden des anderen.

»Ich nehme Eier Benedikt zum Frühstück«, sagte Chuck.

Teddy nickte. »Danke. Wusste ich nicht genau. Und zu Mittag?«

»Ein dünnes Reuben-Sandwich.«

Teddy zeigte dem Wärter seinen Dienstausweis. »Unsere Uniformen sind noch nicht aus der Wäscherei zurück.«

Der Wärter warf einen kurzen Blick auf den Ausweis und wartete auf Chucks.

Chuck seufzte, holte seine Brieftasche hervor, klappte sie auf und hielt sie dem Wärter unter die Nase.

Der Wärter sagte: »Was haben Sie auf der anderen Seite der Mauer zu suchen? Die Vermisste ist doch wieder da.«

Mit jedweder Rechtfertigung würden sie sich erniedrigen und dem kleinen Besserwisser Oberwasser verschaffen, entschied Teddy. Im Krieg hatte er ein Dutzend solch kleiner Scheißer in der Kompanie gehabt. Die meisten waren nicht in die Heimat zurückgekehrt, und oft hatte sich Teddy gefragt, ob sich wirklich jemand um sie grämte. An diese Sorte Arschloch kam man nicht heran, sie war unbelehrbar. Aber man konnte solche Wichtigtuer abschmettern, wenn man wusste, dass sie sich einzig und allein überlegener Macht beugten.

Teddy trat auf den Milchbubi zu und sah ihm ins Gesicht, ein zuckendes Lächeln um die Mundwinkel. Er wartete, bis der andere den Blick erwiderte.

»Wir gehen spazieren«, sagte Teddy.

»Dafür haben Sie keine Erlaubnis.«

»O doch, haben wir.« Teddy trat noch einen Schritt näher, sodass der junge Mann den Kopf heben musste. Teddy

214

roch seinen Atem. »Wir sind Marshals der Bundesregierung, und dies ist eine nationale Einrichtung. Damit haben wir die Erlaubnis von Gott persönlich. Ihnen müssen wir keine Auskunft geben. Vor Ihnen müssen wir uns nicht rechtfertigen. Wenn wir Lust haben, können wir Ihnen in den Schwanz schießen, und kein Gericht im ganzen Land würde Ihre Klage zulassen.« Teddy beugte sich noch einige Zentimeter vor. »Machen Sie also das verdammte Tor auf.«

Der junge Mann bemühte sich, dem Blick standzuhalten. Er schluckte. Er versuchte, hart auszusehen.

Teddy sagte: »Zum letzten Mal: Machen Sie das –«

»Okay.«

»Ich habe Sie nicht verstanden«, sagte Teddy.

»Ja, Sir.«

Teddy schaute dem Jüngelchen noch etwas länger in das arrogante Gesicht und schnaubte.

»Nun gut, mein Junge. Ja-woll!, heißt das.«

»Ja-woll!«, schrie der andere automatisch. Sein Adamsapfel trat hervor.

Er drehte den Schlüssel um und zog das Tor auf. Ohne sich umzusehen, ging Teddy hindurch.

Sie bogen nach rechts und gingen eine Weile an der Mauer entlang, dann sagte Chuck. »Nicht schlecht, das mit dem ›Jawoll‹.«

»Fand ich auch nicht übel.«

»Ihr seid in Europa wohl alle richtige Schleifer gewesen, was?«

»Ich war Major und hatte das Kommando über ein ganzes Rudel solcher Pappnasen. Die Hälfte von denen ist abgekratzt, ohne einmal gebumst zu haben. Wenn du lieb und nett bist, respektieren die dich nicht. Die müssen so richtig Schiss vor dir haben.«

»Jawoll, Herr Major. Ganz Ihrer Meinung.« Chuck salutierte. »Auch wenn der Strom ausgefallen ist, dir ist doch klar, dass wir vorhaben, uns in eine Festung zu schleusen, nicht wahr?«

»Das ist mir nicht entgangen, nein.«

»Schon eine Idee?«

»Nein.«

»Meinst du, da gibt's einen Burggraben? Wär doch mal was.«

»Vielleicht stehen die oben auf den Türmen und haben Fässer mit siedendem Öl.«

»Bogenschützen«, sagte Chuck. »Wenn die Bogenschützen haben, Teddy, dann ...«

»Und wir hier ohne Kettenhemd.«

Sie kletterten über einen umgestürzten Baum. Der Erdboden war durchweicht und rutschig von nassem Laub. Durch die zerrupften Bäume konnten sie die Festung erkennen, die hohen grauen Mauern, die Spuren der Jeeps, die den Morgen über hin- und hergefahren waren.

»Irgendwie hatte der Wärter Recht«, sagte Chuck.

»Warum?«

»Jetzt, da Rachel zurück ist, haben wir hier genau genommen nichts mehr zu sagen – anders als vorher. Wenn die uns erwischen, Chef, haben wir nie im Leben eine einleuchtende Erklärung parat.«

Hinter den Augen spürte Teddy das Toben des zerpflückten Grüns. Er war erschöpft, ihm war ein wenig schwindelig. Vier Stunden Schlaf, künstlich herbeigeführt und belastet von Albträumen, mehr war ihm in der letzten Nacht nicht vergönnt gewesen. Der Regen tröpfelte ihm auf den Hut, sammelte sich in der Krempe. Sein Kopf summte, kaum merklich, aber konstant. Wenn heute die Fähre käme – was er allerdings bezweifelte –, würde ein Teil von ihm am liebsten draufspringen und fortfahren. Bloß weg von diesem Felsbuckel im Meer. Aber ohne Beweise für Senator Hurly oder Laeddis' Sterbeurkunde in den Händen würde er als Versager dastehen. Als lebensmüder Versager mit der zusätzlichen Last auf dem Gewissen, nichts für eine Veränderung getan zu haben.

Teddy schlug sein Notizheft auf. »Diese Steinhäufchen

gestern von Rachel. Ich hab sie entschlüsselt.« Er reichte Chuck das Heft.

Chuck wölbte die Hand darüber, hielt es nah am Körper. »Das heißt, er ist hier.«

»Er ist hier.«

»Patient Nr. 67, meinst du?«

»Schätze ich mal.«

An einem rutschigen Hang hielt Teddy vor einem Felsblock inne. »Du kannst noch zurück, Chuck. Ich zwinge dich nicht mitzukommen.«

Chuck schlug sich mit dem Notizbuch auf die Handfläche. »Wir sind Marshals, Teddy. Was ist unsere Aufgabe?«

Teddy grinste. »Wir treten Türen ein.«

»Bevor die anderen kommen«, sagte Chuck. »Wir treten die Türen als erste ein. Wenn die Zeit drängt, warten wir nicht, bis die lahmen Bullen aus der Stadt zur Unterstützung kommen. Wir treten einfach die verfluchte Tür ein.«

»Ja, genau.«

»Dann wäre das ja geklärt«, sagte Chuck und gab Teddy das Notizbuch zurück. Zusammen marschierten sie weiter auf die Festung zu.

Als sie nur noch einige Bäume und ein kleines Feld von der Festung trennte, sprach Chuck aus, was Teddy dachte: »Wir sind gearscht.«

Der Maschendrahtzaun, der das Gelände normalerweise umgab, war aus dem Boden gerissen. Einige Teile lagen herum, andere hingen weit entfernt in den Bäumen, der Rest war in unterschiedlichen Stadien der Unbrauchbarkeit in sich zusammengesackt.

Stattdessen streiften bewaffnete Wachen über das Gelände. Jeeps drehten unablässig ihre Runden. Eine Gruppe von Pflegern trug den Schutt zusammen, eine andere machte sich an einem mächtigen Baum zu schaffen, der gegen die Außenmauer gefallen war. Es gab zwar keinen Burggraben, aber in die Festung führte nur eine einzige Tür, eine kleine rote aus gedengeltem Eisen. Oben auf den Zinnen standen Wärter Wache, Gewehre eng an den Körper gedrückt. Die wenigen kleinen viereckigen Fenster im Mauerwerk waren vergittert. Draußen waren keine Patienten zu sehen, auch keine mit Fußfesseln. Lediglich Wachen und Pfleger.

Teddy sah, dass auf dem Dach zwei Wärter zur Seite traten, mehrere Pfleger an den Rand kamen und nach unten riefen, alle sollten aus dem Weg gehen. Ein halber Baum wurde an den Rand des Dachs gewuchtet, bis er wankend auf der Kante lag. Dann schoben die Männer den Baum von hinten weiter, drückten ihn einige Zentimeter voran, bis er kippte und, begleitet vom Rufen der Männer, hinunterfiel. Die Pfleger schauten wieder über den Rand des Daches, begutachteten ihre Arbeit, beglückwünschten sich gegenseitig und schlugen sich auf die Schultern.

»Irgendwo muss es so was wie ein Leitungsrohr geben, oder?«, fragte Chuck. »Vielleicht wird das Abwasser ins Meer geleitet? Das könnten wir nehmen.«

Teddy schüttelte den Kopf. »Warum die Mühe? Wir gehen da so rein.«

»Ach, so wie Rachel einfach aus Station B marschiert ist? Verstehe. Wir nehmen was von dem Unsichtbarkeitspulver. Gute Idee.«

Chuck runzelte die Stirn, Teddy fasste an den Kragen seines Regenmantels. »Wir sehen nicht wie Marshals aus, Chuck. Verstehst du, was ich meine?«

Chuck schaute zu den Pflegern hinüber, die um die Festung marschierten. Einer kam mit einer Tasse Kaffee in der Hand durch die Eisentür. Der Dampf stieg im Nieselregen empor.

»Amen«, sagte Chuck. »Amen, Bruder.«

Rauchend und miteinander flachsend gingen sie die Straße hinunter auf die Festung zu.

Auf halbem Wege trafen sie einen Wärter, der das Gewehr lässig unter dem Arm trug. Die Mündung zeigte zu Boden.

»Wir sollen uns hier melden«, sagte Teddy. »Irgendwas mit einem Baum auf dem Dach.«

Der Wärter sah sich über die Schulter um. »Nee. Das ist schon erledigt.«

»Ach, klasse«, sagte Chuck, und sie machten Anstalten umzukehren.

»He, mal langsam«, sagte der Wärter. »Ist trotzdem noch genug zu tun.«

Sie blieben stehen.

»Hier laufen doch mindestens dreißig Mann herum«, sagte Teddy.

»Ja, aber im Gebäude ist noch alles durcheinander. So ein Sturm kann ein Bollwerk wie das hier zwar nicht umpusten, aber herein kommt er trotzdem, versteht ihr?«

»Klar«, sagte Teddy.

»Wo ist der Wischtrupp?«, fragte Chuck den Wärter, der neben der Tür an der Wand lehnte.

Der Mann wies mit dem Daumen nach hinten, öffnete die Tür, und die beiden gingen in die Empfangshalle.

»Ich möchte ja nicht undankbar sein«, sagte Chuck, »aber das war zu einfach.«

»Besser nicht drüber nachdenken«, entgegnete Teddy. »Manchmal hat man eben Glück.«

Die Tür schloss sich hinter ihnen.

»Glück«, wiederholte Chuck mit einem leichten Beben in der Stimme. »Nennt man das heute so?«

»So nennt man das heute.«

Als erstes stieg Teddy der Geruch in die Nase. Ein industrietaugliches Desinfektionsmittel tat sein Bestes, den Gestank von Erbrochenem, Kot, Schweiß und, besonders penetrant, von Urin zu überlagern.

Dann wogte der Lärm aus dem hinteren Teil des Gebäudes und den oberen Stockwerken heran: das Poltern rennender Füße, von den dicken Wänden und der dumpfen Luft zurückgeworfene Rufe, jähes Aufjaulen, das einem durch

Mark und Bein fuhr und das alles beherrschende Gewirr unzähliger Stimmen.

Jemand rief: »Das können Sie nicht tun! Verdammte Scheiße, das geht nicht! Hören Sie das? Das geht nicht. Verschwinden Sie ...« Die Worte erstarben.

Irgendwo über ihnen, hinter der Biegung einer gewundenen Steintreppe, sang ein Mann das Lied von den hundert Bierflaschen auf der Mauer. Er begann gerade mit der 76. Strophe.

Auf einem Kartentisch standen zwei Kaffeebehälter neben einem Stapel Pappbecher und mehreren Milchflaschen. An einem zweiten Kartentisch am Fuß der Treppe saß ein Wärter und grinste Teddy und Chuck entgegen.

»Erstes Mal hier?«

Neue Geräusche übertönten die anderen. Das Gebäude war eine aufs Trommelfell eindröhnende Schallorgie.

»Ja«, erwiderte Teddy. »Hab zwar so einiges gehört, aber ...«

»Man gewöhnt sich dran«, sagte der Wärter. »Man gewöhnt sich an alles.«

»Das ist wohl wahr.«

»Wenn ihr nicht auf dem Dach mithelft, könnt ihr eure Mäntel und Hüte hinter mir in das Zimmer hängen.«

»Man hat uns gesagt, wir sollen auf dem Dach mithelfen«, sagte Teddy.

»Wem habt ihr auf den Fuß getreten?« Der Wächter zeigte nach hinten. »Geht einfach diese Treppe hoch. Die meisten Klapsis sind wieder an die Betten gefesselt, aber ein paar laufen noch frei herum. Wenn ihr einen seht, einfach rufen, ja? Versucht auf keinen Fall, ihn selbst zu überwältigen. Wir sind hier nicht auf Station A. Verstanden? Die Spinner hier bringen euch um. Klar?«

»Klar.«

Sie stiegen die Treppe hoch. Plötzlich sagte der Wärter: »Moment mal!«

Sie hielten inne und drehten sich um.

Grinsend zeigte er mit dem Finger auf die beiden.

Sie warteten.

»Ich kenne euch.« Seine Stimme hatte einen fröhlichen Klang.

Teddy sagte nichts. Chuck sagte nichts.

»Ich *kenne* euch doch«, wiederholte der Wärter.

»Ja?«, brachte Teddy heraus.

»Ja. Ihr seid die beiden, die raus aufs Dach müssen. Im Scheißregen.« Er lachte, zeigte immer wieder mit dem Finger auf sie und schlug mit der anderen Hand auf den Kartentisch.

»Aha«, sagte Chuck. »Sehr komisch.«

»Verflucht komisch«, lachte der Wärter.

Resigniert streckte Teddy die Hand aus. »Erwischt.« Dann stieg er weiter die Treppe hoch. »Jetzt sind wir aufgeflogen.«

Das Lachen des Idioten verfolgte sie die Treppe hinauf.

Am ersten Absatz blieben sie stehen. Vor ihnen lag ein großer Saal mit einer kuppelförmigen Decke aus getriebenem Kupfer und einem dunklen, auf Hochglanz polierten Fußboden. Teddy hätte einen Baseball oder einen von Chucks Äpfeln durch den Saal werfen können, er hätte es nicht auf die andere Seite geschafft. Es war niemand da, die Tür auf der anderen Seite war angelehnt. Beim ersten Schritt bekam Teddy ein flaues Gefühl im Magen, denn der Saal erinnerte ihn an den Traum, in dem Laeddis ihm etwas zu trinken angeboten und Rachel ihre Kinder getötet hatte. Es war nicht derselbe Raum – in Teddys Traum hatte er Parkett, schwere Kandelaber und hohe Fenster mit dicken Vorhängen gehabt, durch die Licht hereinfiel –, aber die Ähnlichkeit war frappierend.

Chuck schlug Teddy auf die Schulter, und Teddy brach der Schweiß aus.

»Ich wiederhole«, flüsterte Chuck milde lächelnd, »das ist zu einfach. Wo ist der Wärter an der Tür? Warum ist sie nicht verschlossen?«

221

Teddy sah die kreischende Rachel mit dem wilden Haar vor sich, die mit dem Hackebeil quer durch den Saal auf ihn zugerannt kam.

»Ich weiß nicht.«

Chuck beugte sich vor und zischte Teddy ins Ohr: »Das ist 'ne Falle, Chef.«

Teddy lief los. Er hatte Kopfschmerzen, weil er zu wenig geschlafen hatte. Wegen des Regens. Wegen der unterdrückten Schreie und rennenden Füße über ihm. Die beiden kleinen Jungen und das Mädchen hatten sich an den Händen gehalten und über die Schulter umgesehen. Sie hatten gezittert.

Wieder hörte Teddy den Patienten das Bierflaschenlied singen: »… nimm eine runter, reich sie herum, vierundfünfzig Flaschen Bier auf der Mauer.«

Erneut tauchten sie vor Teddys Augen auf, die beiden Jungen und das Mädchen, sie schwammen durch die flirrende Luft, und Teddy sah die gelben Tabletten, die Cawley ihm am Abend zuvor in die Hand gelegt hatte. Wie ein Ölteppich begann die Übelkeit sich in seinem Magen zu drehen.

»Vierundfünfzig Flaschen Bier auf der Mauer, vierundfünfzig Flaschen Bier …«

»Lass uns wieder gehen, Teddy. Wir müssen weg. Hier stimmt was nicht. Du weißt es, und ich weiß es.«

Am hinteren Ende des Saales erschien ein Mann in der Tür.

Bis auf eine weiße Pyjamahose war er völlig nackt. Der Kopf war rasiert, das konnte man sehen, mehr war im schwachen Licht nicht auszumachen.

»Hey!«, grüßte er.

Teddy beschleunigte seinen Schritt.

»Tick! Du bist es!«, sagte der Mann und verschwand.

Chuck holte Teddy ein. »Chef, bitte nicht.«

Er war hier. Laeddis war hier. Irgendwo. Teddy spürte es.

Hinter der Tür am anderen Ende des Saals war ein breiter steinerner Treppenabsatz. Steil wand sich eine Treppe in die

Dunkelheit hinab, nach oben führte sie zum Geschrei und Geschnatter, das inzwischen lauter geworden war. Metall und Ketten klirrten. Jemand rief: »Billings! Ist jetzt gut! Regen Sie sich ab! Hier geht's nicht nach draußen. Verstanden?«

Teddy hörte jemanden atmen. Er drehte sich um: Der Mann mit dem rasierten Kopf stand direkt neben ihm.

»Du bist es«, sagte der Mann und tippte Teddy mit dem Zeigefinger an.

Teddy blickte in ein leuchtendes Gesicht.

»Ich bin es«, sagte er.

»Klar, ich bin so nah, du könntest einfach bei mir Tick machen, dann wär' ich es wieder, dann würde ich Tick machen und du wärst es wieder. So könnten wir stundenlang weitermachen, den ganzen Tag lang, wir könnten hier einfach stehen bleiben und immer ›Tick, du bist es‹ sagen, hin und her bis zum Mittagessen, sogar bis zum Abendessen, wir könnten einfach immer weitermachen.«

»Wär das nicht lustig?«, fragte Teddy.

»Weißt du, was da draußen ist?« Der Mann wies mit dem Kopf in Richtung Treppe. »Im Meer?«

»Fische«, sagte Teddy.

»Fische.« Der Mann nickte. »Richtig. Genau, Fische. Viele Fische. Aber auch, hm, Fische, richtig, Fische, stimmt, aber was noch, was auch? Da sind U-Boote. Ja. Hundertprozentig. Russische U-Boote. Zweihundert, dreihundert Meilen vor unserer Küste. Ist uns bekannt, stimmt's? Haben sie uns gesagt. Klar. Und wir haben uns dran gewöhnt. Haben es fast schon vergessen. So nach dem Motto: Na gut, da sind halt U-Boote. Vielen Dank für die Information. Sie sind schon Alltag für uns geworden. Wir wissen, dass sie da sind, aber wir denken nicht mehr drüber nach. Stimmt's? Aber trotzdem sind sie da, und sie haben Raketen an Bord. Die sind auf New York und Washington gerichtet. Und auf Boston. Die sind da draußen. Sitzen da rum. Schon mal drüber nachgedacht?«

Chuck atmete langsam, als warte er auf sein Stichwort.

Teddy erwiderte: »Wie Sie schon sagten, ich denke lieber nicht so oft drüber nach.«

»Hmm.« Der Mann nickte. Er strich sich über die Kinnstoppeln. »Wir hören hier so einiges. Würde man nicht glauben, was? Tun wir aber. Mal kommt ein Neuer, erzählt was. Die Wärter reden auch. Ihr Pfleger redet auch. Wir wissen Bescheid, wir wissen echt Bescheid. Über die Welt da draußen. Über die Wasserstoffbomben, über Atolle. Wisst ihr, wie eine Wasserstoffbombe funktioniert?«

»Mit Wasserstoff?«, schlug Teddy vor.

»Sehr gut. Sehr schlau. Ja, ja.« Der Mann nickte mehrmals. »Genau, mit Wasserstoff. Aber, ähm, aber auch anders als andere Bomben. Wenn man eine Bombe fallen lässt, sogar eine Atombombe, dann explodiert sie. Stimmt's? Genau. Aber eine Wasserstoffbombe, die implodiert. Fällt in sich zusammen, bricht mehrmals innerlich zusammen, immer wieder. Und dieses Zusammenfallen, das erzeugt Masse und Dichte. Versteht ihr, die heftige Selbstzerstörung erzeugt ein völlig neues Monster. Versteht ihr das? Ja? Je größer der Zusammenbruch, desto größer die Selbstzerstörung, desto stärker wird sie. Und dann, ja, was dann? *Wuuuusch!* Einfach … peng, bumm, wusch. Je weniger von ihr bleibt, desto weiter reicht sie. Aus einer *Im*plosion wird eine *Ex*plosion, die hundert Mal, tausend Mal, eine Million Mal vernichtender ist als jede andere Bombe, die es je gegeben hat. Das ist unser Vermächtnis. Das dürft ihr nicht vergessen.« Er tippte Teddy mehrmals an, stupste ihn leicht, als trommle er mit den Fingern im Takt. »Du bist es. Tick mal Tick hoch zehn. Ha!«

Er sprang die dunkle Treppe hinunter und schrie ununterbrochen »Wusch!«

»… neunundvierzig Flaschen Bier! Nimm eine runter …«

Teddy sah Chuck an. Er hatte Schweiß im Gesicht und atmete langsam durch den Mund.

»Du hast Recht«, sagte Teddy. »Wir gehen besser!«

»Das sagst du jetzt.«

Plötzlich ertönte ein Schrei von oben: »Kann mir mal jemand helfen, verflucht noch mal?«

Teddy und Chuck schauten hinauf. Zwei ineinander verkeilte Männer kamen die Treppe herunter. Einer trug die blaue Kleidung der Wärter, der andere das Weiß der Patienten. Auf der breitesten Stufe in der Treppenbiegung blieben sie stehen. Dem Patienten gelang es, dem Wärter eine Hand zu entwinden und ihn unter dem linken Auge zu kratzen. Der Wärter schrie auf und warf den Kopf in den Nacken.

Teddy und Chuck liefen nach oben. Erneut wollte der Patient dem Pfleger durchs Gesicht kratzen, aber Chuck hielt ihn am Handgelenk fest.

Der Wärter rieb sich das Auge und verschmierte das Blut übers Kinn. Alle vier keuchten. In der Ferne ertönte das Bierflaschenlied, inzwischen nahm der Sänger die zweiundvierzigste Flasche in Angriff. Da sah Teddy, dass der Patient sich mit weit aufgerissenem Mund aufbäumte. »Chuck, pass auf!«, schrie er. Gleichzeitig schlug er dem Mann gegen die Stirn, damit er Chuck nicht in die Hand beißen konnte.

»Lassen Sie ihn los!«, sagte Teddy zum Wärter. »Loslassen.«

Der Wärter befreite sich von den Beinen des Patienten und stieg zwei Stufen höher. Teddy stellte sich über den Liegenden, drückte dessen Schultern nach unten, auf den Steinboden, und sah sich nach Chuck um. In dem Augenblick fuhr der Schlagstock vor ihm nieder, zischte pfeifend durch die Luft auf die Nase des Patienten.

Teddy spürte, dass der Körper unter ihm erschlaffte. »Du meine Güte!«, stieß Chuck aus.

Abermals holte der Wärter aus, aber Teddy drehte sich um und hielt den Wärter mit dem Ellenbogen auf Abstand.

Das Gesicht des Patienten war blutüberströmt. »He! He!«, rief Teddy. »Er ist bewusstlos! He!«

Aber der Wärter roch nur sein eigenes Blut. Er reckte den Schlagstock.

»Sehen Sie mich an«, rief Chuck. »Sehen Sie mich an!«
Ruckartig drehte sich der Wärter zu Chuck um.

»Hören Sie auf damit! Verstanden? Hören Sie sofort auf!
Der Mann hier ist bewusstlos.« Chuck ließ das Handgelenk
des Patienten los, der Arm fiel auf die Brust. Chuck setzte
sich an die Wand, ohne den Wärter aus den Augen zu lassen. »Können Sie mich hören?«, fragte er leise.

Der Wärter schlug die Augen nieder und ließ den Schlagstock sinken. Mit dem Hemd fuhr er sich über die Wunde in
der Wange und betrachtete das Blut auf dem Stoff. »Der hat
mir das halbe Gesicht aufgerissen.«

Teddy beugte sich vor, nahm die Verletzung in Augenschein. Er hatte schon Schlimmeres gesehen. An so was starb
man nicht, beileibe nicht. Aber schön sah es auch nicht aus.
Kein Arzt würde den Riss so nähen können, dass keine Narbe zurückblieb.

»Das wird schon wieder«, sagte er. »Ein paar Stiche, mehr
nicht.«

Über ihnen hörte man Körper und Möbel zusammenpral-
len.

»Ist das hier ein Aufstand?«, fragte Chuck.

Der Wärter keuchte, bis er wieder Farbe bekam. »Kurz
davor.«

»Die Insassen haben die Macht an sich gerissen, was?«,
fragte Chuck leichthin.

Nachdenklich sah der junge Wärter zuerst Teddy, dann
Chuck an. »Noch nicht.«

Chuck zog ein Taschentuch aus der Hose und reichte es
dem Mann.

Er bedankte sich mit einem Nicken und drückte es auf die
Wunde.

Chuck griff wieder die Hand des Patienten und fühlte den
Puls. Dann ließ er die Hand fallen und schob ein Augenlid
nach oben. »Der kommt durch«, stellte er fest.

»Bringen wir ihn nach oben«, entgegnete Teddy.

Sie legten sich die Arme des Bewusstlosen über die Schul-

226

tern und folgten dem Wärter die Treppe hinauf. Schwer war der Kranke nicht, aber die Treppe war lang, und immer wieder blieben seine Fußspitzen an den Kanten der Treppenstufen hängen. Oben angekommen, drehte sich der Wärter um. Er wirkte jetzt älter, auch etwas intelligenter.

»Sie sind die Marshals«, sagte er.

»Wie bitte?«

Der Wärter nickte. »Doch. Ich hab Sie bei Ihrer Ankunft gesehen.« Er grinste Chuck an. »Sie haben diese Narbe da, wissen Sie.«

Chuck seufzte.

»Was machen Sie hier?«, fragte der Mann.

»Ihr Gesicht retten«, gab Teddy zurück.

Der Wärter nahm das Taschentuch von der Wunde, begutachtete es und drückte es wieder drauf.

»Der Typ, den ihr da tragt«, sagte er, »heißt Paul Vingis. Kommt aus West Virginia. Hat die Frau seines Bruders und deren zwei Töchter umgebracht, als der Bruder in Korea diente. Hat die drei im Keller aufbewahrt, um sich zu vergnügen, Sie wissen schon, obwohl sie verwesten.«

Teddy widerstand dem Drang, Vingis' Arm loszulassen und ihn die Treppe hinunterzuschubsen.

»Um ehrlich zu sein«, sagte der Wärter und räusperte sich. »Um ehrlich zu sein, ich war geliefert.« Er sah die beiden an. Seine Augen waren rot.

»Wie heißen Sie?«

»Baker. Fred Baker.«

Teddy gab ihm die Hand. »Hey, Fred, wir freuen uns, wenn wir dir helfen konnten.«

Der junge Mann blickte auf seine blutbefleckten Schuhe. »Noch mal: Was tut ihr hier?«

»Wir sehen uns um«, entgegnete Teddy. »Noch ein paar Minuten, dann sind wir weg.«

Der Wärter überlegte kurz. Teddy spürte, dass die vergangenen zwei Jahre seines Lebens – der Verlust von Dolores, das Einkreisen von Laeddis, die Informationen über die

227

Insel, sein treffen auf George Noyce und dessen Geschichten von Drogen- und Lobotomieexperimenten, die Kontaktaufnahme mit Senator Hurly, das Warten auf den richtigen Moment für die Fahrt mit der Fähre, so wie sie damals auf den Augenblick gewartet hatten, den Ärmelkanal zu überqueren und in der Normandie zu landen –, dass all diese Dinge auf Messers Schneide standen, während der junge Mann überlegte.

»Wisst ihr«, sagte er, »ich hab in ganz schön harten Häusern gearbeitet. In Gefängnissen, Hochsicherheitstrakten, dann in so 'ner Einrichtung, die gleichzeitig eine Anstalt für kriminelle Geisteskranke war ...« Er blickte zur Tür und riss die Augen auf, als würde er gähnen, doch sein Mund blieb zu. »Tja. Hab schon in einigen Häusern gearbeitet. Aber das hier?« Lange sah er den beiden in die Augen. »Die haben hier ihre eigenen Regeln.«

Er starrte Teddy an, und Teddy versuchte, die Antwort in seinem Blick zu lesen, aber er schaute in die Ferne, ausdruckslos, uralt.

»Ein paar Minuten wollt ihr?« Der Wärter nickte. »In Ordnung. Bei diesem Durcheinander wird's eh keiner merken. Nehmt euch ein paar Minuten Zeit, aber dann seid ihr weg, okay?«

»Klar«, sagte Chuck.

»Ach, noch was.« Grinsend griff der junge Mann zum Türknauf. »Passt auf, dass ihr in den paar Minuten nicht abkratzt, ja? Wäre euch sehr verbunden.«

15

SIE GINGEN DURCH die Tür und gelangten in einen Zellenblock mit Wänden und Boden aus Granit. Die drei Meter breiten und vier Meter hohen Bogengänge erstreckten sich über die gesamte Länge der Festung. Das einzige Licht fiel durch hohe Fenster an beiden Enden des Korridors, von der Decke tropfte Wasser, auf dem Boden bildeten sich Pfützen. Die Zellen befanden sich links und rechts und lagen im Dunkeln.

»Gegen vier Uhr heute Morgen hat der Hauptgenerator den Geist aufgegeben«, erklärte Fred Baker. »Die Zellentüren hier sind elektronisch verriegelt. Eine unserer jüngsten Errungenschaften. Klasse Idee, was? Um vier Uhr nachts sprangen alle Zellen auf. Zum Glück kann man die Schlösser noch manuell bedienen. Wir haben die meisten Patienten eingefangen und wieder eingeschlossen, aber irgendein Sausack hat sich einen Schlüssel besorgt. Offenbar schleicht er damit herum und schließt schnell irgendeine Zelle auf, dann verdrückt er sich wieder.«

»Ist das vielleicht so ein Glatzkopf?«, fragte Teddy.

Baker sah ihn an. »Ein Glatzkopf? Stimmt. Das ist der einzige, über den wir nicht Bescheid wissen. Wir haben schon vermutet, dass er es ist. Heißt Litchfield.«

»Er spielt Fangen in dem Treppenhaus, durch das wir nach oben gekommen sind. In der unteren Hälfte.«

Baker führte sie zur dritten Zelle rechts und schloss auf. »Rein mit ihm.«

Es dauerte einen kleinen Moment, bis sie im Dunkeln das Bett gefunden hatten. Baker knipste eine Taschenlampe an und leuchtete ins Zimmer. Teddy und Chuck legten Vingis aufs Bett. Er stöhnte, in seinen Nasenlöchern sprudelte Blut.

»Ich muss Unterstützung holen und Litchfield suchen«, sagte Baker. »Im Keller sind die ganzen Typen, denen wir nur was zu essen geben, wenn mindestens sechs Wärter dabei sind. Wenn Litchfield die rauslässt, gibt das hier ein zweites Alamo.«

»Hol zuerst einen Arzt«, sagte Chuck.

Baker suchte eine saubere Ecke an seinem Taschentuch und drückte sie auf die Wange. »Keine Zeit.«

»Für ihn«, sagte Chuck.

Baker sah durch die Gitterstäbe in den Raum. »Ja. Schon gut. Ich suche einen Arzt. Und ihr? Rein und raus in Rekordzeit, ja?«

»Gut. Hol dem hier einen Arzt«, wiederholte Chuck im Hinausgehen.

Baker verriegelte die Tür. »Bin schon auf dem Weg.«

Er lief los und wich drei Wärtern aus, die einen bärtigen Riesen zu seiner Zelle schleppten.

»Was meinst du?«, fragte Teddy. Am Ende des Bogengangs sah er einen Mann, der an den Gitterstäben seiner Zellentür rüttelte. Wärter zerrten einen Schlauch heran. Teddys Augen gewöhnten sich langsam an das zinnfarbene Licht im Korridor, aber die Zellen blieben dunkel.

»Irgendwo müssen hier Akten sein«, sagte Chuck. »Und wenn nur zum Nachschlagen der wichtigsten Krankeninformationen. Du suchst Laeddis, ich die Akten?«

»Was glaubst du denn, wo die Akten sind?«

Chuck sah sich zur Tür um. »Wie es scheint, wird es immer ungefährlicher, je weiter man nach oben kommt. Ich nehme an, die Verwaltung ist ganz oben.«

»Gut. Wann treffen wir uns?«

»In einer Viertelstunde?«

Die Wärter hatten den Schlauch aufgedreht und richteten den Wasserstrahl auf den Mann. Er ließ los, fiel auf den Boden und wurde gegen die Wand gespült.

In den Zellen klatschten einige Männer, andere stöhnten. Das Stöhnen war so tief und einsam, es hätte von einem Schlachtfeld stammen können.

»In Ordnung. Unten im großen Saal?«

»Gut.«

Sie gaben sich die Hand. Chucks Hand war warm, auf seiner Oberlippe stand Schweiß.

»Pass auf dich auf, Teddy.«

Die Tür zum Treppenhaus hinter ihnen ging auf, und ein Patient flitzte an ihnen vorbei. Seine nackten Füße waren schmutzig. Er rannte, als trainierte er für einen Preiskampf – geschmeidige Schritte im Einklang mit schattenboxenden Armen.

»Werd' mich bemühen.« Teddy grinste.

»Also gut.«

»Gut.«

Chuck ging zur Tür. Er sah sich nach Teddy um. Teddy nickte ihm zu.

Chuck öffnete die Tür zum Treppenhaus. Zwei Pfleger kamen die Stufen hochgehastet. Chuck verschwand um die Ecke nach oben. Einer der Pfleger fragte Teddy: »Ist hier zufällig die Große Weiße Hoffnung durchgekommen?«

Teddy wies ihnen den Weg und schloss sich ihnen an.

»Ist er Boxer?«, fragte Teddy.

Der Mann links von ihm, ein großer älterer Schwarzer, sagte: »Ach, du kommst vom Haupthaus, was? Ah, ja. Also, unser Willy hier glaubt, er trainiert für den entscheidenden Kampf im Madison Square Garden gegen Joe Louis. Leider ist Willy gar nicht so schlecht.«

Sie näherten sich dem Boxer, der mit den Fäusten in die Luft hieb.

»Da brauchen wir aber mehr als drei.«

Der ältere Pfleger kicherte. »Einer genügt. Ich bin sein Manager. Wusstest du das nicht? He, Willy«, rief er. »Du kriegst noch 'ne Massage, Junge. Ist keine Stunde mehr bis zum Kampf.«

»Will keine Massage.« Willy schlug schnelle kurze Geraden.

»Kann doch nicht zulassen, dass mein Goldesel mir verkrampft«, sagte der Pfleger. »Hörst du?«

»Ich war nur verkrampft, als ich gegen Jersey Joe gekämpft hab.«

»Und was daraus geworden ist, siehst du ja.«

Willy ließ die Arme sinken. »Irgendwie hast du Recht.«

»In den Trainingsraum, gleich hier drüben.« Der Pfleger machte eine einladende Handbewegung.

»Aber rühr mich nicht an. Ich kann es nicht ab, wenn ich vor einem Kampf angepackt werde. Das weißt du genau.«

»Ja, weiß ich, Killer.« Der Pfleger öffnete die Zellentür. »Jetzt komm.«

Willy ging zu seiner Zelle. »Kann man die echt schon hören, die Leute?«

»Gerammelt voll, Junge. Nur Stehplätze.«

Teddy ging mit dem anderen Pfleger weiter, der ihm seine braune Hand entgegenstreckte. »Ich bin Al.«

Teddy schüttelte sie. »Ich bin Teddy. Freut mich.«

»Wieso bist du für draußen angezogen, Teddy?«

Teddy blickte auf seinen Regenmantel. »War fürs Dach eingeteilt. Hab aber einen Patienten im Treppenhaus gesehen und bin ihm hinterhergelaufen. Dachte, ihr könntet vielleicht Hilfe gebrauchen.«

Ein Haufen Kot fiel Teddy vor die Füße. Im Dunkel einer Zelle gackerte jemand. Teddy hielt den Blick nach vorne gerichtet und lief im gleichen Tempo weiter.

»Du musst dich möglichst in der Mitte halten«, erklärte Al. »Trotzdem kriegst du mindestens einmal die Woche was ab. Hast du deinen Mann schon gefunden?«

Teddy schüttelte den Kopf. »Nein, ich –«

»Oh, Scheiße«, sagte Al.

»Was ist?«

»Da kommt meiner.«

Ein pudelnasser Patient kam auf sie zugelaufen. Die Wärter ließen den Wasserschlauch fallen und nahmen die Verfolgung auf. Es war ein kleiner Rothaariger, im Gesicht unzählige Mitesser, wie ein Bienenschwarm, und rote Augen, passend zum Haar. Im letzten Moment machte er einen Schritt nach rechts und tauchte zwischen Teddy und Al hindurch. Er ließ sich auf die Knie fallen, rollte weiter und rappelte sich wieder auf. Al griff ins Leere.

Dann lief er los. Die Wärter sausten mit erhobenen Schlagstöcken an Teddy vorbei, sie waren so nass wie der Flüchtige.

Spontan wollte Teddy sich ihnen anschließen, da hörte er ein Flüstern:

»Laeddis.«

Teddy stand mitten im Gang und wartete, ob er es noch einmal hörte. Nichts. Das vereinte Stöhnen, vorübergehend unterbrochen durch die Verfolgung des kleinen Rothaarigen, schwoll wieder an, begann als Summen über dem gelegentlichen Klappern der Bettpfannen.

Teddy dachte an die gelben Tabletten. Wenn Cawley einen Verdacht hatte, einen ernsten Verdacht hatte, dass er und Chuck –

»Laed-dis.«

Teddy fuhr herum und musterte die drei Zellen zu seiner

Rechten. Alle dunkel. Teddy wartete, denn er wusste, dass der Flüsterer ihn sehen konnte. Ob es Laeddis persönlich war?

»Du wolltest mich retten.«

Es kam entweder aus der mittleren oder aus der linken Zelle. Es war nicht Laeddis' Stimme. Auf keinen Fall. Dennoch kam sie ihm bekannt vor.

Teddy näherte sich den Gitterstäben der mittleren Zelle. In der Hosentasche fand er eine Schachtel Streichhölzer. Er riss das Streichholz über die raue Fläche. Die Flamme loderte auf. Teddy sah ein kleines Waschbecken und einen Mann mit eingefallenen Rippen, der auf dem Bett kniete und etwas an die Wand schrieb. Er schaute sich über die Schulter nach Teddy um. Es war nicht Laeddis. Diesen Mann hatte Teddy noch nie gesehen.

»Wären Sie so nett? Ich arbeite lieber im Dunkeln. Vielen Dank auch.«

Teddy zuckte zurück, warf einen Blick auf die linke Wand der Zelle und sah, dass sie mit Buchstaben bedeckt war, kein Zentimeter war mehr frei, Tausende von gedrungenen, exakten Zeilen. Die Wörter waren so klein, dass man sie nur lesen konnte, wenn man ganz nah davor stand.

Teddy ging zur nächsten Zelle. Das Streichholz erlosch, und die Stimme, nun ganz nah, sagte: »Du hast mich im Stich gelassen.«

Mit zitternder Hand riss Teddy das nächste Streichholz an. Das Holz zerbrach und fiel zu Boden.

»Du hast gesagt, ich müsste nie mehr hierhin zurück. Das hast du versprochen.«

Teddy versuchte, das nächste Hölzchen anzureißen, es fiel in die Zelle.

»Du hast gelogen.«

Das dritte Streichholz zischte über die Reibefläche, die Flamme loderte bis zu Teddys Fingern hoch. Er hielt es ans Gitter und spähte in die Zelle. Der Mann, der links auf dem Bett saß, hatte den Kopf gesenkt, das Gesicht auf den Knien

234

und die Arme um die Beine geschlungen. Er war kahl bis auf einen Kranz von graumelierten Haaren. Bekleidet war er lediglich mit weißen Boxershorts. Er zitterte am ganzen Leibe.

Teddy befeuchtete Lippen und Gaumen. »Hallo?«, fragte er in die Zelle.

»Sie haben mich zurückgeholt. Sie sagen, ich gehöre ihnen.«

»Ich kann Ihr Gesicht nicht sehen.«

»Sie sagen, ich wäre jetzt zu Hause.«

»Könnten Sie kurz den Kopf heben?«

»Sie sagen, das hier wäre mein Zuhause. Ich darf nie wieder fort.«

»Ich möchte Ihr Gesicht sehen.«

»Warum?«

»Ich möchte Ihr Gesicht sehen.«

»Erkennst du mich nicht an der Stimme? Wir haben uns so oft unterhalten.«

»Heben Sie den Kopf!«

»Ich habe mir gerne eingeredet, dass uns mehr verbunden hat als die Arbeit. Dass wir so was wie Freunde geworden sind. Das Streichholz wird übrigens gleich erlöschen.«

Teddy sah die nackte Haut, die zitternden Glieder.

»Ich sage Ihnen eins, mein Freund –«

»Was? Was sagst du mir? Was willst du mir schon sagen? Ist doch alles gelogen, was du sagst.«

»Ich bin kein –«

»Du bist ein Lügner.«

»Nein, bin ich nicht. Heben Sie den –«

Die Flamme erreichte die Spitzen von Zeigefinger und Daumen. Teddy ließ das Streichholz fallen.

Die Zelle verschwand im Dunkeln. Teddy hörte, dass die Bettfedern quietschten, Stoff über Stein raschelte, Knochen knackten.

Und wieder das eine Wort: »Laeddis.«

Diesmal kam es aus der rechten Ecke der Zelle.

»Hier ging's noch nie um die Wahrheit.«

Teddy zog zwei Hölzer hervor und drückte sie aneinander. »Nie.«

Er riss sie an. Das Bett war leer. Teddy leuchtete nach rechts. Der Mann stand in der Ecke, den Rücken zur Tür gewandt.

»Oder?«

»Was?«, fragte Teddy.

»Ging es um die Wahrheit?«

»Ja.«

»Nein.«

»Natürlich geht's hier um die Wahrheit. Um die Offenlegung der –«

»Es geht um dich. Und Laeddis. Um was anderes ist es nie gegangen. Mit mir, das war Zufall. Ich war bloß der Türöffner.«

Der Mann drehte sich um. Kam auf Teddy zu. Sein Gesicht war eine unkenntliche Masse. Geschwollen, violett, schwarz, kirschrot. Die Nase war gebrochen und mit weißem Klebeband über Kreuz beklebt.

»Du meine Güte«, sagte Teddy.

»Gefällt's dir?«

»Wer hat das getan?«

»Du.«

»Ich hab doch nicht –«

George Noyce trat ans Gitter. Seine Lippen waren so dick wie Fahrradreifen und schwarz vor Nähten. »Dein ganzes Gelaber. Dein ganzes beschissenes Gelaber, und trotzdem sitz ich wieder hier. Wegen dir.«

Teddy erinnerte sich an das letzte Mal, als er Noyce im Besucherraum des Gefängnisses getroffen hatte. Trotz seines fahlen Knastteints hatte er einen gesunden, lebenssprühenden Eindruck gemacht, die dunklen Wolken hatten sich größtenteils verzogen. Er hatte Teddy einen Witz erzählt über einen Italiener und einen Deutschen, die in eine Bar in El Paso gehen.

236

»Sieh mich an!«, sagte George Noyce. »Guck nicht zur Seite! Du hast diese Anstalt nie bloßstellen wollen.«

»George«, sagte Teddy mit ruhiger, leiser Stimme, »das stimmt nicht.«

»Doch.

»Nein. Was glaubst du, was ich das ganze letzte Jahr getan habe? Ich habe das hier vorbereitet. Was ich jetzt mache.«

»Scheiß drauf!«

Teddy spürte den Schrei im Gesicht.

»Scheiß drauf!«, kreischte George zum zweiten Mal. »Du willst das hier im letzten Jahr vorbereitet haben? Du hast bloß vor zu töten. Das ist alles. Du willst Laeddis töten. Mehr nicht. Jetzt kannst du sehen, wo ich deswegen gelandet bin. Hier. Wieder hier. Ich ertrage es nicht mehr. Ich kann dieses verfluchte Horrorhaus nicht mehr ertragen. Hörst du? Nicht noch mal, nicht noch mal, nicht noch mal.«

»George, hör mir zu! Wie sind die an dich herangekommen? Es muss doch eine Verlegungsanweisung gegeben haben. Die Psychiater müssen sich beraten haben. Es muss Akten geben, George. Papiere.«

Noyce lachte. Er drückte das Gesicht gegen die Stäbe und hob die Augenbrauen. »Willst du ein Geheimnis hören?«

Teddy trat einen Schritt näher.

George sagte: »Ist wirklich interessant ...«

»Erzähl!«, sagte Teddy.

Noyce spuckte ihm ins Gesicht.

Teddy trat zurück, ließ die Streichhölzer fallen und wischte sich mit dem Ärmel den Speichel von der Stirn.

Im Dunkeln sagte Noyce: »Weißt du, was die Spezialität vom guten Dr. Cawley ist?«

Teddy fuhr sich mit der Hand über Stirn und Nasenrücken. Alles trocken. »Schuldgefühle von Überlebenden und Verlusttrauma.«

»Nein, nein, nein.« George schmunzelte. »Gewalt. Insbesondere bei Männern. Er macht eine Studie.«

»Nein. Naehring macht das.«

»Cawley«, widersprach George. »Alles Cawley. Aus dem ganzen Land bekommt er die gewalttätigsten Patienten und Schwerverbrecher zugeschickt. Was glaubst du denn, warum hier so wenig Patienten sind? Oder glaubst du, glaubst du ernsthaft, dass irgendeiner näher auf die Überweisungspapiere guckt, wenn der Patient als gewalttätig bekannt ist und psychologisch behandelt wurde? Glaubst du das im Ernst?«

Teddy entzündete zwei neue Streichhölzer.

»Ich komm hier nicht mehr raus«, sagte Noyce. »Einmal hab ich's geschafft. Aber kein zweites Mal. Das ist nicht drin.«

»Immer mit der Ruhe«, sagte Teddy. »Wie sind die an dich rangekommen?«

»Die wussten Bescheid. Verstehst du das nicht? Die Leute hier wissen genau, was du vorhast. Die kennen deinen Plan. Das Ganze ist ein Spiel. Ein hübsch inszeniertes Theater. Das alles hier« – er zeigte mit dem Arm in die Runde – »ist für dich.«

Teddy grinste. »Dann haben die auch wohl nur für mich den Hurrikan geholt, was? Erstklassiger Trick.«

Noyce schwieg.

»Kannst du mir das erklären?«, fragte Teddy.

»Kann ich nicht.«

»Hab ich auch nicht erwartet. Schalte mal einen Gang zurück mit deinem Verfolgungswahn, okay?«

»Viel allein gewesen?«, fragte Noyce und sah Teddy erwartungsvoll an.

»Was?«

»Bist du mal allein gewesen, seit du hier bist?«

»Die ganze Zeit«, sagte Teddy.

George hob eine Augenbraue. »*Vollkommen* allein?«

»Nein, mit meinem Kollegen.«

»Und wer ist dein Kollege?«

Teddy wies mit dem Daumen nach hinten. »Er heißt Chuck. Er ist –«

»Lass mich raten«, sagte Noyce. »Du hast noch nie zuvor mit ihm gearbeitet, stimmt's?«

Teddy spürte die Zellen um sich herum. Die Knochen in seinen Oberarmen waren plötzlich kalt. Einen Augenblick lang brachte er kein Wort heraus, als hätte sein Gehirn die Verbindung zur Zunge verloren.

Dann sagte er: »Er ist ein U.S.-Marshal aus Seattle –«

»Du hast *noch nie mit ihm gearbeitet*, stimmt das?«

»Das ist unwichtig«, antwortete Teddy. »Ich habe Menschenkenntnis. Ich kenne diesen Mann. Ich vertraue ihm.«

»Weshalb?«

Darauf gab es keine einfache Antwort. Wie sollte man erklären, wodurch sich Vertrauen entwickelt? Zuerst hat man keins, und dann ist es auf einmal da. Im Krieg hatte Teddy Männer kennen gelernt, denen er auf dem Schlachtfeld sein Leben anvertraut hätte, doch niemals danach seine Geldbörse. Er hatte Männer gekannt, denen er seine Börse *und* seine Frau anvertraut hätte, von denen er sich aber niemals im Kampf hätte Rückendeckung geben lassen (und mit denen er nie gemeinsam eine Tür eingetreten hätte).

Chuck hätte sich weigern können, ihn zu begleiten, er hätte sich entscheiden können, im Männerwohnheim zu bleiben, die Aufräumarbeiten zu verschlafen und so lange zu warten, bis die Ankunft der Fähre gemeldet wurde. Ihre Aufgabe war erledigt – man hatte Rachel Solando gefunden. Chuck hatte keinen Grund, kein begründetes Interesse, Teddy bei der Suche nach Laeddis zu unterstützen, bei seinem Trachten, Ashecliffe als Verhöhnung des hippokratischen Eids zu entlarven. Dennoch war er mitgekommen.

»Ich vertraue ihm«, wiederholte Teddy. »Ich weiß nicht, wie ich das sonst ausdrücken soll.«

Traurig sah Noyce ihn durch die Gitterstäbe an. »Dann haben sie schon gewonnen.«

Teddy schlug die Streichhölzer aus und ließ sie fallen. Er

öffnete die Schachtel und holte das letzte Hölzchen heraus. Er hörte Noyce schnüffeln.

»Bitte«, flüsterte Noyce, und Teddy wusste, dass er weinte. »Bitte.«

»Was denn?«

»Bitte lass mich nicht hier sterben.«

»Du wirst hier nicht sterben.«

»Die werden mich zum Leuchtturm bringen. Das weißt du genau.«

»Zum Leuchtturm?«

»Dort schneiden sie mir das Gehirn heraus.«

Teddy entzündete das Streichholz. Im plötzlich auflodernden Licht klammerte sich Noyce zitternd an die Stäbe. Die Tränen rannen aus seinen geschwollenen Augen und rollten das aufgedunsene Gesicht hinunter.

»Die werden dich nicht –«

»Geh selber hin. Sieh's dir selber an. Und wenn du lebendig zurückkommst, erzählst du mir, was die da machen. Sieh's dir selbst an.«

»Ich geh da hin, George. Auf jeden Fall. Und ich werde dich hier rausholen.«

Noyce senkte den Kopf, drückte den nackten Schädel gegen die Stangen und weinte leise. Teddy erinnerte sich, dass George bei der letzten Begegnung im Besucherraum gesagt hatte: »Wenn ich noch mal dahin zurück muss, bringe ich mich um.« Teddy hatte geantwortet: »Dazu wird es nicht kommen.«

Er hatte also doch gelogen.

Denn Noyce war hier. Geschlagen, gebrochen, zitternd vor Angst.

»George, guck mich an.«

Noyce hob den Kopf.

»Ich werde dich hier rausholen. Halte durch. Tu nichts, was nicht rückgängig zu machen ist. Hörst du? Halte durch. Ich komme zurück und hole dich.«

George Noyce lächelte durch die Tränen und schüttelte

langsam den Kopf. »Du kannst nicht Laeddis töten und gleichzeitig die Wahrheit aufdecken. Du musst dich entscheiden. Das verstehst du doch, oder?«

»Wo ist er?«

»Sag mir erst, dass du das verstehst.«

»Ich verstehe es. Wo ist er?«

»Du musst dich entscheiden.«

»Ich werde niemanden umbringen. Hörst du, George? Ich werde es nicht tun.«

Und als er Noyce durch die Stäbe ansah, spürte er, dass es die Wahrheit war. Wenn er dadurch dieses arme menschliche Wrack, dieses bemitleidenswerte Opfer, nach Hause bringen konnte, dann würde Teddy seinen Rachefeldzug abbrechen. Nicht zu Grabe tragen. Sondern aufschieben. Und hoffen, dass Dolores verstünde.

»Ich werde niemanden umbringen«, wiederholte er.

»Du lügst.«

»Nein.«

»Sie ist tot. Lass sie in Ruhe.«

Noyce drückte das lächelnde, weinende Gesicht gegen das Gitter und ließ den sanften, verschwollenen Blick auf Teddy ruhen.

Teddy konnte Dolores spüren, sie drückte gegen seinen Adamsapfel. Er sah sie in der Dämmerung des frühen Juli sitzen, in dem orangeroten Licht, in dem Städte sommers kurz nach Sonnenuntergang glühen. Sie blickt auf, als er am Bordstein hält. Die Kinder spielen wieder mitten auf der Straße Stickball, über ihnen flattert Wäsche. Das Kinn in die Hand gestützt, die Zigarette in Höhe des Ohres, sieht sie ihm entgegen, und er hat ihr ein einziges Mal Blumen mitgebracht, sie ist schlicht und einfach die Liebe seines Lebens, sein Mädchen, die ihm entgegensieht, als wolle sie sich ihn einprägen, seinen Gang, die Blumen, den Augenblick, und er will sie fragen, mit welchem Geräusch ein Herz aus Liebe zerspringt, wenn allein der Anblick eines Menschen einen so erfüllt, wie es Nahrung, Blut und Luft nicht vermögen, wenn man sich fühlt, als sei man nur für einen einzigen Augenblick geboren, und aus irgendeinem Grund war dieser Moment jetzt gekommen.

Lass sie in Ruhe, hatte Noyce gesagt.

»Ich kann nicht«, erwiderte Teddy mit gebrochener, hoher Stimme. In seiner Brust stieg ein Schrei auf.

Noyce lehnte sich, so weit er konnte, zurück, ohne die Gitterstäbe loszulassen. Er neigte den Kopf zur Seite und drückte das Ohr auf die Schulter.

»Dann wirst du diese Insel nie wieder verlassen.«

Teddy sagte nichts.

Und Noyce seufzte, als langweilte ihn das, was er nun sagen würde, so sehr, dass er dabei im Stehen einschlief. »Er wurde auf Station C verlegt. Wenn er nicht auf Station A ist, gibt es nur noch einen Ort, wo er sein kann.«

Er wartete, dass Teddy verstand.

»Der Leuchtturm«, sagte Teddy.

Noyce nickte, und das letzte Streichholz erlosch.

Eine geschlagene Minute stand Teddy im Dunkeln, dann hörte er die Bettfedern quietschen. Noyce legte sich hin.

Teddy machte sich auf.

»He!«

Teddy blieb stehen, den Rücken zur Tür, und wartete.

»Gott steh dir bei.«

16

TEDDY WOLLTE DURCH den Zellenblock zurückgehen. Da stand plötzlich Al vor ihm, mitten im Gang, und schaute Teddy müde an. Teddy fragte: »Hast du deinen Typ gekriegt?«

Al schloss sich Teddy an. »Na, klar. Schwer zu fassen, der Kerl, aber hier kann man nicht ewig weiterlaufen, irgendwann ist Schluss.«

Sie gingen den Zellenblock entlang, hielten sich in der Mitte, und Teddy dachte wieder an Noyce' Frage, ob er hier jemals allein gewesen sei. Wie lange, fragte Teddy sich, mochte Al ihn beobachtet haben? Teddy ging die vergangenen drei Tage durch, suchte nach einem Augenblick, in dem er völlig allein gewesen war. Selbst wenn er zur Toilette ging, benutzte er die allgemeinen sanitären Einrichtungen, und hinter der Trennwand oder vor der Tür wartete der Nächste.

Aber nein, er war mit Chuck mehrmals allein auf der Insel spazieren gewesen ...

Mit Chuck.

Was genau wusste er über Chuck? Kurz stellte er sich Chucks Gesicht vor, sah ihn auf der Fähre stehen und aufs Meer schauen ...

Ein toller Kerl, auf Anhieb sympathisch, ging ungezwungen mit Menschen um, ein Typ, zu dem man sich gerne gesellte. Kam aus Seattle. Vor kurzem versetzt. Sagenhafter Pokerspieler. Hasste seinen Vater – das einzige, was nicht zu ihm passte. Da war noch was, das nicht stimmte, es war ganz tief in Teddys Kopf vergraben, irgendwas ... was war es nur gewesen?

Ungelenk. Das war das richtige Wort. Aber nein, Chuck war alles andere als ungelenk. Er war die Gewandtheit in Person. Er fiel immer auf die Füße, um eine beliebte Redewendung von Teddys Vater zu benutzen. Nein, der Mann war nicht im entferntesten ungelenk. Oder vielleicht doch? Hatte es nicht einen kurzen Augenblick gegeben, in dem Chucks Bewegungen unbeholfen gewesen waren? Doch. Teddy war überzeugt, dass es diesen Moment gegeben hatte. Aber er konnte sich an nichts Genaues erinnern. Nicht jetzt. Nicht hier.

Die Vorstellung an sich war schon albern. Er vertraute Chuck. Schließlich war Chuck in Cawleys Schreibtisch eingebrochen.

Hast du das mit eigenen Augen gesehen?

Gerade in diesem Moment setzte Chuck seine berufliche Zukunft aufs Spiel, um an Laeddis' Akte zu kommen.

Bist du da ganz sicher?

Sie standen vor der Tür. Al sagte: »Geh einfach wieder durchs Treppenhaus nach oben. Kommst du automatisch aufs Dach.«

»Danke.«

Teddy verharrte mit der Hand auf dem Türknauf, weil er sehen wollte, wie lange Al warten würde.

Aber Al nickte ihm lediglich zu und ging in den Zellen-block zurück. Teddy fühlte sich bestätigt. Natürlich beob-achtete ihn niemand. In Als Augen war er nur ein Pfleger. Noyce litt an Verfolgungswahn. Verständlich – wem würde es an Noyce' Stelle nicht so gehen? –, aber trotzdem war er paranoid.

Al ging weiter, und Teddy drehte den Knauf und öffnete die Tür. Diesmal standen keine Pfleger oder Wärter auf dem Treppenabsatz und warteten auf ihn. Er war allein. Völlig al-lein. Unbeobachtet. Er ließ die Tür hinter sich ins Schloss fal-len, ging die Treppe hinunter und traf Chuck an der Biegung, wo sie zuvor auf Baker und Vingis gestoßen waren. Chuck hielt die Zigarette zwischen Daumen und Zeigefinger und nahm kurze, tiefe Züge. Als er Teddy sah, lief er sofort los.

»Ich dachte, wir würden uns im Saal treffen.«

»Die sind hier«, sagte Chuck, als Teddy ihn eingeholt hat-te. Gemeinsam betraten sie den gewaltigen Raum.

»Wer?«

»Der Direktor und Cawley. Geh einfach weiter. Wir müs-sen hier raus.«

»Haben sie dich gesehen?«

»Weiß ich nicht. Ich kam gerade zwei Etagen höher aus dem Archiv. Hab sie am anderen Ende des Ganges gesehen. Cawley hat sich umgeguckt, und ich bin direkt durch den Notausgang ins Treppenhaus.«

»Dann haben sie sich wahrscheinlich nichts dabei ge-dacht.«

Inzwischen rannte Chuck beinahe. »Ein Pfleger, der in Regenmantel und Rangerhut aus dem Archiv in der Verwal-tung kommt? Nö, bestimmt kein Problem.«

Über ihnen gingen nach und nach unter lautem Knacken die Lichter an, es klang wie unter Wasser brechende Kno-chen. Elektrische Entladungen summten, dann erscholl ein Schreien, Pfeifen und Heulen. Kurz schien sich das Gebäude zu heben und wieder zu senken. Alarmglocken schrillten durch Steinböden und Mauern.

»Strom ist wieder da. Wie schön«, sagte Chuck und ging ins Treppenhaus.

Vier Wärter kamen ihnen entgegen. Teddy und Chuck drückten sich an die Wand und ließen die Männer vorbei.

Der Wärter am Kartentisch war noch da, er telefonierte und schaute sie mit leicht glasigen Augen an. Dann wurde sein Blick klarer, und er sagte: »Moment mal kurz« in den Hörer. Teddy und Chuck auf der untersten Stufe rief er zu: »He, ihr da, einen Moment mal.«

Im Eingangsbereich herrschte ein unübersichtliches Durcheinander – Pfleger, Wärter, zwei schlammbedeckte Patienten mit Fußfesseln. Teddy und Chuck mischten sich sofort darunter, wichen einem Mann aus, der sich rückwärts bewegte und Chucks Brust mit seiner Kaffeetasse gefährlich nahe kam.

Wieder rief der Wärter: »He! Ihr beiden! He da!«

Sie verlangsamten ihre Schritte nicht. Teddy merkte, dass sich einige umschauten, weil sie den Wärter erst jetzt hörten und sich fragten, wem er hinterherrief.

Nur noch eine Frage von Sekunden, bis man ihn und Chuck entdeckte.

»Stehen bleiben, hab ich gesagt!«

Teddy drückte gegen die Tür.

Sie bewegte sich nicht.

»He!«

Er sah den Messingknauf, eine Ananas wie in Cawleys Haus. Sie war nass vom Regen.

»Ich muss mit Ihnen reden!«

Teddy drehte am Knauf und stieß die Tür auf. Zwei Wärter kamen ihnen von draußen entgegen. Teddy wich ihnen aus und hielt Chuck die Tür auf. Chuck kam heraus, und der linke Wärter nickte ihm dankend zu. Zusammen mit seinem Kollegen betrat er den Eingangsbereich. Teddy ließ die Tür los und ging mit Chuck die Stufen hinunter.

Links stand eine Gruppe identisch gekleideter Männer im Nieselregen, rauchte und trank Kaffee. Einige lehnten sich gegen das Mauerwerk, sie machten Witze, bliesen Qualm in die Luft. Teddy und Chuck liefen auf die Gruppe zu, ohne sich umzusehen. Sie warteten auf das Geräusch der sich öffnenden Tür, auf erneute Rufe.

»Laeddis gefunden?«, fragte Chuck.

»Nein. Aber Noyce.«

»Was?«

»Du hast richtig gehört.«

Sie nickten den Männern zu. Lächeln, Winken, einer von ihnen gab Teddy Feuer, dann gingen sie weiter an der Außenmauer entlang, immer weiter, die Mauer schien eine Viertelmeile lang zu werden, unbeirrt schritten sie voran, und dann ertönten Rufe, möglicherweise rief man nach ihnen, aber sie liefen weiter, und sie wussten, siebzehn Meter über ihnen ragten Gewehrläufe über die Zinnen.

Am Ende des Gebäudes stapften sie nach links auf eine sumpfige grüne Wiese. Der Zaun war teilweise bereits ausgebessert worden, Männer füllten die Löcher für die Pfähle mit flüssigem Beton. Teddy und Chuck sahen, dass fast der gesamte Zaun schon wieder stand. Es gab keinen Ausweg für sie.

Sie machten kehrt und kamen wieder hinter dem Gebäude hervor. Teddy wusste, sie konnten nur geradeaus. Zu viele Augen würden merken, wenn sie nicht an den Wachen vorbei, sondern in eine andere Richtung gingen.

»Wir ziehen das durch, Chef, ja?«

»Da kannst du Gift drauf nehmen.«

Teddy nahm den Hut ab, Chuck tat es ihm nach, dann zogen sie die Regenmäntel aus, legten sie sich über den Arm und stapften durch den Regen. Der Wärter von vorher schaute ihnen entgegen, und Teddy sagte zu Chuck: »Nicht langsamer werden.«

»Okay.«

Teddy versuchte, die Miene des Mannes zu lesen. Sie war ausdruckslos. Teddy fragte sich, ob er sich langweilte oder auf eine Konfrontation vorbereitete.

Teddy winkte im Vorbeigehen, und der Wärter sagte: »Jetzt sind Lkws da.«

Teddy drehte sich im Gehen um und fragte: »Lkws?«

»Ja, mit denen ihr rüberfahren könnt. Wartet doch, vor fünf Minuten ist einer losgefahren. Müsste jeden Moment zurück sein.«

»Nein, nein. Gehen ist gesünder.«

Kurz flackerte es im Gesicht des Wärters auf. Möglicherweise bildete sich das Teddy nur ein, aber vielleicht roch dieser Wärter sofort, wenn etwas faul war.

»Wiedersehn.« Teddy ging zusammen mit Chuck auf die Bäume zu. Er spürte den Blick des Wärters im Rücken, den Blick der ganzen Festung. Vielleicht standen Cawley und der Direktor in diesem Moment auf der Haustreppe oder auf dem Dach. Und beobachteten sie.

Sie erreichten die ersten Bäume. Niemand rief sie, niemand gab einen Warnschuss ab. Sie verschwanden zwischen dicken Baumstämmen und Laubbergen.

»Du liebe Güte«, sagte Chuck. »Oje, oje, oje.«

Teddy setzte sich auf einen Felsblock. Er war schweißgebadet, weißes Hemd und Hose waren tropfnass, aber er freute sich. Sein Herz klopfte noch immer, seine Augen juckten, Schultern und Nacken kribbelten, aber abgesehen von der Liebe war es das tollste Gefühl der Welt.

Entkommen zu sein.

Er schaute Chuck an, so lange, bis beide lachen mussten.

»Ich geh um die Ecke, und plötzlich steht der Zaun wieder«, sagte Chuck. »O Scheiße, Teddy, ich dachte, das war's.«

Teddy legte sich auf den Felsblock, er fühlte sich so frei wie nur früher als Kind. Er sah zu, wie der Himmel hinter rauchgrauen Wolken erschien, und spürte die Luft auf der Haut. Er roch feuchtes Laub, dampfende Erde, nasse Rinde und hörte das letzte schwache Tröpfeln des Regens. Er wollte die Augen schließen und auf der anderen Seite des Hafens aufwachen, in Boston, in seinem Bett.

Fast wäre er eingenickt, da erst fiel ihm auf, wie müde er war. Er setzte sich hin, fischte eine Zigarette aus der Brusttasche und ließ sich von Chuck Feuer geben. Dann ließ er sich auf die Knie fallen und sagte: »Wir müssen davon ausgehen, dass sie herausfinden, dass wir drin gewesen sind. Falls sie es nicht schon wissen.«

Chuck nickte. »Baker knickt bei einer Befragung mit Sicherheit ein.«

»Der Wärter an der Treppe, der hat, glaube ich, Lunte gerochen.«

»Oder er wollte einfach nur, dass wir uns austragen.«

»So oder so: Man wird sich an uns erinnern.«

Das Nebelhorn von Boston Light stöhnte über das Hafengebiet, ein Geräusch, das Teddy allabendlich während seiner Kindheit in Hull gehört hatte. Der einsamste Ton, den er sich vorstellen konnte. Augenblicklich wollte man etwas im Arm halten, einen Menschen, ein Kopfkissen, sich selbst.

»Noyce, hast du gesagt?«, fragte Chuck.

»Ja.«

»Er ist tatsächlich hier?«

»In Fleisch und Blut.«

»Um Himmels willen, Teddy, wie kann das sein?«, fragte Chuck.

Und Teddy erzählte ihm von Noyce, von den Schlägen, die er bekommen hatte, von seiner Feindseligkeit gegenüber Teddy, von seiner Angst, seinen zitternden Gliedern, seinem Weinen. Er erzählte Chuck alles, nur nicht, was Noyce über Chuck gesagt hatte. Und Chuck hörte zu, nickte gelegentlich, beobachtete Teddy, wie ein Kind einen Gruppenleiter am Lagerfeuer ansieht, der spätnachts die Geschichte vom Buhmann zum Besten gibt.

Was war es auch anderes, fragte Teddy sich nun langsam, als eine Gruselgeschichte.

Dann fragte Chuck: »Und, glaubst du ihm?«

»Ich glaube, dass Laeddis hier ist. Daran besteht kein Zweifel.«

»Aber er könnte einen Nervenzusammenbruch gehabt haben. Einen echten, meine ich. Immerhin hat er eine entsprechende Vergangenheit. Es könnte alles mit rechten Dingen zugegangen sein. Er ist im Gefängnis, dreht durch, und sie sagen: ›He, der Typ war schon mal in Ashecliffe. Schicken wir ihn wieder hin.‹«

»Möglich ist das«, sagte Teddy. »Aber beim letzten Mal machte er einen absolut gesunden Eindruck auf mich.«

»Wann war das?«

»Vor einem Monat.«

»In einem Monat kann viel passieren.«

»Stimmt.«

»Und was ist mit dem Leuchtturm?«, fragte Chuck. »Glaubst du wirklich, da hockt eine Riege verrückter Wissenschaftler und implantiert jetzt gerade Laeddis eine Antenne ins Gehirn?«

»Ich bin der Meinung, dass man eine Wasseraufbereitungsanlage nicht einzäunen würde.«

»Da stimme ich dir zu«, sagte Chuck. »Aber es hat alles ein bisschen was vom Grand Guignol, findest du nicht?«

Teddy runzelte die Stirn. »Keine Ahnung, was ist das für 'n Scheiß?«

»Das bedeutet schrecklich«, sagte Chuck. »So wie im Märchen, gruselig halt.«

»Aha«, sagte Teddy. »Aber wie hieß das? Grong Ginjoll?«

»Grand Guignol«, erklärte Chuck, »das ist Französisch. 'tschuldigung.«

Teddy musterte Chuck, während der versuchte, sich darüber hinwegzugrinsen. Wahrscheinlich suchte er nach einem anderen Thema.

»Hast du als Kind in Portland Französisch gelernt?«, fragte Teddy.

»In Seattle.«

»Ach ja.« Teddy legte die Hand auf die Brust. »'tschuldigung.«

»Ich mag das Theater, ja?«, sagte Chuck. »Das ist ein Theaterbegriff.«

»Ich kannte einen, der in der Dienststelle in Seattle gearbeitet hat«, warf Teddy ein.

»Ach ja?« Geistesabwesend klopfte Chuck seine Taschen ab.

»Ja. Wahrscheinlich kennst du ihn auch.«

»Gut möglich«, sagte Chuck. »Willst du sehen, was ich in Laeddis' Akte gefunden hab?«

»Der Typ hieß Joe. Joe …« Teddy schnippte mit den Fingern. »Sag mal eben. Liegt mir auf der Zunge. Joe, ähm, Joe …«

»Gibt 'ne Menge Joes«, entgegnete Chuck und griff in die Gesäßtasche.

»Ich dachte, die Dienststelle in Seattle wäre nicht so groß.«

»Hier.« Chuck zog die Hand heraus, aber die Finger waren leer.

Der gefaltete Zettel, den Chuck gesucht hatte, lugte noch aus seiner Hosentasche.

»Joe Fairfield«, sagte Teddy, in Gedanken bei der Bewegung, mit der Chuck die Hand herauszogen hatte. Ungelenk. »Kennst du den?«

Chuck griff wieder in die Tasche. »Nein.«

»Ich bin mir völlig sicher, dass er nach Seattle versetzt wurde.«

Chuck zuckte mit den Schultern. »Der Name sagt mir nichts.«

»Na, vielleicht war's doch Portland. Verwechsle ich immer.«

»Ja, hab ich schon gemerkt.«

Chuck zog den Zettel heraus, und Teddy hatte plötzlich vor Augen, wie er am Tag ihrer Ankunft dem Wärter mit ungeschickter Bewegung seine Waffe gereicht hatte. Chuck hatte Schwierigkeiten mit dem Holsterverschluss gehabt. So was durfte für einen Marshal eigentlich kein Problem darstellen. Im Dienst konnte das tödlich enden.

Chuck hielt Teddy den Zettel hin. »Das ist das Aufnahmeformular. Von Laeddis. Mehr als das und seine ärztlichen Unterlagen konnte ich nicht finden. Keine Berichte über besondere Vorkommnisse, keine Sitzungsprotokolle, kein Foto. Fand ich seltsam.«

»Seltsam«, sagte Teddy. »Hmm.«

Chuck hielt die Hand noch immer ausgestreckt, das gefaltete Blatt neigte sich gen Boden.

»Los, nimm!«, sagte Chuck.

»Nein«, erwiderte Teddy. »Behalt du es.«

»Willst du es dir nicht mal ansehen?«

»Ich guck's mir später an«, erwiderte Teddy.

Er sah seinem Kollegen in die Augen und ließ das Schweigen wirken.

»Was ist?«, fragte Chuck schließlich. »Guckst du mich so komisch an, weil ich nicht weiß, wer Joe Du-kannst-mich-mal-kreuzweise ist?«

»Ich guck dich nicht komisch an, Chuck. Wie gesagt, ich verwechsle ständig Portland und Seattle.«

»Gut. Also dann –«

»Lass uns weitergehen«, schlug Teddy vor.

Er erhob sich. Chuck blieb noch kurz sitzen, den Blick auf das Blatt in seiner Hand gerichtet. Er betrachtete die Bäume um sie herum. Dann schaute er zu Teddy auf. Schließlich sah er zum fernen Strand hinüber.

Wieder ertönte das Nebelhorn.

Dann erhob sich auch Chuck und stopfte den Zettel zurück in die Gesäßtasche.

»Na gut«, sagte er. »In Ordnung. Du gehst vor!«

Teddy stapfte los in Richtung Osten.

»Wo willst du hin?«, fragte Chuck. »Ashecliffe ist in der anderen Richtung.«

Teddy schaute sich um. »Ich will nicht nach Ashecliffe.«

Chuck war verärgert, vielleicht sogar verängstigt. »Wohin gehen wir dann bitte, Teddy?«

Teddy grinste. »Zum Leuchtturm, Chuck.«

»Wo sind wir?«, fragte Chuck.

»Wir haben uns verirrt.«

Sie hatten den Wald hinter sich gelassen, aber anstatt nun vor dem Zaun des Leuchtturms zu stehen, waren sie weiter nördlich herausgekommen. Der Sturm hatte den Wald in einen Sumpf verwandelt. Entwurzelte oder umgekippte Bäume hatten sie vom Weg abgebracht. Teddy war bewusst gewesen, dass sie ein wenig vom Kurs abgewichen waren, aber nach seinen Berechnungen hätten sie auf verschlungenen Pfaden in die Nähe des Friedhofs gelangen müssen.

Sehen konnte er den Leuchtturm bereits gut. Das obere Drittel schaute über eine lang gezogene baumbewachsene Anhöhe mit einem braunen und einem grünen Streifen Vegetation. Direkt hinter dem Feld, vor dem sie nun standen, war ein breiter Streifen Marschland, und dahinter bildeten schartige schwarze Felsen ein natürliches Hindernis vor der Anhöhe. Teddy wusste, ihre einzige Möglichkeit bestand darin, zurück durch den Wald zu gehen und zu hoffen, dass sie die Stelle wiederfanden, an der sie falsch abgebogen waren. Nur dann müssten sie nicht zum Ausgangspunkt zurück.

Das sagte er Chuck.

Mit einem Stock klopfte Chuck auf seine Hosenbeine, schlug die Kletten ab. »Wir könnten auch im Halbkreis gehen und uns von Osten nähern. Weißt du noch, gestern Abend mit McPherson? Der Fahrer hat so was ähnliches wie eine Zufahrtsstraße genommen. Da drüben hinter dem Hügel, da muss der Friedhof sein. Sollen wir uns dahin durchschlagen?«

»Besser als das, wo wir gerade durchgegangen sind.«

»Ach, hat dir das nicht gefallen?« Chuck fuhr sich mit der Hand über den Nacken. »Ich für meinen Teil liebe Mücken. Echt, ich glaube, ich habe ein, zwei Stellen im Gesicht, wo sie mich noch nicht gestochen haben.«

Es war das erste Gespräch seit mehr als einer Stunde. Teddy spürte, dass beide versuchten, die Anspannung zu überwinden, die zwischen ihnen entstanden war.

Aber der Augenblick verstrich ungenutzt, weil Teddy zu lange schwieg und Chuck in mehr oder weniger nördlicher Richtung am Feldrand entlangging. Unablässig drängte die Insel sie an ihre Ufer.

Sie liefen, kletterten und marschierten hintereinander, und Teddy blickte auf Chucks Rücken. Sein Kollege, hatte er zu Noyce gesagt. Sein Kollege, dem er vertraute. Aber warum? Weil er keine Wahl hatte. Weil man von niemandem erwarten konnte, das hier allein durchzustehen.

Wenn Teddy verschwinden sollte, wenn er nie mehr von der Insel zurückkehren sollte, war es gut, einen Freund wie Senator Hurly zu haben. Keine Frage. Hurlys Erkundigungen würden nicht ignoriert werden. Einem Senator würde man Gehör schenken. Doch würde die Stimme eines relativ unbekannten Demokraten aus einem kleinen Neuengland-Staat im aktuellen politischen Klima laut genug sein?

Marshals ließen einander nicht im Stich. Auf jeden Fall würden Kollegen nach ihnen ausgeschickt werden. Es war eine Zeitfrage: Würden sie den Leuchtturm erreichen, bevor Ashecliffe und seine Ärzte Teddy unwiderruflich manipuliert hätten, ihn zu einem George Noyce gemacht hätten? Oder noch schlimmer, zu dem Mann, der Fangen spielte?

Teddy hoffte es, denn je länger er auf Chucks Rücken starrte, desto überzeugter war er, dass er allein war. Völlig allein.

»Noch mehr Steine«, sagte Chuck. »Mensch noch mal, Chef.«

Sie befanden sich auf einem schmalen Felsgrat, der rechts zum Meer hin steil abfiel, links erstreckte sich ein halber Hektar flachen Buschlands. Der Wind frischte auf, der Himmel wurde rotbraun, die Luft schmeckte nach Salz.

Auf der überwachsenen Fläche lagen Steinhaufen, acht an der Zahl. Sie wurden von allen Seiten durch Hänge geschützt, die die Ebene wie eine Schüssel umgaben.

»Und, wollen wir uns das angucken?«, fragte Teddy.

Chuck hob die Hand zum Himmel. »Dauert nicht mehr lange, dann ist die Sonne weg. Am Leuchtturm sind wir noch nicht angekommen, falls dir das entgangen sein sollte. Am Friedhof sind wir auch nicht. Wir wissen nicht mal, ob wir von hier aus dorthin kommen. Und du willst nach unten klettern und dir Steinhaufen ansehen?«

»Mensch, wenn das wieder der Code ist ...«

»Wen interessiert das jetzt noch? Wir haben Beweise, dass Laeddis hier ist. Du hast Noyce gesehen. Wir müssen mit diesen Informationen, diesem Beweis, nur noch nach Hause fahren, das ist alles. Dann haben wir unsere Aufgabe erfüllt.«

Chuck hatte Recht. Teddy wusste es.

Aber nur, wenn er immer noch auf Teddys Seite stand. Wenn nicht, wenn Chuck nicht wollte, dass Teddy diesen Code entschlüsselte ...

»Zehn Minuten runter, zehn Minuten hoch«, sagte Teddy.

Müde hockte sich Chuck auf einen dunklen Felsvorsprung und zog eine Zigarette aus der Tasche. »Gut. Aber ich bleib hier.«

»Wie du willst.«

Chuck wölbte die Hände um die Zigarette, um sie anzuzünden. »Abgemacht.«

Der Rauch zog durch Chucks gekrümmte Finger und wehte in Richtung Meer.

»Bis später«, sagte Teddy.

Chuck drehte sich nicht um. »Pass auf, dass du dir nicht das Genick brichst.«

Teddy schaffte es in sieben Minuten nach unten, drei Minuten weniger als angesetzt, weil er auf dem lockeren, sandigen Untergrund mehrmals ausrutschte. Er ärgerte sich, am Morgen lediglich Kaffee getrunken zu haben, denn sein leerer Magen knurrte. Die Unterzuckerung zusammen mit dem Schlafmangel ließen ihn schwindeln. Vor den Augen erschienen schwebende Lichtflecken.

Er zählte die Steine auf jedem Haufen und notierte sie zusammen mit ihrer alphabetischen Entsprechung im Block:

20(T) – 5(E) – 4(D) – 19(S) – 2(B) – 18(R) – 21(U) – 9(I)

Dann klappte er den Notizblock zu, steckte ihn in die Brusttasche und machte sich daran, den sandigen Abhang hochzusteigen. An der steilsten Stelle krallte er sich mit den Händen fest. Wenn er ausrutschte, riss er das Seegras büschelweise aus. Er brauchte fünfundzwanzig Minuten für den Aufstieg. Der Himmel nahm einen dunklen Bronzeton an, und Teddy wusste, dass Chuck Recht gehabt hatte, auf welcher Seite er auch stand: Der Tag ging zur Neige, das Ganze war Zeitverschwendung, egal, was der Code verraten mochte.

Jetzt würden sie den Leuchtturm wohl nicht mehr erreichen, und was dann? Falls Chuck dem Gegner zuarbeitete, dann war es so, als würde ein Vogel gegen einen Spiegel fliegen, wenn Teddy mit ihm zum Leuchtturm ging.

Teddy sah das obere Ende des Abhangs, den Rand des Felsgrats und den bronzefarbenen Himmel, der sich über allem wölbte. Er dachte: Vielleicht ist das jetzt alles, Dolores. Vielleicht ist es das beste, was ich vorerst zu bieten habe. Laeddis wird weiterleben. Ashecliffe wird weiter bestehen. Wir werden uns mit dem Bewusstsein begnügen müssen, den Stein ins Rollen gebracht zu haben, eine Entwicklung angestoßen zu haben, die irgendwann alles zum Einsturz bringen könnte.

Oben fand Teddy einen Einschnitt, eine schmale Öffnung, wo der Hang auf den Felsgrat traf und so stark erodiert war, dass Teddy in der sandigen Mulde stehen, beide Hände auf den flachen Felsen über sich legen und sich gerade so weit hochdrücken konnte, dass er den Oberkörper hochhieven und dann die Beine nachziehen konnte.

Er lag auf der Seite und blickte hinaus aufs Meer. Zu dieser Tageszeit war es so blau, so lebendig, obwohl der Tag um es herum erstarb. Teddy lag dort, spürte den Wind im Gesicht und das Meer vor ihm, das sich unendlich unter dem dunkler werdenden Himmel erstreckte, und er fühlte sich so klein und absolut menschlich, aber es war kein lähmendes Gefühl. Es war ein sonderbar stolzes. Dazuzugehören. Er war ein Nichts, ja. Aber er gehörte dazu, war eins mit der Welt. Atmete.

Eine Wange auf den Stein gedrückt, schaute er über die dunklen flachen Felsen, und erst da fiel ihm auf, dass Chuck nicht mehr da war.

17

CHUCKS KÖRPER LAG unten vor den Klippen, Wellen rollten über ihn hinweg.

Teddy schob sich über den Rand des Felsgrats, tastete das Gestein vorsichtig mit dem Fuß ab, um zu prüfen, ob es sein Gewicht trug. Er stieß einen tiefen Seufzer aus, von dem er gar nicht geahnt hatte, dass er in ihm steckte. Dann ließ er die Ellenbogen über den Rand gleiten und versank mit den Füßen zwischen den Steinen. Ein Stein rutschte, und sein rechter Fuß knickte um. Er versuchte, sich an der Felswand festzuhalten und drückte den Oberkörper dagegen. Der Fels unter seinen Füßen hielt.

Teddy drehte sich zum Meer um und ging in die Knie, bis er wie ein Krebs auf dem Vorsprung hockte. Dann kletterte er nach unten. Das ging nur sehr langsam. Einige Steine waren zwischen Felsen eingekeilt und stabil wie Tritteisen im Rumpf eines Schlachtschiffs. Andere wurden nur durch die

Steine unter ihnen gehalten, und man merkte es erst, wenn man sein Gewicht darauf verlagerte.

Nach ungefähr zehn Minuten entdeckte Teddy eine von Chucks Luckies, zur Hälfte geraucht. Die schwarze Asche war kegelförmig abgebrannt wie die Spitze eines Tischlerbleistifts.

Warum war Chuck hinuntergestürzt? Der Wind hatte aufgefrischt, aber er war nicht stark genug, um einen erwachsenen Mann von einem Felsgrat zu wehen.

Teddy dachte an Chuck, der allein dort oben gesessen und seine letzte Zigarette geraucht hatte, er dachte an all die anderen, die ihm nahe gestanden hatten und gestorben waren, nur er, er sollte unbeirrt weitermachen. Dolores war tot. Sein Vater lag irgendwo auf dem Grunde dieses Meeres. Seine Mutter war gestorben, als er sechzehn war. Tootie Vicelli hatten sie auf Sizilien durch die Zähne geschossen. Er hatte Teddy verwundert angegrinst, als hätte er etwas geschluckt, dessen Geschmack ihn überraschte. Das Blut war ihm aus dem Mundwinkeln gelaufen. Martin Phelan, Jason Hill und der große polnische MG-Schütze aus Pittsburgh waren tot – wie hieß er doch gleich? – Yardak. Genau. Yardak Gilibiowski. Er dachte an den Blonden, der sie in Belgien zum Lachen gebracht hatte. Beinschuss, sah gar nicht so schlimm aus, aber dann hörte es nicht mehr auf zu bluten. Und natürlich an Frankie Gordon, den er an jenem Abend im Cocoanut Grove stehen gelassen hatte. Zwei Jahre später hatte Teddy Frankie eine Zigarette an den Helm geworfen und ihn eine beschränkte Arschgeige aus Iowa genannt, und Frankie hatte erwidert: »Ich hab noch keinen gekannt, der besser fluchen –« und war auf eine Mine getreten. Teddy hatte immer noch einen Teil des Schrapnells in der linken Wade.

Und jetzt Chuck.

Würde Teddy je erfahren, ob er ihm hätte vertrauen können? Ob er im Zweifel für den Angeklagten hätte entscheiden sollen? Chuck, der ihn zum Lachen gebracht hatte und mit dem der Großangriff auf sein Hirn in den letzten drei Tagen leichter zu ertragen gewesen war. Chuck, der noch an diesem Morgen gesagt hatte, sie bekämen Eier Benedikt zum Frühstück und dünnes Reuben-Sandwich zum Mittag.

Teddy schaute zum Rand des Felsgrats hinauf. Er schätzte, dass er die Hälfte hinter sich gebracht hatte. Der Himmel war bereits so blau wie das Meer und wurde immer dunkler.

Warum war Chuck vom Felsgrat gestürzt?

Auf keinen Fall aus Versehen.

Es sei denn, er hatte etwas verloren. Oder unten etwas entdeckt. Hatte, wie nun Teddy, versucht, vorsichtig die Klippe hinunterzuklettern, sich mit Händen und Füßen an Steine geklammert, die ihn dann doch nicht gehalten hatten.

Teddy blieb stehen und atmete tief durch. Schweiß rann ihm übers Gesicht. Vorsichtig löste er eine Hand vom Fels und wischte sie an der Hose ab. Jetzt fand sie besseren Halt. Als er sich mit der zweiten Hand an einem spitz vorspringenden Stein festhielt, entdeckte er das Papier.

Es war unter einer braunen Wurzel eingeklemmt und flatterte leicht im Wind. Teddy zog es heraus und wusste, ohne es auseinander zu falten, was es war.

Laeddis' Aufnahmeformular.

Teddy schob es in seine Gesäßtasche und erinnerte sich, wie locker es in Chucks Hose gesteckt hatte. Nun wusste er, warum Chuck hinuntergeklettert war.

Wegen dieses Zettels.

Wegen Teddy.

Die letzten sieben Meter bestanden aus Felsblöcken, riesigen, schwarzen, mit Seetang bewachsenen Findlingen. Teddy drehte sich zum Wasser um, sodass er sich mit den Armen im Rücken abstützen konnte. Er schob sich über die Findlinge hinweg und rutschte an ihnen hinunter. Ratten huschten in Felsspalten.

Als er den letzten Felsbrocken geschafft hatte, war er am Wasser. Sofort lief er zu Chuck. Aber da lag gar keine Leiche. Es war lediglich ein Stein, ausgebleicht von der Sonne und bedeckt von dicken schwarzen Algen.

Danke, wem auch immer. Chuck war nicht tot. Das hier war ein langer, schmaler, algenbewachsener Felsblock.

Teddy formte mit den Händen einen Trichter um den Mund und rief Chucks Namen die Klippe hinauf. Er rief immer wieder, seine Rufe schwebten hinaus aufs Meer, prallten von den Felswänden ab und wurden vom Wind fortgetragen. Er wartete, dass Chucks Kopf oben erschien.

Vielleicht hatte er Teddy unten suchen wollen. Oder er war jetzt gerade dort oben und machte sich für den Abstieg bereit.

Teddy rief, bis ihm der Hals weh tat.

Dann wartete er darauf, dass Chuck ihn rief. Mittlerweile war es zu dunkel, um oben den Grat der Klippe zu sehen. Teddy hörte den Wind. Er hörte die Ratten in den Felsspalten. Er hörte eine Möwe krächzen. Den Ozean rauschen. Kurz darauf ertönte das Nebelhorn von Boston Light.

Teddys Pupillen passten sich der Dunkelheit an, und plötzlich entdeckte er Augen, die ihn beobachteten. Dutzende. Auf den Felsen hockten Ratten und starrten ihn an, ohne jede Angst. Nachts war es ihr Strand, nicht seiner.

Doch Teddy hatte nur Angst vor dem Wasser. Nicht vor den Ratten. Diese dämlichen kleinen glitschigen Viecher. Notfalls konnte er sie erschießen. Mal sehen, wie viele dann noch frech waren, wenn erst mal ein paar Freunde in Fetzen gerissen wurden.

Nur hatte er keine Waffe dabei, und die Zahl der Ratten verdoppelte sich schon beim bloßen Zusehen. Die langen Schwänze peitschten auf die Steine. Teddy spürte das Wasser an den Fersen und merkte, dass alle Augen auf ihn gerichtet waren, und auch wenn er keine Angst hatte, machte sich nun doch ein Kribbeln an der Wirbelsäule bemerkbar, ein juckendes Gefühl an den Knöcheln.

Er begann, langsam am Ufer entlangzugehen. Es waren Hunderte von Ratten, die im Mondlicht die Felsen einnahmen wie Seehunde bei Sonne. Sie hüpften von den Steinen in den Sand, wo er noch gerade gestanden hatte. Er sah sich um. Was war von der kleinen Ecke noch übrig?

Nicht viel. Ungefähr dreißig Meter weiter ragte eine zweite Klippe ins Wasser und schnitt ihm den Weg ab. Rechts davon, draußen auf dem Meer, sah Teddy eine Insel, von deren Existenz er nichts gewusst hatte. Sie lag im Mondschein wie ein Stück braune Seife und sah aus, als würde sie jeden Moment fortgespült. Am ersten Tag war er mit McPherson oben auf den Klippen gewesen. Er hatte keine Insel gesehen. Das wusste er genau.

Wo also kam die verfluchte Insel her?

Jetzt konnte er die Ratten sogar hören, sie kämpften miteinander. Die meisten klickerten mit den Pfoten über die Felsen und quiekten sich an. Das Jucken an Teddys Knöcheln breitete sich bis zu seinen Knien und Oberschenkeln aus.

Er warf einen Blick zurück auf die Stelle, wo er noch kurz zuvor gestanden hatte. Der Sand war vor Tieren nicht mehr zu sehen.

Dankbar für den hell leuchtenden Mond und die zahllosen Sterne, schaute er die Klippe hinauf. Da fiel ihm eine Farbe auf, genauso störend wie die Insel, die vor zwei Tagen noch nicht da gewesen war.

Ein orangefarbener Fleck. Auf halber Höhe der größeren Klippe. Orange. In einem schwarzen Felsen. In der Dämmerung.

Teddy starrte hinauf: Der Fleck flackerte, wurde schwächer und glühte wieder auf, unaufhörlich. Er pulsierte richtiggehend.

Wie eine Flamme.

Eine Höhle, erkannte er. Oder wenigstens eine größere Felsspalte. Da war jemand. Chuck. Es musste Chuck sein. Vielleicht war er dem Zettel hinterhergeklettert. Möglicherweise hatte er sich verletzt und war nicht bis ganz nach unten gelangt, sondern wieder hochgestiegen.

Teddy nahm den Hut vom Kopf und steuerte auf den

nächsten Findling zu. Fünf, sechs Augenpaare beobachteten ihn. Er schlug mit dem Hut nach den Ratten, sie zuckten zusammen und huschten mit ihren hässlichen Leibern vom Stein. Schnell stieg Teddy hinauf und trat nach den Tieren auf dem nächsten Block. Sie machten ihm Platz, und er mühte sich hoch, sprang von einem Findling zum nächsten. Auf den letzten hockten keine Tiere mehr. Schon erklomm er die Klippe. Seine Hände bluteten noch vom Abstieg.

Dennoch ging es an dieser Stelle besser. Sie war höher und deutlich breiter als die andere, stieg aber weniger steil an und bot mehr hervortretende Steine zum Festhalten.

Im Mondlicht brauchte er anderthalb Stunden. Die Sterne beobachteten ihn wie zuvor die Ratten, und beim Klettern kam ihm Dolores abhanden. Er konnte sie sich nicht mehr vorstellen, weder ihr Gesicht noch ihre Hände noch ihren breiten Mund. Seit ihrem Tod hatte er ihren Verlust nicht derart heftig empfunden. Er wusste zwar, dass es an der körperlichen Anstrengung, dem Schlafmangel und dem Hunger lag, aber dass sie ihm entglitten war, ließ sich nicht leugnen. Beim Klettern im Mondlicht hatte er sie verloren.

Aber er konnte sie hören. Auch wenn ihr Bild verschwunden war, hören konnte er sie noch. Sie sagte: Weiter, Teddy. Weiter. Du kannst wieder leben.

Mehr steckte nicht dahinter? Nachdem er zwei Jahre lang wie gegen die Strömung geschwommen war, seine Pistole am anderen Ende des Wohnzimmertisches angestarrt hatte, während im Dunkeln Tommy Dorsey und Duke Ellington spielten, nachdem er zwei Jahre lang überzeugt gewesen war, keinen einzigen Schritt mehr in dieses Drecksloch von Leben zu machen, nachdem er sie so vermisst hatte, dass er aus Sehnsucht nach ihr mit den Zähnen geknirscht hatte, bis die Spitze eines Schneidezahns abgebrochen war – konnte nach alldem gerade dies nun der Augenblick sein, in dem er sie ad acta legte?

Ich habe dich nicht erträumt, Dolores. Das weiß ich genau. Aber im Moment fühlt es sich so an.

Und das soll es auch, Teddy. Das ist richtig. Lass mich gehen.

Ja?

Ja, mein Schatz.

Ich versuch's. In Ordnung?

Gut.

Vor Teddy flackerte das orangefarbene Licht. Er spürte die Hitze, ganz schwach, aber unverkennbar. Er griff in den Höhleneingang, das Licht fiel ihm auf die Hände. Er zog sich hoch und robbte auf Ellenbogen hinein. Raue Wände warfen den Feuerschein zurück. Teddy stand auf. Die Höhlendecke war nur wenige Zentimeter über seinem Kopf. Der Gang bog nach rechts, er folgte ihm und entdeckte einen brennenden Holzhaufen in einem kleinen Loch im Boden. Dahinter stand eine Frau, die Hände auf dem Rücken, und sagte: »Wer sind Sie?«

»Teddy Daniels.«

Die Frau hatte langes Haar und trug das hellrosa Hemd, die Gummizughose und Pantoffeln der Patienten.

»So heißen Sie«, sagte sie. »Aber was ist Ihr Beruf?«

»Ich bin bei der Polizei.«

Sie neigte den Kopf. Ihr Haar wurde von den ersten grauen Strähnen durchzogen. »Sie sind der Marshal.«

Teddy nickte. »Könnten Sie die Hände hinter dem Rücken hervornehmen?«

»Warum?«, fragte sie.

»Weil ich gerne wüsste, was Sie in der Hand halten.«

»Warum?«

»Weil ich gerne wüsste, ob Sie mich damit verletzen können.«

Sie musste grinsen. »Ist wohl nur gerecht.«

»Ich danke Ihnen.«

Sie nahm die Hände hinter dem Rücken hervor. In einer hielt sie ein langes, dünnes Chirurgenskalpell. »Ich behalte es in der Hand, wenn es Ihnen nichts ausmacht.«

»Von mir aus«, sagte Teddy.

»Wissen Sie, wer ich bin?«

»Eine Patientin von Ashecliffe«, sagte Teddy.

Wieder legte sie den Kopf schräg und zupfte an ihrem Kittel. »Oh. Wodurch habe ich mich verraten?«

»Na gut. Sie haben Recht.«

»Sind alle Marshals so scharfsinnig?«

»Ich habe seit Ewigkeiten nichts gegessen. Bin etwas langsamer als sonst.«

»Viel geschlafen?«

»Bitte?«

»Seit Sie auf der Insel sind, haben Sie da viel geschlafen?«

»Nicht sehr gut, falls das was zu bedeuten hat.«

»Oh, allerdings.« Sie zog die Hose an den Oberschenkeln hoch und hockte sich auf den Boden. Mit einem Wink lud sie ihn ein, es ihr nachzutun.

Teddy kauerte sich hin und schaute sie durchs Feuer hindurch an.

»Sie sind Rachel Solando«, sagte er. »Die echte.«

Sie zuckte mit den Schultern.

»Haben Sie Ihre Kinder getötet?«, fragte er.

Sie stocherte mit dem Skalpell in einem Holzscheit. »Hab nie Kinder gehabt.«

»Nein?«

»Nein. Ich bin nie verheiratet gewesen. Ich war hier, und das wird Sie erstaunen, mehr als nur eine Patientin.«

»Wie soll man hier mehr als nur eine Patientin sein?«

Sie stocherte im nächsten Holzscheit, das mit einem Knirschen zusammensackte. Funken stoben empor und erstarben kurz unter der Decke.

»Ich habe in der Klinik gearbeitet«, sagte sie. »Seit kurz nach dem Krieg.«

»Sind Sie Krankenschwester?«

Sie sah ihm übers Feuer hinweg in die Augen. »Ich war Ärztin, Marshal. Die erste Ärztin am Drummond Hospital in Delaware. Die erste hier in Ashecliffe. Sie haben eine echte Pionierin vor sich.«

Oder eine Irre mit Wahnvorstellungen, dachte Teddy.

Ihr Blick war freundlich, argwöhnisch und wissend zugleich. »Sie glauben, ich bin verrückt«, sagte sie.

»Nein.«

»Was sollen Sie schon denken, wenn Sie eine Frau treffen, die sich in einer Höhle versteckt?«

»Ich habe angenommen, dass es einen Grund dafür gibt.«

Sie lächelte düster und schüttelte den Kopf. »Ich bin nicht verrückt. Wirklich nicht. Aber genau das würde ein Verrückter auch behaupten. Das ist das Kafkaeske an der Situation. Wenn andere überall herumerzählen, dass man verrückt ist, obwohl es nicht stimmt, dann untermauern alle Beteuerungen des Gegenteils nur diese Behauptung. Verstehen Sie, was ich meine?«

»Denke schon«, entgegnete Teddy.

»Betrachten Sie es als Syllogismus. Sagen wir, der Syllogismus beginnt mit der Aussage: Geisteskranke leugnen ihre Krankheit. Können Sie mir folgen?«

»Sicher«, sagte Teddy.

»Gut, jetzt der zweite Teil: Bob leugnet, dass er geisteskrank ist. Der dritte Teil, die Schlussfolgerung: Bob ist geisteskrank.« Sie legte das Skalpell zur Seite und stocherte mit einem Stock im Feuer herum. »Wenn Sie für geisteskrank gehalten werden, dann passt alles, das sonst Ihre geistige Gesundheit demonstrieren würde, plötzlich in das Schema geisteskranken Verhaltens. Ihr berechtigter Protest gilt plötzlich als Verdrängung. Ihre verständlichen Ängste werden als Paranoia bewertet. Ihr Überlebensinstinkt wird als Abwehrmechanismus interpretiert. Es ist eine ausweglose Situation. Genau genommen, ist es das Todesurteil. Wer einmal hier ist, kommt nicht mehr heraus. Niemand kann Station C verlassen. Niemand. Gut, ein paar schon, das gebe ich zu. Ein paar sind wieder rausgekommen. Aber die sind vorher operiert worden. Am Gehirn. Schlitz – durchs Auge in den Kopf. Diese Technik ist barbarisch, skrupellos, und das habe ich laut gesagt. Ich habe dagegen gekämpft. Habe

Briefe geschrieben. Und sie hätten mich loswerden können, wirklich. Sie hätten mir kündigen oder mich rauswerfen können, dann hätte ich in einem anderen Staat unterrichtet oder sogar als Ärztin praktiziert, aber das hat ihnen nicht gereicht. Sie konnten mich nicht gehen lassen, das war schlicht unmöglich. Nein!«

Sie hatte sich in ihre Erregung hineingesteigert, stocherte wieder im Feuer, sprach eher mit ihren Knien als mit Teddy.

»Sie sind wirklich einmal Ärztin gewesen?«, fragte Teddy.

»Allerdings. Ich war Ärztin.« Sie sah Teddy an. »Genau genommen, bin ich es immer noch. Und ich habe hier gearbeitet. Dann hab ich angefangen, bei großen Lieferungen von Sodium-Amytal und Halluzinogenen auf Opiumbasis genauer hinzusehen. Ich fing an, chirurgische Eingriffe in Frage zu stellen, die mir, vorsichtig ausgedrückt, höchst fragwürdig erschienen – unglücklicherweise fragte ich laut.«

»Was führen die hier im Schilde?«, wollte Teddy wissen.

Sie grinste ihn schief an, gleichzeitig schürzte sie die Lippen. »Haben Sie keine Idee?«

»Ich weiß, dass sie den Nürnberger Code missachten.«

»Missachten? Der ist hier schlichtweg inexistent.«

»Ich weiß, dass hier radikale Behandlungsmethoden angewandt werden.«

»Radikal ja, Behandlungsmethoden nein. Hier wird nicht behandelt, Marshal. Wissen Sie, woher das Geld für dieses Krankenhaus stammt?«

Teddy nickte. »Vom Komitee für unamerikanische Aktivitäten.«

»Von den Schmiergeldern ganz zu schweigen«, sagte sie. »Hier fließt genug Geld rein. Und nun sagen Sie mir, wo entsteht Schmerz?«

»Kommt drauf an, wo man sich verletzt.«

»Nein.« Nachdrücklich schüttelte sie den Kopf. »Mit dem Körper hat das nichts zu tun. Das Gehirn schickt Neurotransmitter durch das Nervensystem. Schmerz entsteht im Gehirn«, erklärte sie. »Angst entsteht im Gehirn. Schlaf.

Mitleid. Hunger. All das, was wir dem Herzen, der Seele oder dem Nervensystem zuschreiben, entsteht letztlich im Gehirn. Alles.«

»Na gut ...«

Ihre Augen blitzten im Schein des Feuers. »Was wäre, wenn man es beherrschen könnte?«

»Das Gehirn?«

Sie nickte. »Einen Menschen erschaffen, der keinen Schlaf mehr braucht, der keinen Schmerz, keine Liebe, keine Zuneigung empfindet. Einen Menschen, den man nicht verhören kann, weil er keine Erinnerung besitzt.« Sie stocherte im Feuer und sah zu Teddy auf. »Hier werden Geister erschaffen, Marshal. Geister, die in die Welt hinausgeschickt werden sollen, um ihren geisterhaften Auftrag auszuführen.«

»Aber bis es so weit ist, bis man so was kann, das ist doch –«

»Zukunftsmusik«, gab sie zu. »Stimmt. Es ist eine jahrzehntelange Entwicklung. Der Ausgangspunkt ist ungefähr derselbe wie in der Sowjetunion: Gehirnwäsche. Deprivationsexperimente. So ähnlich wie die Experimente der Nazis mit den Juden, um die Auswirkungen von extremer Hitze und Kälte zu untersuchen. Die Ergebnisse sollten den Soldaten zugute kommen. Verstehen Sie das nicht, Marshal? In fünfzig Jahren werden die Eingeweihten zurückblicken und sagen, ›Hier‹«, sie pochte mit dem Zeigefinger auf den Boden, »›hier hat alles angefangen. Die Nazis haben Juden benutzt. Die Sowjets haben die Gefangenen aus den Gulags genommen. Und hier, in Amerika, haben wir Patienten auf Shutter Island behandelt.‹«

Teddy sagte nichts. Ihm fiel nichts ein.

Sie blickte wieder ins Feuer. »Man wird Sie nicht mehr gehen lassen. Das ist Ihnen doch klar, oder?«

»Ich bin ein Marshal der Bundesregierung«, sagte Teddy. »Wie sollen die mich bitte aufhalten können?«

Das rief bei ihr ein schadenfrohes Lächeln hervor. Sie klatschte in die Hände. »Ich war eine angesehene Psychiaterin aus einer geachteten Familie. Früher dachte ich, das würde reichen. Ich sage es Ihnen nicht gerne, aber es hat nicht gereicht. Darf ich Sie fragen, ob es in Ihrem Leben irgendwelche Traumata gibt?«

»Wer hat die nicht?«

»Aha. Gut. Aber wir sprechen hier nicht über die Allgemeinheit oder andere Menschen. Wir sprechen von Einzelpersonen. Von Ihnen. Haben Sie psychologische Schwächen, die man ausnutzen könnte? Gibt es Ereignisse in Ihrer Vergangenheit, die als auslösende Faktoren einer Geisteskrankheit interpretiert werden könnten? Sodass Ihre Freunde und Kollegen, wenn Sie hier eingewiesen werden, und glauben Sie mir, dazu wird es kommen, sagen: ›Na klar. Er konnte einfach nicht mehr. Irgendwann war Schluss. Kann man doch verstehen. Erst der Krieg. Und dann die Sache mit seiner Mutter – oder mit wem auch immer – dieses furchtbare Ende.‹ Ja, gibt es so was bei Ihnen?«

»Das könnte man von jedem behaupten«, sagte Teddy.

»Nun, darum geht's ja gerade. Verstehen Sie das nicht? Natürlich könnte man das von jedem behaupten, aber man wird es von Ihnen behaupten. Wie steht's mit Ihrem Kopf?«

»Meinem Kopf?«

Sie kaute auf der Unterlippe und nickte mehrmals. »Das runde Ding auf Ihrem Hals, ja. Wie geht's dem? In letzter Zeit seltsame Träume?«

»Allerdings.«

»Kopfschmerzen?«

»Ich habe öfter Migräne.«

»O Gott. Bloß das nicht.«

»Doch.«

»Haben Sie Tabletten genommen, seit Sie hier sind, auch wenn es nur Aspirin war?«

»Ja.«

»Fühlen Sie sich vielleicht ein wenig angeschlagen? Als seien Sie nicht ganz der Alte? Ach, nichts Besonderes, werden Sie sagen, ich fühle mich nur ein bisschen durch die

Mangel gedreht. Möglich, dass Ihr Kopf nicht ganz so schnell arbeitet wie sonst. Aber Sie haben nicht gut geschlafen in den letzten Tagen, haben Sie eben gesagt. Ein anderes Bett, ein anderer Ort, der Sturm. Das reden Sie sich ein. Stimmt's?«

Teddy nickte.

»Ich nehme an, Sie haben in der Kantine gegessen. Den Kaffee getrunken, den man Ihnen angeboten hat. Sagen Sie mir wenigstens, dass Sie Ihre eigenen Zigaretten geraucht haben.«

»Die von meinem Kollegen«, gab Teddy zu.

»Von den Ärzten oder Pflegern haben Sie keine bekommen?«

Teddy fühlte die Zigaretten, die er abends beim Pokern gewonnen hatte, in der Hemdtasche. Ihm fiel ein, dass er am Tag ihrer Ankunft eine von Cawley angenommen und der Tabak süß geschmeckt hatte.

Sie las die Antwort in seinem Gesicht.

»Es dauert durchschnittlich drei, vier Tage, bis neuroleptische Narkotika eine wirksame Konzentration im Blut erreichen. In der Zeit bemerkt man ihre Wirkung kaum. Manche Patienten haben Anfälle. Diese Anfälle werden häufig als Migräne fehlinterpretiert, besonders wenn der Patient schon vorher an Migräne litt. Jedenfalls sind diese Anfälle selten. Meistens ist lediglich feststellbar, dass der Patient –«

»Nennen Sie mich nicht Patient.«

»– intensiver und länger träumt als sonst. Oft sind die Träume miteinander verbunden, der eine trägt den nächsten huckepack, bis sie Ihnen vorkommen, als hätte Picasso einen Roman geschrieben. Weiterhin kann man feststellen, dass sich der Patient ein wenig, sagen wir, vernebelt fühlt. Seine Gedankengänge sind schlechter nachvollziehbar. Aber er hat ja nicht gut geschlafen, Sie wissen schon, die ganzen Träume, da kann man ihm wohl nachsehen, dass er ein bisschen träge ist. Und noch etwas, Marshal, ich habe nicht Sie gemeint, als ich von Patienten sprach. Noch nicht. Das war allgemein gesagt.«

»Wenn ich von jetzt an kein Essen, keinen Kaffee, keine Zigaretten und Tabletten mehr annehme, wie viel Schaden ist bereits entstanden?«

Sie schob sich das Haar aus dem Gesicht und drehte es im Nacken zu einem Knoten. »Ein ziemlich großer, leider.«

»Angenommen, ich kann die Insel erst morgen verlassen. Angenommen, die Medikamente beginnen zu wirken. Woran merke ich das?«

»Die auffälligsten Indikatoren sind ein trockener Mund, der paradoxerweise mit übermäßigem Speichelfluss einhergeht und, ach ja, Lähmungserscheinungen. Sie werden anfangen, geringfügig zu zittern. Es beginnt an der Daumenwurzel, greift für eine Weile auf den Daumen über und bemächtigt sich dann der ganzen Hand.«

Bemächtigt sich.

»Was noch?«, fragte Teddy.

»Lichtempfindlichkeit, linksseitige Kopfschmerzen, Artikulationsschwierigkeiten. Sie werden anfangen zu stottern.«

Teddy hörte den Ozean, die hereinbrechende Flut gegen die Felsen schlagen.

»Was geht im Leuchtturm vor?«, fragte er.

Sie schlang die Arme um sich und beugte sich zum Feuer vor. »Da wird operiert.«

»Operiert? Das kann man doch im Krankenhaus machen.«

»Sie operieren am Gehirn.«

»Das geht auch im Krankenhaus«, erwiderte Teddy.

Sie starrte in die Flammen. »Das sind Experimente, keine Operationen. Nicht die von der Sorte ›Klappen wir den Schädel auf und reparieren das‹. Nein, nein. Was im Leuchtturm gemacht wird, heißt: ›Klappen wir den Schädel auf und gucken mal, was passiert, wenn wir an dieser Strippe ziehen‹. Das ist die illegale Version, Marshal. Die von den Nazis.« Sie lächelte ihn an. »Im Leuchtturm versuchen sie, ihre Geister zusammenzubasteln.«

»Wer weiß darüber Bescheid? Auf dieser Insel, meine ich.«

»Über den Leuchtturm?«

»Ja, über den Leuchtturm.«

»Jeder.«

»Ich bitte Sie. Die Pfleger, die Schwestern?«

Über das Feuer hinweg hielt sie Teddys Blick stand, ihre Augen waren ruhig und klar.

»Jeder«, wiederholte sie.

Er konnte sich nicht erinnern, eingenickt zu sein, doch er musste geschlafen haben, denn sie rüttelte ihn wach.

»Sie müssen gehen«, sagte sie. »Die glauben, dass ich tot bin. Dass ich ertrunken bin. Wenn die sich auf die Suche nach Ihnen machen, dann finden sie mich auch. Tut mir Leid, aber Sie müssen gehen.«

Er erhob sich und rieb sich die Wangen.

»Es gibt eine Straße«, sagte sie. »Wenn Sie oben auf dem Felsgrat nach Osten gehen. Folgen Sie der Straße nach Westen. Nach ungefähr einer Stunde kommen Sie hinter dem alten Kommandeurssitz raus.«

»Sind Sie Rachel Solando?«, fragte er. »Ich weiß, dass die, die ich kennen gelernt habe, nicht echt war.«

»Woher wissen Sie das?«

Teddy dachte an seine Daumen in der vergangenen Nacht. Er hatte seine Finger betrachtet, als er ins Bett gebracht worden war. Als er aufwachte, waren sie sauber gewesen. Schuhcreme, hatte er gedacht, aber dann fiel ihm wieder ein, dass er Rachel berührt hatte …

»Sie hatte das Haar gefärbt. Frisch gefärbt«, erklärte er.

»Sie müssen jetzt gehen.« Sanft drehte die Frau Teddys Schultern in Richtung Höhlenöffnung.

»Falls ich zurückkommen muss …«, sagte er.

»Dann bin ich nicht mehr da. Ich wechsle tagsüber mein Versteck. Jeden Abend ein neuer Platz.«

»Aber ich könnte Sie holen, Sie von hier fortbringen.«

Sie lächelte ihn traurig an und strich das Haar an seinen Schläfen nach hinten. »Sie haben kein Wort von dem verstanden, was ich gesagt habe, nicht wahr?«

»Doch.«

»Sie kommen nie mehr fort von hier. Sie sind jetzt einer von uns.« Sie drückte ihm gegen die Schulter, schob ihn auf den Ausgang zu.

Am Höhleneingang blieb Teddy stehen und sagte: »Ich hatte einen Freund. Heute Abend waren wir zusammen unterwegs, aber dann wurden wir getrennt. Haben Sie ihn gesehen?«

Wieder lächelte sie ihn traurig an.

»Marshal«, sagte sie, »Sie haben keinen Freund.«

18

ALS ER CAWLEYS Haus von hinten sah, konnte er kaum noch gehen.

Er bog um das Haus herum und schleppte sich die Straße hinauf zum Haupttor. Er hatte das Gefühl, die Entfernung hätte sich seit dem Vormittag vervierfacht. Neben ihm trat ein Mann aus der Dunkelheit, schob Teddy den Arm unter und sagte: »Wir haben uns schon gefragt, wann Sie wieder auftauchen.«

Der Direktor.

Seine Haut war so weiß wie Kerzenwachs, so glatt, als sei sie lackiert, und etwas durchscheinend. Die Fingernägel des Direktors, bemerkte Teddy, waren sorgfältig gefeilt und weiß wie seine Haut. Noch ein wenig länger, und sie hätten sich gebogen. Aber das Erschütterndste an ihm waren die Augen. Ein seidiges Blau voll sonderbarer Verwunderung. Die Augen eines Babys.

»Freut mich, dass ich Sie endlich kennen lerne, Direktor. Wie geht's?«

»Och«, sagte der Mann, »mir geht's sehr gut. Und Ihnen?«

»Ging mir noch nie besser.«

Der Direktor drückte Teddys Arm. »Freut mich zu hören. Haben wir uns einen kleinen Spaziergang gegönnt, ja?«

»Na ja, da die Patientin gefunden wurde, dachte ich, ich könnte mal die Insel erkunden.«

»Das hat bestimmt Spaß gemacht.«

»Auf jeden Fall.«

»Wunderbar. Haben Sie die Ureinwohner gesehen?«

Kurz stutzte Teddy. Sein Kopf summte unablässig. Er konnte sich kaum noch auf den Beinen halten.

»Ach, die Ratten«, sagte er.

Der Direktor klopfte ihm auf den Rücken. »Genau, die Ratten! Sie haben so etwas Königliches, finden Sie nicht?«

Teddy sah den Mann an und sagte: »Das sind Ratten.«

»Tiere, ja. Ich weiß. Aber wie sie auf den Hinterbeinen sitzen und einen anstarren, wenn sie meinen, in sicherer Entfernung zu sein, und wie schnell sie huschen, hinein ins Loch oder heraus, dass man gar nicht so schnell gucken kann ...« Der Direktor schaute hinauf zu den Sternen. »Gut, vielleicht ist *königlich* das falsche Wort. Wie wär's mit nützlich? Es sind ausgesprochen nützliche Tiere.«

Sie standen vor dem Haupttor. Der Direktor hielt Teddys Arm noch immer umfasst und drehte sich nun mit ihm, sodass sie zurück auf Cawleys Haus und das Meer dahinter schauten.

»Haben Sie Gottes letztes Geschenk genossen?«, fragte der Direktor.

Teddy sah den Mann an und ahnte Wahnsinn in dessen vollkommenen Augen. »Wie bitte?«

»Gottes Geschenk«, erklärte der Direktor und wies mit schwungvoller Armbewegung auf die zerstörte Landschaft. »Seine Gewalt. Als ich in meinem Haus nach unten ging und den Baum im Wohnzimmer sah, da griff etwas nach mir wie eine göttliche Hand. Natürlich nicht wirklich, aber in übertragenem Sinne. Gott liebt Gewalt. Das verstehen Sie doch, oder?«

»Nein«, sagte Teddy. »Das verstehe ich nicht.«

Der Direktor ging einige Schritte weiter und drehte sich zu Teddy um. »Warum sollte es sonst so viel Gewalt geben? Sie ist in uns. Sie kommt aus uns. Sie ist unwillkürlicher als das Atmen. Wir führen Krieg. Wir verbrennen Rauchopfer. Wir zerreißen unsere Brüder und plündern. Weite Felder füllen wir mit unseren stinkenden Toten. Und warum? Um ihm zu zeigen, dass wir von seinem Vorbild gelernt haben.«

Der Mann strich über den Einband des kleinen Buches, das er gegen seinen Bauch drückte.

Er grinste, und seine Zähne waren gelb.

»Gott schenkt uns Erdbeben, Orkane, Tornados. Er schenkt uns Berge, die Feuer auf unsere Köpfe regnen lassen. Ozeane, die Schiffe verschlucken. Er schenkt uns die Natur, und sie tötet lächelnd. Er schenkt uns Krankheiten, damit wir im Sterben glauben, er hat uns die Körperöffnungen nur geschenkt, damit wir spüren können, wie unser Leben aus uns hinausblutet. Er hat uns Lust, Wut und Gier und unsere verkommenen Herzen geschenkt. Damit wir zu seinen Ehren Gewalt anwenden. Es gibt keinen anderen moralischen Imperativ, der so pur ist wie der Sturm, den wir gerade erlebt haben. Es gibt überhaupt keine moralischen Grundsätze. Es geht nur um eine Frage: Habe ich mehr Gewalt oder du?«

Teddy sagte: »Ich weiß nicht genau, ob –«

»Und?« Der Direktor trat an Teddy heran, und Teddy roch seinen schlechten Atem.

»Und was?«, fragte Teddy.

»Habe ich mehr Gewalt oder Sie?«

»Ich bin nicht gewalttätig«, entgegnete Teddy.

Der Direktor spuckte auf den Boden. »Sie sind so gewalttätig wie nötig. Das weiß ich, denn ich bin auch so gewalttätig wie nötig. Machen Sie sich nichts vor, verleugnen Sie nicht Ihre eigene Blutrünstigkeit, mein Sohn. Machen Sie mir nichts vor. Wenn die Zwänge der Gesellschaft abgelegt würden, und nur ich stünde zwischen Ihnen und der nächsten Mahlzeit, dann würden Sie mir mit einem Stein den Schädel einschlagen und mich verspeisen.« Er beugte sich vor. »Wenn ich meine Zähne jetzt in Ihr Auge schlagen würde, könnten Sie mich aufhalten, ehe Sie blind wären?«

Teddy sah die Freude in den Kinderaugen. Er stellte sich das schwarze Herz dieses Mannes vor, das in seinem Brustkorb pochte.

»Versuchen Sie's doch«, sagte Teddy.

»So lob ich es mir«, flüsterte der Direktor.

Teddy stellte sich breitbeinig hin, das Blut rauschte ihm durch die Arme.

»Ja, ja«, flüsterte der Direktor. »Zum Freunde wurd' die Kette mir.«

»Was?« Teddy merkte, dass auch er wisperte. In seinem Körper vibrierte ein sonderbares Summen.

»Das ist von Byron«, erklärte der Direktor. »Die Zeile werden Sie nicht vergessen, was?«

Teddy lächelte, und der Mann trat einen Schritt zurück. »Sie sind wirklich einzigartig, Direktor, nicht wahr?«

Ein schmales Lächeln, wie das von Teddy.

»Er findet es in Ordnung.«

»Was ist in Ordnung?«

»Was Sie hier machen. Ihr kleines Endspiel. Er hält es für relativ harmlos. Ich dagegen nicht.«

»Nein?«

»Nein.« Der Direktor ließ den Arm sinken und ging ein paar Schritte weiter. Er verschränkte die Arme auf dem Rücken und drückte das Buch gegen das Gesäß. Dann drehte er sich um, spreizte die Beine wie beim Militär und schaute Teddy streng an. »Sie haben gesagt, Sie hätten einen Spaziergang gemacht, aber ich weiß es besser. Ich kenne Sie, mein Sohn.«

»Wir haben uns gerade erst kennen gelernt«, widersprach Teddy.

Der Direktor schüttelte den Kopf. »Unser Schlag kennt sich seit Jahrhunderten. Ich kenne Sie bis ins Mark. Und ich finde Sie jämmerlich. Wirklich.« Er schürzte die Lippen und betrachtete seine Schuhe. »Das ist schon in Ordnung. Jämmerlich für einen Mann, aber in Ordnung, weil es keine Auswirkung auf mich hat. Aber ich halte Sie auch für gefährlich.«

»Jeder Mensch hat das Recht auf eine eigene Meinung«, sagte Teddy.

Der Direktor wurde rot im Gesicht. »Nein, hat er nicht. Menschen sind dumm. Sie essen, trinken, sondern Gase ab, huren herum und zeugen Kinder, und letzteres ist besonders bedauernswert, weil die Welt deutlich besser wäre, wenn es weniger Menschen gäbe. Zurückgebliebene, Lumpengesindel, Verrückte, Menschen ohne Moral – das bringen wir hervor. Damit beschmutzen wir die Erde. Im Süden versuchen sie jetzt, die Nigger in der Spur zu halten. Aber ich will Ihnen was sagen, ich bin eine Zeit lang im Süden gewesen, und da unten sind alle Nigger, mein Sohn. Weiße Nigger, schwarze Nigger, Frauennigger. Überall Nigger, genauso überflüssig wie zweibeinige Hunde. So ein Hund kann wenigstens noch hin und wieder eine Spur erschnüffeln. Sie sind ein Nigger, mein Sohn. Sie sind von niederem Schlag. Ich kann es riechen.«

Die Stimme des Direktors war nun überraschend hell, fast weiblich.

»Na«, sagte Teddy, »ab morgen brauchen Sie sich ja nicht mehr mit mir herumzuschlagen, nicht wahr?«

Der Direktor grinste. »Nein, mein Sohn.«

»Dann sind Sie und die Insel mich los.«

Der Direktor machte zwei Schritte auf Teddy zu, sein Lächeln verschwand. Mit seinen Säuglingsaugen hielt er Teddys Blick stand.

»Sie werden nirgendwohin gehen, mein Sohn.«

279

»Da bin ich anderer Meinung.«

»Meinetwegen.« Der Direktor beugte sich vor und schnupperte erst an Teddys linkem, dann an seinem rechten Ohr.

»Und? Gibt's da was zu riechen?«, fragte Teddy.

»Hm, ja.« Der Direktor lehnte sich zurück. »Riecht mir nach Angst, mein Sohn.«

»Dann möchten Sie sich jetzt wahrscheinlich duschen«, sagte Teddy. »Die Scheiße abwaschen.«

Eine Weile sprach keiner der beiden, dann sagte der Direktor: »Denk an die Ketten, Nigger. Das sind deine Freunde. Du sollst wissen, dass ich mich schon sehr auf unseren letzten Tanz freue. Ah«, machte er, »was wird das für ein Blutbad geben.«

Damit ging er auf sein Haus zu.

Das Pflegerwohnheim war leer. Nicht eine Menschenseele da. Teddy ging hoch zu seinem Zimmer und hängte den Regenmantel in den Wandschrank. Er suchte nach Hinweisen, dass Chuck zurückgekommen war, fand aber keine.

Er überlegte, ob er sich aufs Bett setzen sollte, wusste aber, dass er sofort einschlafen und wohl nicht vor dem nächsten Morgen aufwachen würde. Stattdessen ging er nach unten in den Waschraum, spritzte sich kaltes Wasser ins Gesicht und kämmte die kurzen Haare mit einem nassen Kamm nach hinten. Die Knochen taten ihm weh, sein Blut floss so zäh wie Malzmilch, die Augen lagen tief in den Höhlen und waren rot umrandet. Seine Haut war grau. Er spritzte sich noch mehrmals kaltes Wasser ins Gesicht, dann trocknete er sich ab und begab sich nach draußen auf den Hof.

Niemand da.

Es wurde tatsächlich langsam wärmer, die Luft war schwül und stickig, Grillen und Zikaden hatten ihre Stimmen wiedergefunden. Teddy schlenderte in der Hoffnung umher, dass Chuck vor ihm eingetroffen war und nun dasselbe tat: herumlaufen, bis er auf Teddy stieß.

Am Tor stand der Wachmann, und in den Zimmern brannte Licht, aber es war niemand zu sehen. Teddy schlenderte zum Krankenhaus hinüber, stieg die Stufen hoch und zog an der Tür. Sie war verschlossen. Teddy hörte Türangeln quietschen und sah, dass der Wärter durch das Haupttor nach draußen gegangen war, um sich zu seinem Kollegen auf der anderen Seite zu gesellen. Das Tor schlug wieder zu, und Teddy hörte, wie sich die Schritte des Wärters entfernten.

Kurz setzte sich Teddy auf die Treppe. So viel zu Noyces Theorie. Im Moment war er ohne jeden Zweifel völlig allein. Eingesperrt, ja. Aber, soweit er wusste, auch unbeobachtet.

Er ging zur Rückfront des Krankenhauses und freute sich, einen Pfleger auf dem hinteren Treppenabsatz sitzen und eine Zigarette rauchen zu sehen.

Teddy steuerte auf ihn zu, und der junge Mann, ein schlanker, athletischer Schwarzer, schaute auf. Teddy zog eine Zigarette aus der Tasche und sagte: »Feuer?«

»Klar.«

Teddy beugte sich vor, der Pfleger gab ihm Feuer, Teddy lächelte dankend, lehnte sich zurück und dachte an das, was die Frau ihm über das Rauchen der Zigaretten gesagt hatte. Langsam blies er den Qualm aus, ohne zu inhalieren.

»Wie geht's denn so heute Abend?«, fragte er.

»Ganz gut. Und bei dir?«

»Auch gut. Wo sind die eigentlich alle?«

Der junge Mann wies mit dem Daumen hinter sich. »Da drin. Irgend so 'ne wichtige Besprechung. Keine Ahnung, um was es geht.«

»Alle Ärzte und Krankenschwestern?«

Der junge Mann nickte. »Sogar ein paar Patienten. Die meisten Pfleger sind auch dabei. Ich muss an der Tür hier bleiben, weil der Riegel nicht richtig funktioniert. Aber ansonsten: Ja, sind alle drin.«

Teddy zog an der Zigarette und hoffte, der Pfleger würde

281

nicht bemerken, dass er nur paffte. Er überlegte, ob er ganz frech die Treppe hochsteigen sollte, in der Hoffnung, dass der junge Schwarze ihn ebenfalls für einen Pfleger hielt, möglicherweise von Station C.

Dann sah er durch die Glasscheibe hinter dem jungen Mann, dass sich der Gang mit Menschen füllte, die zum Ausgang strebten.

Er bedankte sich für das Feuer und schlenderte um das Gebäude herum zum Haupteingang. Dort waren sie alle, liefen herum, unterhielten sich, zündeten sich Zigaretten an. Teddy sah, wie Schwester Marino Trey Washington die Hand auf die Schulter legte und ihm etwas sagte. Trey warf den Kopf in den Nacken und lachte.

Gerade wollte sich Teddy zu ihnen begeben, da rief Cawley von der Treppe: »Marshal!«

Teddy drehte sich um, und Cawley kam auf ihn zu, fasste Teddy am Ellenbogen und führte ihn zur Mauer.

»Wo sind Sie gewesen?«, fragte Cawley.

»Bin gewandert. Hab mir eure Insel angesehen.«

»Tatsächlich?«

»Tatsächlich.«

»Haben Sie was Lustiges gefunden?«

»Ratten.«

»Ja, klar, die gibt's hier zu Tausenden.«

»Wie geht's mit der Reparatur des Daches voran?«, erkundigte sich Teddy.

Cawley seufzte. »Überall in meinem Haus stehen Eimer und fangen das Wasser auf. Das Dachgeschoss ist hinüber, vollkommen zerstört. Der Boden im Gästezimmer auch. Meine Frau wird außer sich sein. Sie hatte ihr Hochzeitskleid auf dem Dachboden.«

»Wo ist Ihre Frau denn?«, fragte Teddy.

»In Boston«, sagte Cawley. »Da haben wir eine Wohnung. Sie brauchte mit den Kindern eine kleine Abwechslung, deshalb machen sie eine Woche Urlaub. Zuweilen setzt es einem doch zu.«

»Ich bin erst seit drei Tagen hier, Doktor, und es setzt mir jetzt schon zu.«

Cawley nickte sanft lächelnd. »Aber Sie gehen ja bald.«

»Ich gehe?«

»Nach Hause, Marshal. Wir haben Rachel ja gefunden. Meistens legt die Fähre gegen elf Uhr vormittags an. Morgen Mittag sind Sie wieder in Boston, würde ich sagen.«

»Wäre das nicht schön?«

»Ja, nicht wahr?« Cawley fuhr sich mit der Hand über den Kopf. »Ich sag das ja nicht gerne, Marshal, und es ist nicht gegen Sie persönlich –«

»Aha, jetzt geht's schon wieder los.«

Cawley hob die Hand. »Nein, nein. Keine Einschätzung Ihrer emotionalen Verfassung. Nein, ich wollte nur sagen, dass Ihre Gegenwart hier viele Patienten nervös gemacht hat. Sie wissen schon: Das Auge des Gesetzes. Einige sind ganz schön aufgedreht gewesen.«

»Das tut mir Leid.«

»Ist nicht Ihre Schuld. Liegt an Ihrem Beruf, nicht an Ihnen persönlich.«

»Na, dann ist es wohl in Ordnung.«

Cawley lehnte sich gegen die Mauer, stützte sich mit dem Fuß ab und sah in seinem zerknitterten Laborkittel und der gelockerten Krawatte ebenso müde aus, wie Teddy sich fühlte.

»Heute Nachmittag gab es auf Station C das Gerücht, ein unidentifizierter Mann in Pflegerkleidung wäre im Haupttrakt gewesen.«

»Tatsächlich?«

Cawley sah ihn an. »Tatsächlich.«

»Das ist ja was.«

Cawley zupfte einen Fussel von seiner Krawatte. »Besagter Mann hatte offenbar Erfahrung im Umgang mit Gewalttätigen.«

»Was Sie nicht sagen.«

»O doch, doch.«

»Was hat besagter Mann noch getan?«

»Hm.« Cawley drückte den Rücken durch, zog den Laborkittel aus und legte ihn sich über den Arm. »Es freut mich, dass es Sie interessiert.«

»Mensch, gibt doch nichts Besseres als ein kleines Gerücht, ein bisschen Tratsch.«

»Ganz meine Meinung. Angeblich hat besagter Fremder – bestätigen kann ich das leider nicht – ein langes Gespräch mit einem paranoiden Schizophrenen namens George Noyce geführt.«

»Aha«, machte Teddy.

»Allerdings.«

»Dann hat dieser, ähm …«

»Noyce«, ergänzte Cawley.

»Dieser Noyce«, wiederholte Teddy, »dann leidet der Kerl also an Wahnvorstellungen, ja?«

»An äußerst extremen«, sagte Cawley. »Er spinnt sein Seemannsgarn, erzählt abenteuerliche Geschichten und macht alle nervös –«

»Schon wieder dieses Wort.«

»Tut mir Leid. Nun, er hetzt die Leute auf. Vor zwei Wochen hat er es derartig übertrieben, dass er von einem Patienten zusammengeschlagen wurde.«

»Das stell sich einer vor!«

Cawley zuckte mit den Schultern. »So was passiert manchmal.«

»Und, was erfindet er für Geschichten?«, hakte Teddy nach. »Was ist das für Seemannsgarn?«

Cawley winkte ab. »Die üblichen paranoiden Wahnvorstellungen. Die ganze Welt ist hinter ihm her und so weiter.« Cawley zündete sich eine Zigarette an. Seine Augen leuchteten im Licht der Flamme. »Sie wollen uns also wieder verlassen.«

»Nun ja.«

»Mit der ersten Fähre?«

Teddy lächelte kühl. »Hauptsache, wir werden geweckt.«

Cawley lächelte zurück. »Das bekommen wir schon hin.«

»Klasse.«

»Klasse.« Cawley schwieg. »Zigarette?«

Teddy hob abwehrend die Hand. »Nein, danke.«

»Wollen Sie aufhören?«

»Ich versuche, weniger zu rauchen.«

»Eine gute Idee. Ich habe in Zeitschriften gelesen, dass Tabak, den neuesten Erkenntnissen zufolge, zu vielen schrecklichen Krankheiten führen kann.«

»Tatsächlich?«

Cawley nickte. »Krebs zum Beispiel, hab ich gehört.«

»Woran man heute alles sterben kann.«

»Allerdings. Aber man kann heute auch vieles heilen.«

»Meinen Sie?«

»Sonst hätte ich nicht diesen Beruf ergriffen.« Cawley blies den Rauch aus.

»Hatten Sie hier mal einen Patienten namens Andrew Laeddis?«, fragte Teddy.

Cawley ließ das Kinn auf die Brust sinken. »Der Name sagt mir nichts.«

»Nein?«

Cawley zuckte mit den Schultern. »Sollte er?«

Teddy schüttelte den Kopf. »Ich hab ihn bloß gekannt. Er –«

»Woher?«

»Was?«

»Woher kannten Sie ihn?«

»Aus dem Krieg«, sagte Teddy.

»Aha.«

»Na ja, ich hab jedenfalls gehört, dass er ein bisschen am Rad gedreht hat und hierhin verlegt wurde.«

Langsam zog Cawley an der Zigarette. »Da haben Sie falsch gehört.«

»Offensichtlich.«

»Na, so was kann vorkommen«, sagte Cawley. »Eben meinte ich, Sie hätten ›wir‹ gesagt.«

»Was?«

»Wir«, wiederholte Cawley. »Erste Person Plural.«

Teddy legte die Hand auf die Brust. »Als ich von mir gesprochen habe?«

Cawley nickte. »Ich meine, Sie hätten gesagt: ›Hauptsache, wir werden geweckt.‹ *Wir*.«

»Hab ich ja auch. Logisch. Haben Sie ihn eigentlich gesehen?«

Cawley hob fragend die Augenbrauen.

»Ist er hier?«, fragte Teddy.

Cawley sah ihn lachend an.

»Was ist?«, fragte Teddy.

Cawley zuckte mit den Schultern. »Ich bin bloß verwirrt.«

»Wieso?«

»Ihretwegen, Marshal. Soll das ein sonderbarer Scherz sein?«

»Was für ein Scherz?«, fragte Teddy. »Ich will nur wissen, ob er hier ist.«

»Wer?«, fragte Cawley mit einem Anflug von Verärgerung in der Stimme.

»Chuck.«

»Chuck?«, wiederholte Cawley langsam.

»Mein Kollege«, sagte Teddy. »Chuck.«

Cawley löste sich von der Mauer, die Zigarette zwischen den Fingern. »Sie haben keinen Kollegen, Marshal. Sie sind ganz allein gekommen.«

19

»MOMENT MAL ...«, sagte Teddy.

Cawley war an ihn herangetreten, betrachtete ihn genau.

Teddy schloss den Mund. Fühlte die Sommernacht auf seine Augenlider sinken.

»Erzählen Sie mir noch mal von Ihrem Kollegen«, sagte Cawley.

Cawleys neugieriger Blick war das Kälteste, das Teddy je gesehen hatte. Bohrend, intelligent, beißend kühl. Es war der Blick des Arglosen im Straßentheater, der so tut, als wisse er nicht, von wem die nächste Pointe kommt.

Wenn Cawley Stan war, dann gab Teddy den Ollie. Ein Trottel mit schlaffen Hosenträgern und einer Hose wie ein Holzfass. Der letzte, der den Witz kapiert.

»Und?« Cawley machte noch einen kleinen Schritt nach vorn. Ein Mann, der einen Schmetterling fangen will.

Wenn Teddy widersprach, wenn er zu wissen verlangte,

wo Chuck denn nun sei, wenn er gar erklärte, dass Chuck tatsächlich existierte, spielte er ihnen in die Hände.

In Cawleys Augen sah Teddy Hohn.

»Geisteskranke leugnen ihre Krankheit«, bemerkte Teddy.

Cawley kam noch näher. »Wie bitte?«

»Bob leugnet, geisteskrank zu sein.«

Cawley verschränkte die Arme vor der Brust.

»Daraus folgt«, sagte Teddy, »Bob ist geisteskrank.«

Cawley wippte auf den Absätzen nach hinten, jetzt grinste er übers ganze Gesicht.

Teddy lächelte zurück.

So standen sie eine Weile da. Die Nachtluft spielte leise flüsternd in den Bäumen über der Mauer.

»Wissen Sie«, sagte Cawley, den Kopf gesenkt und mit dem Fuß durchs Gras fahrend, »ich habe hier etwas von großem Wert aufgebaut. Aber große Werke neigen dazu, von ihren Zeitgenossen missverstanden zu werden. Heutzutage muss alles möglichst schnell instand gesetzt werden. Wir sind es leid, Angst zu haben, traurig zu sein, uns ohnmächtig zu fühlen, ja, wir sind es leid, es leid zu sein. Wir möchten die alten Zeiten zurückhaben, auch wenn wir uns nicht mal mehr an sie erinnern können, und gleichzeitig wollen wir mit Vollgas voraus in die Zukunft. Geduld und Nachsicht sind die ersten Opfer des Fortschritts. Das ist nichts Neues. Überhaupt nichts Neues. Das ist schon immer so gewesen.« Cawley hob den Kopf. »So viele mächtige Freunde ich auch habe, ich habe genau so viele mächtige Feinde. Menschen, die mir mein Werk entreißen möchten. Das kann ich nicht kampflos hinnehmen. Verstehen Sie das?«

»O ja, das verstehe ich, Doktor Cawley«, sagte Teddy.

»Gut.« Cawley ließ die Arme sinken. »Und was war mit diesem Kollegen?«

»Welcher Kollege?«, gab Teddy zurück.

Als Teddy ins Wohnheimzimmer ging, war Trey Washington dort. Er lag im Bett und las eine alte Ausgabe des Magazins *Life*.

Teddy warf einen Blick auf Chucks Bett. Es war gemacht worden, Bettbezug und Decke waren glattgezogen. Nie wäre man auf die Idee gekommen, dass dort zwei Nächte zuvor jemand geschlafen hatte.

Teddys Uniformjacke, sein Hemd, die Krawatte und Hose waren aus der Wäscherei zurück und hingen unter Plastikhüllen im Wandschrank. Er zog die Pflegerkleidung aus und seine Uniform an. Trey blätterte durch die Hochglanzseiten.

»Wie geht's Ihnen so, Marshal?«

»Ganz gut.

»Schön. Schön.«

Teddy merkte, dass Trey seinem Blick auswich, die Augen auf die Zeitschrift gerichtet hielt, immer wieder dieselben Seiten umschlug.

Teddy packte den Inhalt seiner Taschen um und schob Laeddis' Aufnahmeformular zusammen mit dem Notizbuch in die Jackeninnentasche. Er nahm gegenüber von Trey auf Chucks Bett Platz, band seine Krawatte, schnürte die Schuhe und blieb dann schweigend sitzen.

Wieder blätterte Trey um. »Soll heiß werden morgen.«

»Ja?«

»Richtig schweineheiß. Patienten können die Hitze nicht vertragen.«

»Nein?«

Trey schüttelte den Kopf, blätterte um. »Nein. Werden ganz zappelig und so. Morgen Abend kommt noch der Vollmond dazu. Macht alles noch schlimmer. Können wir überhaupt nicht gebrauchen.«

»Wieso?«

»Wieso was, Marshal?«

»Wieso macht der Vollmond alles schlimmer? Glauben Sie, er macht die Leute verrückt?«

»Das weiß ich sogar.« Mit dem Zeigefinger fuhr Trey über einen Knick in der Zeitschrift und glättete ihn.

»Wie kommt das?«

»Na, wenn man drüber nachdenkt – Ebbe und Flut hängen vom Mond ab, oder?«

»Ja.«

»Der Mond hat so eine Art Magnetwirkung aufs Wasser oder so.«

»Kann schon sein.«

»Das Gehirn«, erklärte Trey, »besteht zu mehr als fünfzig Prozent aus Wasser.«

»Ohne Quatsch?«

»Ohne Quatsch. Wenn man sich vorstellt, dass der alte Mann im Mond ganze Meere umleitet, was kann er dann wohl alles mit dem Kopf anstellen?«

»Wie lange sind Sie schon hier, Mr. Washington?«

Trey nahm den Finger von der Seite und blätterte um. »Oh, schon lange. Seitdem ich '46 aus der Armee gekommen bin.«

»Sie waren bei der Armee?«

»Ja, war ich. Ich wollte ein Gewehr, und was habe ich bekommen? Einen Kochtopf. Hab mit schlechtem Essen gegen die Deutschen gekämpft.«

»Das Essen war echt der letzte Dreck«, bestätigte Teddy.

»Und was das für 'n Dreck war, Marshal. Hätten die uns mitmachen lassen, wär es schon '44 vorbei gewesen.«

»Da widerspreche ich Ihnen nicht.«

»Sie sind wohl überall gewesen, was?«

»Ja. Hab die ganze Welt gesehen.«

»Und, was halten Sie davon?«

»Verschiedene Sprachen, aber überall derselbe Mist.«

»Tja, das stimmt wohl, was?«

»Wissen Sie, wie mich der Direktor heute Abend genannt hat, Mr. Washington?«

»Nein, wie denn, Marshal?«

»Einen Nigger.«

Trey blickte von der Zeitschrift auf. »Was hat er?«

Teddy nickte. »Er hat gesagt, es gäbe auf der Welt zu viele Menschen von niederem Schlag. Lumpengesindel. Nigger. Zurückgebliebene. Er meinte, ich wäre für ihn nur ein Nigger.«

»Das hat Ihnen nicht gefallen, was?«, schmunzelte Trey, doch erstarb das Lächeln schnell auf seinen Lippen. »Aber Sie wissen ja nicht, was es heißt, ein Nigger zu sein.«

»Das ist mir klar, Trey. Aber dieser Mann ist Ihr Chef.«

»Ist nicht mein Chef. Ich arbeite fürs Krankenhaus. Der weiße Teufel, der leitet das Gefängnis.«

»Ist trotzdem Ihr Chef.«

»Nein, ist er nicht.« Trey stützte sich auf den Ellenbogen. »Verstanden? Ich meine, ist das jetzt ein für alle Mal klar, Marshal?«

Teddy zuckte mit den Schultern.

Trey schwang die Füße aus dem Bett und setzte sich auf. »Wollen Sie, dass ich sauer werde?«

Teddy schüttelte den Kopf.

»Warum sind Sie dann nicht zufrieden, wenn ich Ihnen sage, dass ich nicht für den weißen Schweinehund arbeite?«

Abermals zuckte Teddy mit den Schultern. »Wenn's drauf ankommt, und er gibt Ihnen Anweisungen, dann würden Sie loshoppeln.«

»Was würde ich?«

»Loshoppeln. Wie ein Kaninchen.«

Trey fuhr sich mit der Hand über die Wange und sah Teddy mit ungläubigem Grinsen an.

»Das meine ich nicht böse«, sagte Teddy.

»O nein, natürlich nicht.«

»Ich hab bloß gemerkt, dass die Leute sich hier ihre eigene Wahrheit zurechtbasteln. Wenn irgendwas nur oft genug behauptet wird, dann stimmt es irgendwann.«

»Ich arbeite nicht für diesen Mann.«

Teddy wies mit dem Finger auf Trey. »Genau, das ist die Wahrheit, die ich kenne und liebe.«

Trey sah aus, als würde er sich jeden Moment auf Teddy stürzen.

»Sehen Sie«, sagte Teddy, »heute Abend war eine Besprechung. Anschließend kommt Dr. Cawley zu mir und sagt, ich hätte nie einen Kollegen gehabt. Und wenn ich Sie nun frage, werden Sie mir dasselbe sagen. Sie werden leugnen, dass Sie mit dem Mann zusammengesessen und Poker gespielt haben, dass Sie mit ihm gelacht haben. Sie werden leugnen, dass er zu Ihnen gesagt hat, Sie hätten Ihrer gemeinen alten Tante einfach weglaufen sollen. Sie werden leugnen, dass er jemals in diesem Bett hier geschlafen hat. Stimmt's, Mr. Washington?«

Trey sah zu Boden. »Ich weiß nicht, wovon Sie sprechen, Marshal.«

»Ist mir klar. Ich hatte nie einen Kollegen. Das ist die neue Wahrheit. Wurde so entschieden. Ich hatte nie einen Kollegen, und er ist nicht irgendwo hier auf dieser Insel – verletzt oder tot. Oder auf Station C oder im Leuchtturm. Ich hatte nie einen Kollegen. Sprechen Sie mir das bitte nach, nur damit wir uns richtig verstehen! Ich hatte nie einen Kollegen. Na, los. Versuchen Sie's!«

Trey sah auf. »Sie hatten nie einen Kollegen.«

»Und Sie arbeiten nicht für den Direktor«, fügte Teddy hinzu.

Trey hielt die Knie umklammert. Teddy sah, dass es an ihm nagte. Treys Augen wurden feucht, sein Kinn zitterte.

»Sie müssen hier raus«, flüsterte er.

»Das ist mir klar.«

»Nein.« Heftig schüttelte Trey den Kopf. »Sie haben nicht die geringste Ahnung, was hier wirklich vor sich geht. Vergessen Sie, was Sie gehört haben. Vergessen Sie, was Sie zu wissen glauben. Die werden Sie holen. Und was dann mit Ihnen gemacht wird, das ist unwiederbringlich. Dann gibt es kein Zurück mehr, nichts.«

»Sagen Sie's mir«, forderte Teddy, aber Trey schüttelte wieder den Kopf. »Sagen Sie mir, was hier los ist.«

»Das kann ich nicht. Wirklich nicht. Sehen Sie mich an!«
Trey zog die Brauen hoch, seine Augen weiteten sich. »Ich –
kann – es – nicht. Sie sind auf sich gestellt. Und ich würde
auf keine Fähre warten.«

Teddy schmunzelte. »Ich komme noch nicht mal aus dieser Anstalt, von der Insel ganz zu schweigen. Und selbst
wenn ich das könnte, ist mein Kollege –«

»Vergessen Sie Ihren Kollegen!«, zischte Trey. »Er ist weg.
Verstanden? Der kommt nicht zurück, Mann. Sie müssen
abhauen. Sie dürfen nur noch an sich selbst denken, an niemanden sonst!«

»Trey«, sagte Teddy, »ich bin eingesperrt.«

Trey stand auf und ging zum Fenster. Er schaute hinaus in
die Dunkelheit oder betrachtete sein Spiegelbild.

»Sie dürfen nie wieder herkommen. Sie dürfen niemandem erzählen, dass ich Ihnen was gesagt habe.«

Teddy wartete.

Trey sah sich über die Schulter um. »Ist das klar?«

»Klar«, entgegnete Teddy.

»Die Fähre kommt morgen um zehn. Punkt elf legt sie
wieder ab. Wenn man sich draufschmuggeln kann, schafft
man es vielleicht rüber in den Hafen. Ansonsten müsste man
zwei, drei Tage warten, dann kommt ein Trawler namens
Betsy Ross, der ziemlich nah an die Südküste ranfährt und
so 'n paar Sachen über Bord wirft.« Trey sah Teddy an. »Sachen, die man hier nicht haben darf. Aber der Trawler bleibt
weiter draußen. Man müsste rausschwimmen.«

»Ich schaffe keine drei Tage auf dieser Scheißinsel«, sagte
Teddy. »Ich kenne die Gegend nicht. Der Direktor und seine
Leute aber umso besser. Die finden mich.«

Trey schwieg eine Weile.

»Dann die Fähre«, sagte er schließlich.

»Also die Fähre. Aber wie komme ich aus der Anstalt
raus?«

»O Mann«, sagte Trey. »Sie müssen's nicht glauben,
aber heute ist echt Ihr Glückstag. Der Sturm hat alles ka-

putt gemacht, vor allem die Elektrik. Die meisten Drähte auf der Mauer haben wir inzwischen repariert. Aber nicht alle.«

»Wo sind Sie noch nicht gewesen?«, fragte Teddy.

»In der südwestlichen Ecke. Wo die Mauern im Neunzig-Grad-Winkel aufeinanderstoßen, sind die Drähte noch tot. Wenn Sie die anderen anfassen, werden Sie gegrillt wie ein Hähnchen, also nicht ausrutschen und anfassen. Verstanden?«

»Verstanden.«

Trey nickte seinem Spiegelbild zu. »Ich würde sagen, Sie hauen jetzt ab. Zeit wird knapp.«

Teddy erhob sich. »Und Chuck?«, fragte er.

Trey sah ihn wütend an. »Es gibt keinen Chuck. Verstanden? Hat's nie gegeben. Wenn Sie's nach Hause schaffen, können Sie so viel von Chuck reden, wie Sie wollen. Aber hier hat's den Mann nie gegeben.«

Als Teddy vor der südwestlichen Ecke der Mauer stand, kam ihm in den Sinn, dass Trey gelogen haben könnte. Wenn der Draht Strom führte und Teddy ihn anfasste, dann würde man seine Leiche am Morgen unten vor der Mauer finden, verkohlt wie ein altes Steak. Problem gelöst. Trey wird der Angestellte des Jahres und bekommt eine schöne Golduhr geschenkt.

Teddy suchte einen langen Zweig und peilte den Draht rechts von der Ecke an. Er nahm Anlauf, sprang hoch und schlug mit dem Zweig gegen den Draht. Er sprühte Funken, der Zweig fing Feuer. Teddy betrachtete das Holz in seiner Hand. Die Flamme erlosch, das Holz glomm weiter.

Dann holte er tief Luft und sprang an der linken Wand hoch, schlug abermals auf den Draht. Es geschah nichts.

Oben auf dem Mauerwinkel stand ein Metallpfosten. Teddy brauchte drei Anläufe, dann bekam er ihn zu fassen. Er hielt sich fest und kletterte auf die Mauer. Seine Schultern berührten den Draht, seine Knie berührten den Draht, seine

Unterarme berührten den Draht, und jedes Mal dachte er, er sei tot.

Doch er lebte. Und musste sich nur noch langsam auf der anderen Seite hinunterlassen.

Er stand im Laub und sah sich nach Ashecliffe um.

Er war gekommen, um die Wahrheit zu finden, aber es war ihm nicht gelungen. Er war gekommen, um Laeddis zu finden, und auch das hatte er nicht geschafft. Und nebenbei hatte er Chuck verloren.

In Boston würde er Zeit haben, das alles zu bedauern. Sich schuldig zu fühlen und zu schämen. Die Möglichkeiten abzuwägen, sich mit Senator Hurly zu beraten und sich einen Angriffsplan zurechtzulegen. Er würde wiederkommen. Bald. Das stand außer Frage. Und hoffentlich hätte er dann Vorladungen und Durchsuchungsbefehle dabei. Dann bekämen sie ihre eigene verfluchte Fähre. Dann wäre er zornig. Er wäre gerecht in seinem Zorn.

Jetzt hingegen war er einfach nur erleichtert, zu leben und auf der anderen Seite der Mauer zu sein.

Erleichtert. Und voller Angst.

Er brauchte eineinhalb Stunden für den Weg zur Höhle, aber die Frau war nicht mehr da. Das Feuer war zur Glut hinuntergebrannt. Teddy setzte sich davor, obwohl die Luft draußen für die Jahreszeit sehr warm war und stündlich feuchter wurde.

Er wartete in der Hoffnung, die Frau sei lediglich neues Holz holen, aber im tiefsten Herzen wusste er, dass sie nicht zurückkehren würde. Vielleicht glaubte sie, er sei längst gefasst und würde genau in diesem Augenblick dem Direktor und Cawley ihr Versteck verraten. Und vielleicht – die Hoffnung war zu vermessen, aber Teddy gönnte sie sich – hatte Chuck die Frau gefunden und war mit ihr an einen Ort gegangen, den sie für sicherer hielt.

Als das Feuer erlosch, zog Teddy seine Jacke aus und legte sie sich über Brust und Schultern. Den Kopf lehnte er gegen die Wand. Genau wie in der vergangenen Nacht fiel sein Blick vor dem Einschlafen auf seine Daumen.

Sie hatten begonnen zu zucken.

VIERTER TAG

Der schlechte Seemann

20

ALLE TOTEN UND vielleicht Toten bekamen ihre Mäntel ausgehändigt.

Sie waren in einer Küche, die Mäntel hingen an Haken, und Teddys Vater nahm seine alte Kapitänsjacke, schob die Hände durch die Ärmel und half danach Dolores in ihren Mantel. Dann sagte er zu Teddy: »Weißt du, was ich mir zu Weihnachten wünsche?«

»Nein, Dad.«

»Einen Dudelsack.«

Und Teddy wusste, dass er damit Golfschläger und Golftasche meinte.

»So wie Präsident Eisenhower, was?«, sagte er.

»Genau«, erwiderte sein Vater und reichte Chuck seinen schweren Mantel.

Chuck zog ihn an. Es war ein schönes Stück. Vorkriegskaschmir. Chucks Narbe war verschwunden, aber er hatte noch immer diese zarten, geliehenen Hände. Er hielt sie Teddy vors Gesicht und wackelte mit den Fingern.

»Bist du mit dieser Ärztin unterwegs gewesen?«, fragte Teddy.

Chuck schüttelte den Kopf. »Dafür bin ich viel zu gut erzogen. Ich bin beim Rennen gewesen.«

»Gewonnen?«

»Viel verloren.«

»Tut mir Leid.«

»Verabschiede dich von deiner Frau! Gib ihr einen Kuss auf die Wange«, sagte Chuck.

Neben seiner Mutter und Tootie Vicelli, der ihn mit blutigem Mund anlächelte, stand Dolores. Teddy beugte sich vor und küsste sie auf die Wange. Dann sagte er: »Schatz, du bist ja ganz nass!«

»Ich bin knochentrocken«, sagte sie zu Teddys Vater.

»Wenn ich nur halb so alt wäre«, sagte Teddys Vater, »würde ich dich heiraten, Mädchen.«

Alle waren pitschnass, selbst seine Mutter, sogar Chuck. Aus den Mänteln tropfte es auf den Boden.

Chuck reichte Teddy drei Holzscheite. »Für das Feuer.«

»Danke.« Teddy nahm sie entgegen und hatte sofort danach vergessen, wo er sie hingelegt hatte.

Dolores kratzte sich den Bauch und sagte: »Scheiß Kaninchen. Wozu sollen die gut sein?«

Laeddis und Rachel Solando kamen herein. Sie trugen keine Mäntel. Sie trugen überhaupt nichts, und Laeddis reichte eine Flasche mit Roggenwhisky über den Kopf von Teddys Mutter und umarmte dann Dolores. Eigentlich wäre Teddy eifersüchtig geworden, aber da kniete sich Rachel vor ihn, öffnete Teddys Hose und nahm sein Ding in den Mund, und Chuck, sein Vater, Tootie Vicelli und seine Mutter winkten ihm zum Abschied zu. Laeddis und Dolores stolperten ins Schlafzimmer, Teddy hörte sie im Bett, sie zogen sich aus, atmeten schwer. Alles war irgendwie richtig so, irgendwie wunderschön, und Teddy zog Dolores hoch, hörte Rachel und Laeddis im Schlafzimmer wie von Sinnen vögeln, küsste seine Frau, legte die Hand auf das Loch in ihrem Bauch, und sie sagte: »Danke«, und er drang von hinten in sie ein, stieß dabei die Holzscheite vom Küchentresen, während der Direktor und seine Leute sich am Roggenwhisky bedienten, den Laeddis mitgebracht hatte. Der Direktor blinzelte Teddy ob seiner Technik anerkennend zu, hob das Glas und sagte zu seinen Leuten: »Das ist ein weißer Nigger mit einem Riesending. Wenn ihr ihn seht, sofort schießen. Verstanden? Keine Sekunde nachdenken. Wenn dieser Mann die Insel verlässt, dann sind wir geliefert, meine Herren.«

Teddy riss sich die Jacke von der Brust und kroch zur Höhlenöffnung.

Der Direktor und seine Leute standen auf dem Felsgrat über ihm. Die Sonne war aufgegangen. Möwen kreischten.

Teddy sah auf die Uhr: 8.00.

»Keine Experimente«, sagte der Direktor. »Dieser Mann ist kampferfahren, kampferprobt, kampfgehärtet. Ihm wurde das Purpurne Herz und das Eichenblatt am Bande verliehen. Auf Sizilien hat er zwei Männer mit bloßen Händen getötet.«

Teddy wusste, dass das in seiner Personalakte stand. Aber wie um alles in der Welt hatten sie seine Akte in die Finger bekommen?

»Er ist geschickt im Umgang mit dem Messer und äußerst erfahren im Nahkampf. Kommen Sie diesem Mann nicht zu nahe! Wenn sich die Gelegenheit bietet, machen Sie ihn kalt wie einen zweibeinigen Hund.«

Trotz seiner misslichen Lage musste Teddy grinsen. Wie oft wohl hatten sich die Männer des Direktors Vergleiche mit zweibeinigen Hunden anhören müssen?

Drei Wärter ließen sich an Seilen an der kleineren Klippe hinunter, Teddy trat vom Vorsprung zurück und sah zu, wie sie zum Strand hinabstiegen. Einige Minuten später kletterten sie wieder hinauf. Teddy hörte einen von ihnen sagen: »Da unten ist er nicht, Sir.«

Teddy lauschte eine Weile. Oben suchten sie die Umgebung von Felsgrat und Straße ab, dann entfernten sie sich. Teddy wartete eine geschlagene Stunde, ehe er die Höhle verließ. Er wollte sichergehen, dass keine Nachhut kam, und ließ der Suchmannschaft so viel Vorsprung, dass er nicht in sie hineinlaufen konnte.

Als er die Straße erreicht hatte, war es zwanzig nach neun. Er folgte ihr Richtung Westen. Dabei bemühte er sich, nicht langsamer zu werden und trotzdem zu lauschen, ob sich vor oder hinter ihm Männer befanden.

Trey hatte Recht gehabt mit der Wettervorhersage. Es war höllisch heiß. Teddy zog die Jacke aus und legte sie über den Arm. Er lockerte seine Krawatte, zog sie über den Kopf und stopfte sie in die Tasche. Sein Mund war so trocken wie Steinsalz, die Augen juckten vom Schweiß.

Er erinnerte sich an seinen Traum, in dem Chuck den Mantel angezogen hatte, und das Bild traf ihn stärker als Laeddis im Bett mit Dolores. Bevor Rachel und Laeddis erschienen waren, waren alle im Traum tot gewesen. Außer Chuck. Aber er hatte seinen Mantel von denselben Haken genommen und war den anderen durch die Tür gefolgt. Die Symbolik war ernüchternd. Wenn sie sich Chuck auf dem Felsgrat geholt hatten, dann hatten sie ihn wahrscheinlich fortgeschafft, während Teddy vom Feld mit den Steinhaufen zurückkam. Und wer sich an Chuck herangeschlichen hatte, musste sehr geschickt sein, denn Chuck hatte nicht einmal einen Schrei von sich gegeben.

Wie viel Macht musste man haben, um nicht nur einen, sondern zwei U.S.-Marshals verschwinden zu lassen?

Enorm viel.

Wenn sie beabsichtigten, Teddy in den Wahnsinn zu treiben, dann mussten sie mit Chuck etwas anderes im Sinn haben. Niemand würde ihnen abnehmen, dass zwei Marshals innerhalb von zwei Tagen den Verstand verlören. Also würde Chuck einen Unfall haben müssen. Am ehesten im Sturm. Wenn sie wirklich gerissen waren – und daran bestand kein

Zweifel –, dann würden sie so tun, als sei Chucks Tod der Auslöser gewesen, der Teddy auf die Straße ohne Wiederkehr befördert hatte.

Die Strategie besaß eine unbestreitbare Logik.

Aber wenn Teddy es nicht schaffte, die Insel zu verlassen, würde die Dienststelle die Geschichte niemals glauben, und wenn sie noch so logisch klänge. Man würde ihm Kollegen hinterherschicken, um sich persönlich zu überzeugen.

Und was würden die finden?

Teddy betrachtete seine zitternden Handgelenke und Daumen. Es wurde schlimmer. Und trotz des Schlafs war er kein bisschen klarer im Kopf. Er fühlte sich benebelt, seine Zunge war schwer. Wenn die Drogen zu dem Zeitpunkt, da die Dienststelle Kollegen herschickte, seinen Körper bereits unter Kontrolle gebracht hatten, würde Teddy in seinen Bademantel sabbern und sich unkontrolliert einkoten. Dann wäre die Ashecliffe-Wahrheit Wirklichkeit geworden.

Er hörte die Schiffshupe, kraxelte auf eine Anhöhe und konnte verfolgen, wie die Fähre im Hafen drehte und langsam rückwärts auf den Anleger zufuhr. Teddy legte einen Schritt zu, und zehn Minuten später erschien die Rückfront von Cawleys Tudorhaus zwischen den Bäumen.

Teddy verließ die Straße. Im Schutze des Waldes hörte er, wie die Männer die Fähre entluden, Kisten donnernd auf dem Kai landeten, metallene Transportkarren ratterten, Schritte über Holzbretter polterten. Er verbarg sich zwischen den Bäumen der ersten Reihe und sah unten am Anleger einige Pfleger und zwei Fährenlotsen, die sich gegen das Schiffsheck lehnten. Überall waren Wärter, Unmengen von Wärtern. Gewehrkolben auf die Hüfte gestützt, blickten sie in Richtung Wald, suchten die Bäume und das Gelände zwischen Hafen und Ashecliffe ab.

Nachdem die Pfleger die Fracht abgeladen hatten, zogen sie die Transportkarren über den Kai, doch die Wärter blieben an der Fähre. Ihre einzige Aufgabe bestand an diesem Morgen darin, zu verhindern, dass Teddy das Schiff erreichte.

Teddy schlich sich zurück durch den Wald und kam vor Cawleys Haus heraus. Im oberen Stockwerk waren Männer zu hören, einer stand an einer schrägen Stelle auf dem Dach, er hatte Teddy den Rücken zugekehrt. Rechts neben dem Haus stand das Auto im Carport. Ein Buick Roadmaster von 1947. Kastanienbraun mit weißen Lederpolstern. Ein Tag nach dem Hurrikan bereits frisch gewachst und poliert. Dieses Fahrzeug wurde geliebt.

Teddy öffnete die Fahrertür. Das Leder roch, als sei es nur einen Tag alt. Er schaute ins Handschuhfach, entdeckte mehrere Streichholzschachteln und steckte sie ein.

Er holte seine Krawatte aus der Tasche, fand einen kleinen Stein und knotete das schmale Ende der Krawatte darum. Er hob das Nummernschild an und drehte den Tankdeckel ab. Dann schob er die Krawatte mit dem Stein durch den Stutzen in den Tank, bis nur noch das breite geblümte Schlipsende heraushing.

Teddy dachte daran, wie Dolores ihm die Krawatte geschenkt hatte, wie sie ihm damit, auf seinem Schoß sitzend, die Augen verbunden hatte.

»Entschuldigung, mein Schatz«, flüsterte er. »Ich liebe die Krawatte, weil du sie mir geschenkt hast. Aber eigentlich ist sie abgrundtief hässlich.«

Um Nachsicht bittend, lächelte er zu ihr in den Himmel hinauf, zündete mit einem Streichholz ein ganzes Briefchen an und mit dem brennenden Briefchen die Krawatte.

Dann rannte er um sein Leben.

Als er den Wald erreichte, flog das Auto in die Luft. Männer schrien durcheinander. Teddy sah sich um. Durch die Bäume schossen die Flammen empor wie Kugeln, dann zersplitterten die Fenster mit schwächeren Explosionen wie Knallfrösche.

Teddy durchquerte den Wald, rollte seine Jacke zusammen und versteckte sie unter Steinen. Wärter und Fährbesatzung liefen den Pfad hoch zu Cawleys Haus. Teddy wusste, wenn er wirklich fliehen wollte, dann jetzt, es blieb ihm keine Zeit zum Überlegen, und das war auch gut so, denn wenn er auch nur kurz über seinen Plan nachsinnen würde, würde er ihn niemals ausführen.

Er trat aus dem Wald und lief am Ufer entlang. Kurz vor dem Kai, wo ihn alle vom Haus Zurückkehrenden sehen konnten, stürzte er sich ins Wasser.

O Gott, es war eiskalt. Teddy hatte gehofft, es sei von der Hitze ein wenig erwärmt worden, aber die Kälte zerriss ihn wie ein Stromschlag und drückte ihm die Luft aus der Lunge. Dennoch arbeitete er sich voran, unterdrückte den Gedanken an das, was mit ihm im Wasser war – Aale, Quallen, Krebse und vielleicht sogar Haie. Es war lächerlich, aber Teddy wusste, dass Haie Menschen normalerweise in einer Wassertiefe von einem Meter angriffen, und genau da befand er sich nun. Das Wasser reichte ihm bis zur Hüfte, dann wurde es tiefer. Von Cawleys Haus klang Geschrei herüber. Teddy ignorierte das tobende Hämmern seines Herzens und tauchte unter.

Er sah das Mädchen aus seinen Träumen, es trieb direkt unter ihm, die Augen geöffnet, resigniert.

Teddy schüttelte den Kopf, das Mädchen verschwand. Vor ihm erschien der Kiel der Fähre, ein dicker schwarzer Streifen, der im grünen Wasser wippte. Teddy schwamm drauf zu und hielt sich fest. Dann zog er sich am Kiel entlang zum Bug, schob sich langsam auf die andere Seite und zwang sich, ganz langsam aufzutauchen und nur den Kopf aus dem Wasser zu heben. Die Sonne schien ihm ins Gesicht, er atmete aus, sog den Sauerstoff ein und versuchte nicht dran zu denken, dass seine Beine dort unten in der Tiefe waren und irgendein Tier an ihnen vorbeischwamm, die Beine sah, sich wunderte, was das wohl war, näher kam, um dran zu schnuppern …

Die Leiter war da, wo er sie erwartet hatte, direkt vor ihm. Er umklammerte die dritte Sprosse. Die Männer liefen nun wieder zum Kai hinunter, er hörte die schweren Schritte auf den Planken, dann rief der Direktor: »Durchsucht das Schiff.«

»Sir, wir waren nur ganz kurz –«

»Sie haben Ihren Posten verlassen, und jetzt wollen Sie mit mir diskutieren?«

»Nein, Sir. Entschuldigung.«

Die Leiter sank ein wenig tiefer ins Wasser, weil mehrere Männer die Fähre bestiegen. Teddy hörte sie durch das Boot poltern, sie rissen Türen auf und verschoben Möbel.

Wie eine Hand schob sich etwas zwischen Teddys Oberschenkel. Er biss die Zähne zusammen, umklammerte die Leiter noch fester und zwang sich, an gar nichts zu denken, weil er sich nicht vorstellen wollte, wie dieses Etwas aussah. Es schwamm jedoch weiter, und Teddy stieß die Luft aus.

»Mein Wagen. Das Schwein hat meinen Wagen in die Luft gejagt.« Das war Cawleys Stimme, heiser und atemlos.

Der Direktor sagte: »Das reicht jetzt, Doktor.«

»Wir waren uns einig, dass ich die Entscheidung treffe.«

»Wenn es diesem Mann gelingt, die Insel zu verlassen –«

»Er wird diese Insel nicht verlassen.«

»Sie haben sich vorher bestimmt auch nicht vorstellen können, dass er Ihre Kutsche in einen Feuerball verwandelt. Wir brechen diesen Einsatz jetzt ab, damit unsere Verluste im Rahmen blieben.«

»Ich habe zu hart gearbeitet, um jetzt das Handtuch zu werfen.«

Der Direktor erhob die Stimme. »Wenn dieser Mann die Insel verlässt, dann sind wir am Ende.«

Cawley brüllte ebenfalls los: »Er wird die verfluchte Insel nicht verlassen!«

Eine geschlagene Minute lang sagte niemand ein Wort. Teddy hörte, wie sie auf dem Kai mit den Füßen scharrten.

»Gut, Doktor. Aber die Fähre bleibt hier. Sie legt erst ab, wenn wir ihn gefunden haben.«

Teddy hing an der Leiter, die Kälte stieg ihm in die Füße und brannte.

»Dafür wird man in Boston Erklärungen verlangen.«

Teddy biss die Zähne zusammen, damit sie nicht klapperten.

»Dann liefern Sie Erklärungen. Aber die Fähre bleibt hier.«

Etwas stieß von hinten gegen Teddys linkes Bein.

»In Ordnung.«

Ein erneuter Stoß gegen das Bein. Teddy trat aus, das Platschen des Wasser zerriss die Luft wie ein Schuss.

Schritte oben auf dem Bug.

»Er ist nicht an Bord, Sir. Wir haben überall nachgeguckt.«

»Wo ist er dann?«, fragte der Direktor. »Irgendeine Idee?«

»Verflucht noch mal!«

»Was denn, Doktor?«

»Er will zum Leuchtturm.«

»Das habe ich auch schon vermutet.«

»Ich kümmere mich drum.«

»Nehmen Sie meine Leute mit.«

»Ich habe gesagt, ich kümmere mich drum. Wir haben oben genug Männer.«

»Es sind nicht genug.«

»Ich kümmere mich drum, hab ich gesagt.«

Cawleys Schritte hallten den Anleger entlang und verstummten, als er den Sand erreichte.

»Leuchtturm hin oder her«, sagte der Direktor zu seinen Leuten, »die Fähre bleibt hier liegen. Nehmt dem Kapitän die Schlüssel ab und bringt sie mir.«

Teddy schwamm den Großteil der Strecke.

Er ließ sich von der Leiter ins Wasser sinken und schwamm Richtung Ufer, bis er auf dem sandigen Untergrund stehen konnte. Dann watete er weiter, bis er den Kopf aus dem Wasser heben und einen Blick riskieren konnte. Er hatte einige hundert Meter zurückgelegt. Die Wärter hatten einen Ring um den Anleger gebildet.

Wieder glitt Teddy unter Wasser und watete voran, er wollte nicht kraulen, nicht einmal paddeln, da es zu viel Wellenschlag verursachen würde. Kurz darauf gelangte er zur Biegung der Küste. Er schwamm um die Landzunge herum. Auf der anderen Seite schleppte er sich aus dem Wasser, setzte sich in den Sand in die Sonne und zitterte vor Kälte. Dann lief er am Ufer entlang, bis ihm Felsen den Weg versperrten. Er schnürte die Schuhe zusammen, hängte sie sich um den Hals und ging abermals ins Wasser. Er stellte sich die Knochen seines Vaters irgendwo am Grunde dieses Ozeans vor, er stellte sich Haie mit spitzer Rückenflosse und großem peitschenden Schwanz vor und Barracudas mit Tausenden weißer Zähne, und er wusste, dass er es überstehen würde, weil er keine andere Wahl hatte. Das Wasser hatte ihn betäubt, es gab für ihn keine andere Möglichkeit, und in einigen Tagen würde er es möglicherweise wieder tun müssen, wenn die *Betsy Ross* ihre Fracht an der Südspitze der Insel ins Wasser fallen ließ. Er wusste, Angst war nur zu besiegen, indem man sich ihr stellte, das hatte er schon im Krieg gelernt, aber dennoch würde er nie, niemals wieder in den Ozean gehen, wenn er es irgendwie vermeiden konnte. Er spürte, dass ihn das Meer beobachtete und abtastete. Er spürte das Alter des Meeres, es war älter als die Götter und stolzer auf die Zahl seiner Opfer.

Gegen ein Uhr erblickte er den Leuchtturm. Ganz sicher war er nicht, da er die Uhr in seiner Jacke gelassen hatte, aber die Sonne stand ungefähr richtig. Vor der Steilklippe mit dem Leuchtturm ging er an Land. Er lehnte sich gegen einen Felsen und ließ sich von der Sonne bescheinen, bis das Zittern aufhörte und seine Haut nicht mehr blau war.

Wenn Chuck da oben war, egal in welchem Zustand, würde Teddy ihn herausholen. Tot oder lebendig, er würde ihn nicht im Stich lassen.

Dann wirst du sterben.

Das war Dolores' Stimme, und er wusste, dass sie Recht hatte. Wenn er zwei Tage auf die *Betsy Ross* warten musste und Chuck nicht topfit und einsatzfähig war, würden sie es niemals schaffen. Man würde Jagd auf sie machen ...

Teddy grinste.

... wie auf zweibeinige Hunde.

Ich kann ihn nicht im Stich lassen, sagte er zu Dolores. Ich kann es nicht. Wenn ich ihn nicht finde, ist es was anderes. Aber er ist mein Kollege.

Du hast ihn gerade erst kennen gelernt.

Trotzdem ist er mein Kollege. Wenn er da oben ist, wenn sie ihm Schmerzen zufügen, ihn gegen seinen Willen festhalten, dann muss ich ihn herausholen.

Auch wenn du dabei stirbst?

Auch wenn ich dabei sterbe.

Dann hoffe ich, dass er nicht da ist.

Teddy löste sich vom Felsen und folgte einem Pfad aus Sand und Muscheln, der sich durch das Seegras wand. Ihm kam der Gedanke, dass Cawley sich mit seiner Einschätzung geirrt haben könnte, er sei selbstmordgefährdet. Es war eher ein Todeswunsch. Sicher, seit Jahren fiel ihm kein überzeugender Grund ein weiterzuleben. Aber genauso wenig fiel ihm ein überzeugender Grund ein, zu sterben. Durch eigene Hand? Das war ihm selbst in den trostlosesten Nächten zu erbärmlich gewesen. Peinlich. Jämmerlich.

Aber wenn man –

Plötzlich stand der Wärter vor ihm, genauso überrascht von Teddy wie Teddy von ihm, der Hosenschlitz noch offen, das Gewehr über die Schulter geworfen. Zuerst wollte der Wärter seinen Hosenstall zumachen, überlegte es sich aber schnell anders. Schon hatte Teddy ihm mit der Handkante gegen den Adamsapfel geschlagen. Der Wärter griff sich an den Hals, Teddy bückte sich und trat ihm von hinten in die Beine, der Wärter fiel auf den Rücken. Teddy richtete sich auf und trat ihm gegen das rechte Ohr. Der Mann verdrehte die Augen, sodass nur noch das Weiße zu sehen war, die Kinnlade fiel hinunter.

Teddy hockte sich neben ihn, zog ihm den Schulterriemen

ab und zerrte das Gewehr unter ihm hervor. Der Mann atmete. Er hatte ihn also nicht umgebracht.

Und jetzt hatte Teddy eine Waffe.

Beim nächsten Wärter, der vor dem Zaun stand, machte er von ihr Gebrauch. Er entwaffnete ihn, ein Junge, ein Kind noch, und der Wärter fragte: »Werden Sie mich töten?«

»Mensch, Junge, nein«, sagte Teddy und stieß ihm den Gewehrkolben gegen die Schläfe.

Hinter dem Zaun stand eine Schlafbarracke. Teddy durchsuchte sie, fand Feldbetten und Tittenhefte, eine Kanne alten Kaffee und zwei Wärteruniformen an einem Haken an der Tür.

Er verließ die Hütte, ging auf den Leuchtturm zu und stieß die Tür mit dem Gewehr auf. Das Erdgeschoss war lediglich ein modriger Raum aus Beton, leer, abgesehen vom Schimmel an der Außenmauer und einer Wendeltreppe aus demselben Stein wie die Wände.

Teddy stieg nach oben in den ersten Stock, der Raum war genauso leer wie das Erdgeschoss. Da wusste er, dass es einen Keller geben musste, ein ausgedehntes Gewölbe, das möglicherweise über Gänge mit dem Krankenhaus verbunden war, denn bisher war dies hier, nun ja, lediglich ein Leuchtturm.

Über ihm kratzte etwas. Er ging zur Treppe und stieg noch ein Stockwerk höher. Vor einer schweren Eisentür blieb er stehen. Mit dem Gewehrlauf drückte er dagegen, wobei sie etwas nachgab.

Wieder das kratzende Geräusch, dazu der Geruch von Zigarettenqualm. Teddy hörte den Ozean und spürte den Wind. Wenn der Direktor so schlau gewesen war, Wärter hinter dieser Tür zu postieren, dann war Teddy tot, sobald er sie aufdrückte.

Lauf fort, mein Schatz.

Ich kann nicht.

Warum nicht?
Weil alles auf diesen Moment hinausläuft.
Was?
Alles. Jede Kleinigkeit.
Das verstehe ich nicht.
Du. Ich. Laeddis. Chuck. Noyce, das arme Schwein. Es läuft alles auf das hier hinaus. Entweder ist jetzt Schluss damit, oder es ist Schluss mit mir.
Es waren seine Hände. Chucks Hände. Ist dir das nicht aufgefallen?
Nein. Was?
Seine Hände, Teddy. Sie passten nicht zu ihm.
Teddy wusste, was sie meinte. Irgendetwas an Chucks Händen war wichtig, aber nicht so wichtig, als dass er auf dieser Wendeltreppe noch länger darüber nachgrübeln konnte.
Mein Schatz, ich muss jetzt durch diese Tür hier.
Gut. Sei vorsichtig!
Teddy kauerte sich links neben den Rahmen. Den Gewehrkolben gegen die Brust gedrückt, stützte er sich mit der rechten Hand auf dem Boden ab und trat mit dem linken Fuß gegen die Tür. Sie schwang auf, Teddy ließ sich aufs Knie fallen, setzte das Gewehr an und zielte.
Auf Cawley.
Er saß an einem Tisch mit dem Rücken zu einem kleinen viereckigen Fenster, das Meer blausilbern hinter ihm. Der Geruch des Ozeans erfüllte das Zimmer, die Brise fuhr Cawley durchs Haar an den Schläfen.
Cawley war nicht erstaunt. Er hatte keine Angst. Er tippte mit der Zigarette gegen den Aschenbecher vor sich und sagte:
»Du bist ja ganz nass, Schatz!«

21

AN DEN WÄNDEN hinter Cawley waren mit zerknittertem Klebeband rosafarbene Bettlaken befestigt. Auf dem Tisch vor ihm lagen Aktenordner, Teddys Notizbuch, Laeddis' Aufnahmeformular und Teddys Jacke, daneben stand ein Feldtelefon wie von der Armee. Auf dem Stuhl in der Ecke drehten sich die Bänder eines Tonbandgeräts, ein kleines Mikrofon auf dem Gehäuse war in den Raum gerichtet. Vor Cawley lag ein schwarzes, in Leder gebundenes Notizbuch. Er schrieb etwas hinein und sagte: »Setzen Sie sich!«

»Was haben Sie gesagt?«

»Ich habe gesagt: Setzen Sie sich.«

»Nein, davor.«

»Sie wissen genau, was ich gesagt habe.«

Teddy ließ das Gewehr sinken, hielt es jedoch weiterhin auf Cawley gerichtet und trat ein.

Cawley schrieb weiter. »Es ist leer.«

»Was?«

»Das Gewehr. Es ist nicht geladen. Wie konnte Ihnen das entgehen, wo Sie doch so viel Erfahrung mit Waffen haben?«

Teddy zog den Verschluss zurück und sah in die Kammer. Sie war leer. Um sicherzugehen, zielte er auf die Wand links von sich und drückte ab, doch war nichts weiter zu vernehmen als das metallische Klicken des Hahns.

»Stellen Sie es einfach in die Ecke«, sagte Cawley.

Teddy legte das Gewehr auf den Boden, zog den Stuhl unter dem Tisch hervor, setzte sich aber nicht.

»Was ist hinter den Bettlaken?«

»Dazu kommen wir noch. Setzen Sie sich. Entspannen Sie sich! Hier.« Cawley griff unter sich und holte ein dickes Handtuch hervor, das er Teddy über den Tisch zuwarf. »Trocknen Sie sich erst mal ab. Sie erkälten sich noch.«

Teddy rubbelte sich übers Haar und zog das Hemd aus. Er knüllte es zusammen, warf es in die Ecke und frottierte seinen Oberkörper. Anschließend nahm er seine Jacke vom Tisch.

»Darf ich?«

Cawley schaute auf. »Ja, sicher. Bitte.«

Teddy zog die Jacke an und setzte sich.

Cawley schrieb weiter, der Stift kratzte übers Papier. »Wie schwer haben Sie die Wärter verletzt?«

»Nicht besonders schwer«, erwiderte Teddy.

Cawley nickte, legte den Stift ins Notizbuch und griff zum Feldtelefon. Er drehte an der Kurbel, um Strom zu erzeugen. Dann nahm er den Hörer aus dem Gehäuse, stellte den Schalter auf Senden und sprach in die Muschel. »Ja, er ist hier. Dr. Sheehan soll erst einen Blick auf Ihre Leute werfen, dann schicken Sie ihn hoch.«

Cawley legte auf.

»Aha, der geheimnisvolle Dr. Sheehan«, sagte Teddy.

Cawley hob vielsagend die Augenbrauen.

»Ich rate mal: Er ist heute Morgen mit der Fähre gekommen.«

314

Cawley schüttelte den Kopf. »Er war die ganze Zeit auf der Insel.«

»Und ich seh den Wald vor lauter Bäumen nicht, wie?«, bemerkte Teddy.

Cawley streckte die Hände aus und zuckte leicht mit den Schultern. »Er ist ein hervorragender Psychiater. Jung, aber äußerst vielversprechend. Wir haben uns das zusammen ausgedacht, er und ich.«

In Teddys linkem Ohr begann es zu pochen. »Und wie läuft's bislang für Sie?«

Cawley hob ein Blatt des Notizbuchs an, warf einen flüchtigen Blick auf das darunter und ließ das obere wieder fallen. »Nicht so gut. Meine Hoffnungen waren zu hoch gesteckt.«

Er schaute Teddy mit dem Blick an, den er am zweiten Morgen auf der Treppe und bei der Personalbesprechung kurz vor dem Orkan aufgesetzt hatte, und diese Miene passte so gar nicht zum Gesicht des Mannes, passte nicht zur Insel, zum Leuchtturm, zu dem schrecklichen Spiel, das hier gespielt wurde.

Mitleid.

Wenn Teddy es nicht besser gewusst hätte, dann hätte er geschworen, es sei Mitleid.

Er sah zur Seite, schaute sich in dem kleinen Raum um, musterte die Laken an den Wänden. »So sieht's hier also aus?«

»So sieht's hier aus«, bestätigte Cawley. »Im berühmten Leuchtturm. Dem Heiligen Gral. Die große Wahrheit, die Sie gesucht haben. Erfüllt er Ihre Erwartungen oder übertrifft er sie sogar?«

»Ich habe den Keller noch nicht gesehen.«

»Es gibt hier keinen Keller. Dies ist ein Leuchtturm.«

Teddy betrachtete sein Notizbuch auf dem Tisch.

»Das sind Ihre Notizen zum Fall, ja«, sagte Cawley. »Sie lagen zusammen mit Ihrer Jacke im Wald in der Nähe meines Hauses. Sie haben mein Auto in die Luft gejagt.«

Teddy zuckte mit den Schultern. »Tut mir Leid.«

»Ich habe das Auto geliebt.«

»Stimmt, den Eindruck hatte ich auch.«

»Ich weiß noch, wie ich den Wagen im Frühjahr '47 in der Ausstellungshalle ausgesucht habe und dachte: Gut, John, der Fall ist abgehakt. Die nächsten fünfzehn Jahre brauchst du kein Auto mehr kaufen gehen.« Er seufzte. »Es hat mir so viel Spaß gemacht, den Fall abzuhaken.«

Teddy hob die Hände. »Ich entschuldige mich nochmals.«

Cawley schüttelte den Kopf. »Haben Sie auch nur eine Sekunde lang geglaubt, dass wir Sie auf die Fähre lassen würden? Selbst wenn Sie als Ablenkungsmanöver die ganze Insel in die Luft gejagt hätten, was glauben Sie, was passiert wäre?«

Teddy zuckte mit den Schultern.

»Sie sind allein«, sagte Cawley, »und alle Menschen auf dieser Insel hatten heute Morgen nur eine Aufgabe: Sie nicht zur Fähre kommen zu lassen. Mir will Ihre Logik einfach nicht einleuchten.«

»Es war die einzige Möglichkeit«, entgegnete Teddy. »Ich musste es versuchen.«

Verwirrt sah Cawley ihn an und murmelte: »Mensch, ich hab das Auto so geliebt«. Dann sah er auf seinen Schoß hinab.

»Haben Sie Wasser?«, fragte Teddy.

Kurz wog Cawley die Frage ab, dann drehte er sich mit dem Stuhl um. Auf der Fensterbank hinter ihm standen zwei Gläser und ein Krug. Er goss Wasser ein und reichte Teddy ein Glas über den Tisch.

Teddy leerte es in einem Schluck.

»Trockener Mund, was?«, fragte Cawley. »Und egal wie viel Sie trinken, es wird nicht besser?« Er schob den Krug über den Tisch. Teddy goss sich nach. »Zitternde Hände. Das wird noch ziemlich schlimm. Was machen die Kopfschmerzen?«

Kaum hatte er gefragt, spürte Teddy einen heißen, bohrenden Schmerz hinter dem linken Auge, der sich bis hoch zur Schläfe zog, dann zur Schädeldecke und an der anderen Seite hinunter bis in den Kiefer fuhr.

»Nicht viel«, sagte er.

»Wird noch schlimmer.«

Teddy trank etwas. »Weiß ich. Hat mir die Ärztin gesagt.«

Lächelnd lehnte sich Cawley zurück und tippte mit dem Stift auf seinen Notizblock. »Wer soll das schon wieder sein?«

»Wie sie heißt, weiß ich nicht«, erwiderte Teddy, »aber sie hat früher mit Ihnen gearbeitet.«

»Aha. Und was genau hat sie Ihnen erzählt?«

»Dass es vier Tage dauert, bis die Neuroleptika im Blut eine Konzentration erreichen, die sich bemerkbar macht. Sie hat den trockenen Mund, die Kopfschmerzen und das Zittern vorausgesagt.«

»Kluge Frau.«

»Hm.«

»Das kommt aber nicht von Neuroleptika.«

»Nein?«

»Nein.«

»Wovon denn dann?«

»Vom Entzug«, sagte Cawley.

»Was für ein Entzug?«

Cawley grinste wieder, schaute gedankenverloren, schlug den letzten Eintrag in Teddys Notizbuch auf und schob es ihm über den Tisch zu.

»Das ist doch Ihre Handschrift, oder?«

Teddy warf einen Blick darauf. »Ja.«

»Die letzte Geheimbotschaft?«

»Ja, das ist ein Code.«

»Aber Sie haben ihn noch nicht entschlüsselt.«

»Ich hatte keine Zeit. War ein bisschen hektisch, falls Ihnen das entgangen sein sollte.«

»Klar, natürlich.« Cawley tippte auf das Blatt. »Haben Sie Lust, ihn jetzt zu knacken?«

Teddy betrachtete die acht Zahlen und Buchstaben:

$$20(T) - 5(E) - 4(D) - 19(S) - 2(B) - 18(R) - 21(U) - 9(I)$$

Ein Draht stach ihm von hinten ins Auge.

»Ich bin im Moment nicht besonders gut drauf.«

»Aber es ist nicht schwer«, sagte Cawley. »Nur acht Buchstaben.«

»Ich möchte warten, bis mein Kopf nicht mehr dröhnt.«

»Gut.«

»Was für ein Entzug?«, fragte Teddy. »Was haben Sie mir gegeben?«

Cawley ließ die Fingerknöchel knacken und lehnte sich mit einem erschaudernden Gähnen auf dem Stuhl zurück. »Chlorpormazin. Hat so seine Nebenwirkungen. Leider ziemlich viele. Es gefällt mir nicht so richtig. Vor den neuesten Zwischenfällen hatte ich vor, Sie auf Imipramin umzustellen, aber das ist jetzt wohl nicht mehr möglich.« Cawley beugte sich vor. »Normalerweise bin ich kein großer Anhänger der Pharmakologie, aber in Ihrem Fall sehe ich keine andere Möglichkeit.«

»Imipramin?«

»Manche nennen es auch Tofranil.«

Teddy lächelte. »Und Chlorpro...«

»...mazin.« Cawley nickte. »Chlorpromazin. Das haben Sie momentan im Blut. Es verursacht die Entzugserscheinungen. Wir haben es Ihnen die letzten zwei Jahre verabreicht.«

»Die letzten was?«, fragte Teddy.

»Zwei Jahre.«

Teddy musste schmunzeln. »Hören Sie, ich weiß, dass Sie wirklich großen Einfluss haben. Sie müssen nicht derartig übertreiben.«

»Ich übertreibe überhaupt nichts.«

»Sie haben mich zwei Jahre mit Drogen behandelt?«

»Ich bevorzuge den Ausdruck ›Medikamente‹.«

»Und da hatten Sie einen auf der Dienststelle in Boston, der für Sie gearbeitet hat, oder wie? Der mir jeden Morgen was in den Kaffee getan hat? Oder warten Sie, vielleicht haben Sie einen in dem Zeitungsladen sitzen, wo ich jeden Morgen auf dem Weg zur Arbeit meinen Kaffee hole. Das wäre einfacher. Sie haben also seit zwei Jahren einen in Boston, der mir Drogen unterschiebt.«

»Nicht in Boston«, sagte Cawley ruhig. »Hier.«

»Hier?«

Er nickte. »Hier. Sie sind seit zwei Jahren hier. Als Patient dieser Einrichtung.«

Nun hörte Teddy die Flut kommen. Wütend warf sie sich gegen die Steilklippen. Er faltete die Hände, um das Zittern zu unterdrücken, und versuchte, das Pochen hinter den Augen zu ignorieren, das immer heißer und drängender wurde.

»Ich bin ein Marshal der Bundesregierung«, sagte Teddy.

»Sie waren mal ein Marshal der Bundesregierung«, korrigierte Cawley.

»Ich bin einer«, entgegnete Teddy. »Ich bin Marshal der Vereinigten Staaten. Am Montagmorgen, den 22. September 1954, hab ich mich in Boston auf den Weg gemacht.«

»Wirklich?«, sagte Cawley. »Dann erzählen Sie mir mal, wie Sie zur Fähre gekommen sind. Sind Sie mit dem Auto gefahren? Wo haben Sie geparkt?«

»Ich hab die U-Bahn genommen.«

»Die U-Bahn fährt nicht bis zum Anleger.«

»Bin in einen Bus umgestiegen.«

»Warum sind Sie nicht selbst gefahren?«

»Das Auto ist in der Werkstatt.«

»Aha. Und am Tag davor, am Sonntag? Können Sie sich noch an den Sonntag erinnern? Können Sie mir erzählen, was Sie da gemacht haben? Können Sie mir irgendwas über den Tag erzählen, bevor Sie auf der Toilette der Fähre aufgewacht sind?«

Das konnte Teddy. Nun, er hätte es gekonnt, aber der verfluchte Draht in seinem Kopf bohrte sich von hinten durch seine Augen in die Nebenhöhlen.

Also gut. Erinnere dich. Sag ihm, was du Sonntag gemacht hast. Du bist von der Arbeit gekommen. Du bist zur Wohnung auf der Buttonwood gefahren. Nein, nein. Nicht auf der Buttonwood. Die Wohnung ist abgebrannt, weil Laeddis sie in Brand gesetzt hat. Nein, nein. Wo wohnst du noch mal? Herrgott. Er hatte das Haus vor Augen. Ja, genau. Die Wohnung in der … in der … Castlemont. Genau. Castlemont Avenue. Am Fluss.

Gut, okay. Ruhig bleiben. Du bist in die Wohnung auf der Castlemont gefahren, hast was gegessen, Milch getrunken und bist ins Bett gegangen. Richtig? Richtig.

»Was ist hiermit?«, fragte Cawley. »Konnten Sie schon einen Blick auf das hier werfen?«

Er schob Laeddis' Aufnahmeformular über den Tisch.

»Nein.«

»Nein?« Cawley pfiff vor sich hin. »Deswegen sind Sie doch hergekommen. Wenn Sie den Zettel Senator Hurly zeigen würden – der Beweis für den 67. Patienten, den es, wie wir behaupten, nicht gibt –, würde uns das Dach vom Kopf fliegen.«

»Stimmt.«

»Verdammt, ja, das stimmt. Und trotzdem hatten Sie in den vergangenen vierundzwanzig Stunden keine Minute Zeit, einen kurzen Blick drauf zu werfen?«

»Noch mal: Es war alles ein bisschen –«

»Hektisch, ja. Verstehe ich. Nun, dann sehen Sie es sich jetzt an.«

Teddy las den betreffenden Namen, das Alter, das Datum der Aufnahme von Laeddis. Unter »Kommentar« stand:

Hochintelligenter Patient mit starken Wahnvorstellungen. Hohes Gewaltpotenzial. Äußerst leicht erregbar. Zeigt keine Reue für seine Tat, sondern verdrängt sie.

In seiner Erinnerung hat es die Tat nie gegeben. Hat
sich eine höchst komplizierte, penibel durchdachte Vor-
stellungswelt erschaffen, die ihn derzeit daran hindert,
sich seiner Tat zu stellen.

Darunter eine Unterschrift: *Dr. L. Sheehan.*
    »Hört sich ganz richtig an«, sagte Teddy.
    »Ganz richtig?«
    Teddy nickte.
    »In Bezug auf wen?«
    »Auf Laeddis.«
    Cawley erhob sich. Er ging zur Wand und zog ein Laken
herunter.
    In fünfzehn Zentimeter großen Druckbuchstaben standen
dort vier Namen:

EDWARD DANIELS – ANDREW LAEDDIS
RACHEL SOLANDO – DOLORES CHANAL

Teddy wartete, aber Cawley wartete offenbar auch, und so
sprach eine geschlagene Minute lang keiner von beiden.
    Schließlich sagte Teddy: »Ich nehme an, Sie wollen mir
was sagen.«
    »Sehen Sie sich die Namen an.«
    »Ich sehe sie.«
    »Ihr Name, der Name von Patient Nr. 67, der Name der
Vermissten und der Ihrer Ehefrau.«
    »Hm, ja. Ich bin ja nicht blind.«
    »Da haben Sie das Gesetz der 4«, sagte Cawley.
    »Wie denn das?« Teddy rieb sich die Schläfe, wollte den
Draht fortmassieren.
    »Na, Sie sind doch das Genie im Codebrechen. Sagen Sie's
mir.«
    »Was soll ich Ihnen sagen?«
    »Was haben die Namen Edward Daniels und Andrew
Laeddis gemeinsam?«

Eine Weile betrachtete Teddy seinen Namen und den von Laeddis. »Sie haben beide dreizehn Buchstaben.«

»Ja, stimmt«, sagte Cawley. »Stimmt genau. Was noch?«

Teddy starrte sie an. »Nichts.«

»Och, ich bitte Sie.« Cawley zog den Laborkittel aus und legte ihn über die Stuhllehne.

Teddy versuchte sich zu konzentrieren, dieses Gesellschaftsspiel langweilte ihn schon jetzt.

»Lassen Sie sich Zeit.«

Teddy betrachtete die Buchstaben, bis ihre Ränder begannen, sich aufzulösen.

»Fällt Ihnen noch irgendwas auf?«

»Nein. Ich sehe nichts. Nur dreizehn Buchstaben.«

Mit dem Handrücken schlug Cawley gegen das Laken. »Ich bitte Sie!«

Teddy schüttelte den Kopf. Ihm war schlecht. Die Buchstaben hüpften.

»Konzentrieren Sie sich!«

»Ich konzentriere mich.«

»Was haben diese Buchstaben gemeinsam?«, fragte Cawley.

»Ich kann nicht ... Es sind jeweils dreizehn. Dreizehn.«

»Was noch?«

Teddy starrte die Buchstaben an, bis sie ineinander übergingen. »Nichts.«

»Nichts?«

»Nein, nichts«, sagte Teddy. »Was soll ich denn sagen? Ich kann nichts sagen, das ich nicht weiß. Ich kann nicht –«

Cawley schrie: »Es sind dieselben Buchstaben!«

Teddy beugte sich vor, damit die Buchstaben nicht mehr tanzten. »Was?«

»Es sind dieselben Buchstaben.«

»Nein.«

»Die Namen sind Anagramme.«

»Nein«, sagte Teddy wieder.

»Nein?« Cawley runzelte die Stirn und fuhr mit der Hand

322

über die Namen. »Das sind exakt dieselben Buchstaben. Sehen Sie her. Edward Daniels. Andrew Laeddis. Dieselben Buchstaben. Sie sind ein Meister im Dechiffrieren, im Krieg haben Sie sogar überlegt, ob Sie nicht Codebrecher werden sollten, stimmt's? Jetzt sehen Sie her und sagen Sie mir, dass das nicht dieselben Buchstaben sind!«

»Nein!« Teddy drückte die Handballen gegen die Augen. Er wusste nicht, ob er klarer sehen oder das Licht verschwinden lassen wollte.

»Nein, das sind nicht dieselben Buchstaben? Oder nein, Sie wollen nicht, dass es dieselben Buchstaben sind?«

»Das kann nicht sein.«

»Es ist aber so. Öffnen Sie die Augen. Sehen Sie her!«

Teddy öffnete die Augen, schüttelte aber weiter den Kopf. Die Buchstaben tanzten hin und her.

Cawley schlug mit dem Handrücken gegen die untere Zeile. »Dann versuchen Sie's hiermit. Dolores Chanal und Rachel Solando. Jeweils dreizehn Buchstaben. Möchten Sie mir sagen, was *die* beiden gemeinsam haben?«

Teddy wusste, was er sah, und gleichzeitig wusste er, dass es nicht möglich war.

»Nein? Können Sie das auch nicht begreifen?«

»Es kann nicht sein.«

»Aber es ist so«, sagte Cawley. »Wieder dieselben Buchstaben. Anagramme. Sie sind gekommen, um die Wahrheit zu erfahren? Das hier ist die Wahrheit, Andrew.«

»Teddy«, sagte Teddy.

Cawley sah auf ihn hinab, wieder bekam er diesen eigenartigen, mitleidigen Blick.

»Sie heißen Andrew Laeddis«, sagte Cawley. »Der 67. Patient dieses Krankenhauses, das sind Sie, Andrew.«

22

»SCHWACHSINN!«

Teddy schrie es heraus. Der Schrei fuhr ihm quer durch den Kopf.

»Sie heißen Andrew Laeddis«, wiederholte Cawley. »Vor zweiundzwanzig Monaten wurden Sie auf gerichtliche Verfügung hier eingeliefert.«

Teddy winkte ab. »So tief könnt doch nicht mal ihr sinken.«

»Sehen Sie sich die Unterlagen an! Bitte, Andrew. Sie –«

»Nennen Sie mich nicht Andrew!«

»– wurden hier vor zwei Jahren eingeliefert, weil Sie ein furchtbares Verbrechen begangen haben. Die Gesellschaft kann Ihnen nicht vergeben, aber ich kann es. Andrew, sehen Sie mich an!«

Teddys Blick wanderte von Cawleys ausgestreckter Hand den Arm hinauf über die Brust bis zu Cawleys Gesicht. Jetzt flossen die Augen des Mannes fast über vor geheucheltem Mitleid und aufgesetztem Anstand.

»Ich heiße Edward Daniels.«

»Nein.« Erschöpft, fast resigniert schüttelte Cawley den Kopf. »Sie heißen Andrew Laeddis. Sie haben eine schreckliche Tat begangen und können sie sich nicht verzeihen. Deshalb sind Sie in die Rolle eines anderen geschlüpft. Sie haben eine dichte, komplexe Geschichte gewoben, in der Sie der Held sind, Andrew. Sie reden sich ein, Sie seien noch immer Marshal und mit der Untersuchung eines Falls beauftragt. Sie glauben, Sie hätten eine Verschwörung aufgedeckt. Deshalb untermauern all unsere Beteuerungen des Gegenteils nur Ihr Hirngespinst, wir hätten uns gegen Sie verschworen. Möglicherweise könnten wir es dabei belassen, könnten Sie in Ihrer Fantasiewelt leben lassen. Mir wäre es Recht. Wenn Sie keine Gefahr darstellen würden, wäre mir das sehr Recht. Aber Sie sind gewalttätig, äußerst gewalttätig. Und durch Ihre militärische und polizeiliche Ausbildung sind Sie auch noch ein Profi. Sie sind der gefährlichste Patient hier. Wir werden nicht mit Ihnen fertig. Wir haben beschlossen … sehen Sie mich an!«

Teddy schaute auf. Cawley beugte sich über den Tisch, seine Augen flehten.

»Wir haben beschlossen, wenn wir Sie jetzt nicht von Ihren Wahnvorstellungen abbringen können – in diesem Moment –, dann werden wir bleibende Maßnahmen ergreifen, um sicherzustellen, dass Sie niemals wieder jemanden verletzen können. Verstehen Sie, was ich sage?«

Einen Augenblick lang – eine Zehntelsekunde lang – hätte Teddy ihm beinahe geglaubt.

Dann grinste er.

»Eine schöne Geschichte haben Sie sich da ausgedacht, Doktor. Wer ist der Böse? Sheehan?« Teddy sah sich kurz zur Tür um. »Er ist langsam fällig, finde ich.«

»Sehen Sie mich an!«, sagte Cawley. »Sehen Sie mir in die Augen!«

326

Teddy gehorchte. Vor Schlafmangel hatte Cawley rote, wässrige Augen. Aber da war noch etwas. Nur was? Teddy hielt Cawleys Blick stand, analysierte ihn. Dann wusste er es: Unter anderen Umständen hätte er geschworen, Cawley habe ein gebrochenes Herz.

»Hören Sie«, sagte Cawley, »Sie haben nur noch mich. Ich bin der einzige, der je für Sie eingetreten ist. Ich höre mir diese Geschichte jetzt seit zwei Jahren an. Ich kenne jede Kleinigkeit, jedes Detail: die Codes, der vermisste Kollege, der Sturm, die Frau in der Höhle, die bösen Experimente im Leuchtturm. Ich kenne Noyce und den fiktiven Senator Hurly. Ich weiß, dass Sie ständig von Dolores träumen, dass ihr Bauch tropft und sie völlig durchnässt ist. Ich kenne die Holzstämme.«

»Sie sind ein Haufen Scheiße«, sagte Teddy.

»Woher sollte ich das sonst alles wissen?«

Teddy zählte die Argumente an seinen zitternden Fingern ab: »Ich habe hier gegessen, Ihren Kaffee getrunken, Ihre Zigaretten geraucht. Herrgott, an dem Morgen, als ich ankam, habe ich drei angebliche Aspirin von Ihnen genommen. An einem Abend haben Sie mir Drogen eingeflößt. Sie saßen neben mir, als ich aufgewacht bin. Seitdem habe ich mich verändert. Da fing alles an. An dem Abend, als ich die Migräne hatte. Was haben Sie mir da gegeben?«

Cawley lehnte sich zurück. Er verzog das Gesicht, als würde er Säure schlucken, und sah aus dem Fenster.

»Ihnen läuft die Zeit davon«, flüsterte er.

»Wie bitte?«

»Die Zeit«, sagte er leise. »Ich hatte vier Tage Zeit. Die sind jetzt fast um.«

»Dann lassen Sie mich gehen. Ich fahre zurück nach Boston und reiche eine Klage bei meinen Vorgesetzten ein. Aber das soll Sie nicht stören – Sie haben so einflussreiche Freunde, da wird bestimmt nicht viel draus werden.«

»Nein, Andrew«, erwiderte Cawley. »Ich habe so gut wie keine Freunde mehr. Seit acht Jahren kämpfe ich hier meinen Kampf; inzwischen hat sich der Wind leider gedreht. Ich werde verlieren. Meine Stelle, die Gelder. Ich habe vor dem gesamten Kuratorium geschworen, ich würde das ungewöhnlichste Rollenspiel durchführen, das es je in der Psychiatrie gegeben hat, um Sie damit zu retten. Um Sie damit zurückzuholen. Aber jetzt sieht es so aus, als ob ich mich geirrt hätte.« Seine Pupillen weiteten sich, er drückte die Hand gegen das Kinn, als renke er sich den Kiefer ein. Dann ließ er die Hand sinken und schaute Teddy an. »Verstehen Sie das nicht, Andrew? Wenn Sie versagen, versage auch ich. Wenn ich versage, ist alles vorbei.«

»Och, das tut mir aber Leid«, sagte Teddy.

Draußen krächzten Möwen. Teddy roch Salz, Sonne und feuchten Sand.

»Versuchen wir's mal andersrum«, schlug Cawley vor. »Glauben Sie, es ist Zufall, dass Rachel Solando, übrigens ein reines Produkt Ihrer Fantasie, genau dieselben Buchstaben im Namen hat wie Ihre tote Frau, und dass sie ebenfalls ihre Kinder getötet hat?«

Teddy stand auf. Das Zittern ließ seine Arme von den Schultern abwärts beben. »Meine Frau hat ihre Kinder nicht umgebracht. Wir hatten keine Kinder.«

»Sie hatten keine Kinder?« Cawley ging zur Wand.

»Wir hatten keine Kinder, Sie dummes Arschloch.«

»Oh, gut.« Cawley zog das nächste Laken herunter.

Zum Vorschein kamen eine Tatortzeichnung, Fotos eines Sees und Fotos von drei toten Kindern. Dazu Namen, ebenfalls in großen Druckbuchstaben geschrieben:

EDWARD LAEDDIS
DANIEL LAEDDIS
RACHEL LAEDDIS

Teddy senkte den Blick und starrte auf seine Hände; sie hüpften, als gehörten sie nicht zu ihm. Wäre es möglich gewesen, hätte er sich auf sie gestellt.

»Ihre Kinder, Andrew. Wollen Sie sich hier hinstellen und leugnen, dass es sie gegeben hat? Wollen Sie das wirklich behaupten?«

Teddy wies mit dem Kinn auf die Fotos. »Das sind die Kinder von Rachel Solando. Das ist die Tatortzeichnung von Rachel Solandos Haus am See.«

»Das ist Ihr Haus. Sie sind dorthin gezogen, weil die Ärzte es Ihnen geraten haben, wegen Ihrer Frau. Erinnern Sie sich nicht? Sie hatte Ihre vorherige Wohnung ›versehentlich‹ in Brand gesetzt. Bringen Sie Ihre Frau raus aus der Stadt, haben die Ärzte geraten, sie braucht eine ländlichere Umgebung. Vielleicht geht es ihr dort besser.«

»Sie war nicht krank.«

»Sie war geisteskrank, Andrew.«

»So heiße ich nicht, verflucht noch mal! Sie war nicht geisteskrank.«

»Ihre Frau war klinisch depressiv. Sie war erwiesenermaßen manisch-depressiv. Sie war –«

»War sie nicht«, sagte Teddy.

»Sie war lebensmüde. Sie hat Ihre Kinder verletzt. Aber Sie wollten es einfach nicht sehen. Sie waren der Ansicht, Ihre Frau solle sich zusammenreißen. Sie redeten sich ein, geistige Gesundheit könne man erzwingen, sie bräuchte sich doch bloß ihrer Verantwortung klar zu werden. Ihrer Verantwortung gegenüber Ihnen. Gegenüber den Kindern. Sie tranken, Sie tranken immer mehr. Sie haben sich in Ihrer eigenen Welt eingeschlossen. Sie blieben länger fort. Sie haben alle Warnungen ignoriert. Sie haben in den Wind geschlagen, was die Lehrer sagten, der Pastor der Gemeinde, die Familie Ihrer Frau.«

»Meine Frau war nicht geisteskrank!«

»Und warum? Weil Sie sich *geschämt* haben.«

»Meine Frau war nicht –«

»Ihre Frau hat nur ein einziges Mal mit einem Psychiater gesprochen, und zwar, nachdem sie versucht hatte, sich umzubringen, und ins Krankenhaus kam. Das konnten nicht mal Sie verhindern. Man sagte Ihnen, sie sei eine Gefahr für sich selbst. Man sagte Ihnen –«

»Wir sind niemals beim Psychiater gewesen!«

»– sie sei eine Gefahr für die Kinder. Unzählige Male sind Sie gewarnt worden.«

»Wir hatten keine Kinder. Wir hätten gerne welche gehabt, aber sie konnte keine Kinder bekommen.«

O Gott! Teddys Kopf fühlte sich an, als treibe jemand mit einem Nudelholz Glassplitter hinein.

»Kommen Sie her!«, sagte Cawley. »Kommen Sie her und lesen Sie die Namen unter den Tatortfotos. Es wird Sie interessieren festzustellen –«

»Die kann man fälschen. Die kann sich jeder ausdenken.«

»Sie flüchten sich in Ihre Fantasiewelt. Unablässig. Sie können es einfach nicht lassen, Andrew. Sie haben mir von den Kindern erzählt. Haben Sie in letzter Zeit wieder von den zwei Jungen und dem kleinen Mädchen geträumt? Hm? Hat das kleine Mädchen Sie zu Ihrem Grabstein geführt? Sie sind ein schlechter Seemann, Andrew. Wissen Sie, was das bedeutet? Es bedeutet, dass Sie ein schlechter Vater sind. Sie haben Ihre Kinder nicht übers Meer gelotst, Andrew. Sie haben sie nicht gerettet. Möchten Sie über die Holzstämme sprechen? Hm? Kommen Sie her und sehen Sie sich die toten Kinder an! Und dann sagen Sie mir, dass es nicht die Kinder aus Ihren Träumen sind.«

»Schwachsinn!«

»Dann sehen Sie sich das an! Kommen Sie her und schauen Sie.«

»Sie flößen mir Drogen ein, Sie bringen meinen Kollegen um, Sie sagen, ich hätte nie existiert. Sie werden mich hier einschließen, weil ich weiß, was Sie im Schilde führen. Ich weiß Bescheid über Ihre Experimente. Ich weiß, was Sie den Schizophrenen verabreichen, ich weiß von Ihrem großzügigen Umgang mit der Lobotomie, von Ihrer völligen Missachtung des Nürnberger Codes. Ich bin Ihnen auf den Fersen, Doktor.«

»Ach, ja?« Cawley lehnte sich gegen die Wand und verschränkte die Arme. »Dann klären Sie mich bitte auf. Sie haben sich in den vergangenen vier Tagen hier umgesehen. Sie hatten Zugang zu jedem Winkel. Wo sind denn unsere Naziärzte? Wo sind unsere gruseligen Operationssäle?«

Cawley ging zum Tisch und schaute kurz in seinen Aufzeichnungen nach: »Glauben Sie immer noch, dass wir die Patienten einer Gehirnwäsche unterziehen, Andrew? Dass wir seit Jahrzehnten Experimente durchführen, um was zu erschaffen, wie haben Sie sich noch gleich ausgedrückt? Ah, ja, eine Geisterarmee? Mörder?« Cawley schmunzelte. »Ich meine, eines muss ich Ihnen lassen, Andrew, auch wenn momentan die Paranoia richtiggehend um sich greift – Ihre Geschichten schießen den Vogel ab.«

Mit zitterndem Finger zeigte Teddy auf den Arzt. »In dieser Anstalt wird mit Patienten experimentiert. Sie vertreten radikale Ansätze –«

»Ja, das stimmt.«

»Sie nehmen nur die gefährlichsten Patienten.«

»Stimmt auch. Mit einem Zusatz – die gefährlichsten *und* die wahnhaftesten.«

»Und Sie …«

»Ja, bitte?«

»Sie führen Experimente durch.«

»Ja!« Cawley klatschte in die Hände und verbeugte sich. »Schuldig im Sinne der Anklage.«

»Chirurgische Experimente.«

Cawley hob einen Finger. »Ähm, nein. Das nicht. Wir experimentieren nicht chirurgisch. Schneiden ist unser letzter Ausweg, und der letzte Ausweg wird immer nur gegen meinen wortmächtigsten Einspruch genommen. Dennoch: Ich bin nur ein Einzelner, und nicht mal ich kann jahrzehntealte Behandlungsmethoden über Nacht ändern.«

»Sie lügen.«

Cawley seufzte. »Beweisen Sie mir, dass Ihre Theorie stichhaltig ist. Ein einziger Beweis würde mir genügen.«

Teddy schwieg.

»Und auf alle Beweise, die ich vorgelegt habe, sind Sie einfach nicht eingegangen.«

»Weil es überhaupt keine Beweise sind. Das ist alles fingiert.«

Cawley drückte die Hände gegeneinander und hob sie an die Lippen, als bete er.

»Lassen Sie mich runter von der Insel«, sagte Teddy. »Als von der Bundesregierung ernannter Polizeibeamter fordere ich Sie auf, mich gehen zu lassen.«

Kurz schloss Cawley die Augen. Als er sie wieder öffnete, waren sie klarer und härter. »Na gut, na gut. Ich gebe mich geschlagen, Marshal. Hier, ich will es Ihnen leicht machen.«

Er nahm eine Schatulle aus weichem Leder vom Boden, löste die Schnallen, schlug sie auf und warf Teddys Revolver auf den Tisch.

»Das ist Ihre Dienstwaffe, nicht wahr?«

Teddy starrte sie an.

»Das da im Griff sind Ihre Anfangsbuchstaben, stimmt's?«

Teddy betrachtete sie, Schweiß rann ihm in die Augen.

»Ja oder nein, *Marshal*? Ist das Ihr Revolver?«

Teddy sah die Kerbe im Lauf. Sie stammte von dem Schuss, den Phillip Stacks auf ihn abgegeben hatte. Stacks hatte nur die Waffe getroffen und war von seinem eigenen Querschläger getötet worden. Teddy sah die Intialen E. D. im Griff, ein Geschenk von seiner Einheit, nachdem er den Schusswechsel mit Breck in Maine gehabt hatte. Und da, an der Unterseite des Abzugbügels, war das Metall zerkratzt und leicht abgeschürft, weil er sie bei einer Verfolgungsjagd im Winter 1949 in St. Louis hatte fallen lassen.

»Ist das Ihre Dienstwaffe?«

»Ja.«

»Nehmen Sie sie, Marshal. Prüfen Sie, ob sie geladen ist.«

Teddy schaute erst den Revolver, dann Cawley an.

»Na los, Marshal. Nehmen Sie sie.«

Teddy nahm die Waffe vom Tisch und wog sie in der Hand.

»Ist sie geladen?«, fragte Cawley.

»Ja.«

»Bestimmt?«

»Ich fühl's am Gewicht.«

Cawley nickte. »Dann legen Sie los. Denn nur so werden Sie jemals die Insel verlassen können.«

Teddy wollte den Arm mit der anderen Hand stützen, doch die zitterte ebenfalls. Er holte mehrmals tief Luft, atmete langsam aus, versuchte trotz des Schweißes in den Augen und zitterndem Körper auf Cawley zu zielen. Er war höchstens einen halben Meter entfernt, aber schwankte hin und her, auf und nieder, als ständen sie beide auf einem Schiff auf hoher See.

»Sie haben noch fünf Sekunden, Marshal.«

Cawley zog das Feldtelefon aus dem Kasten und drehte an der Kurbel. Er hielt den Hörer an den Mund.

»Noch drei Sekunden. Drücken Sie ab oder bleiben Sie den Rest Ihres Lebens auf dieser Insel.«

Teddy spürte das Gewicht des Revolvers. Es könnte klappen, trotz des Zitterns, wenn er seine Chance jetzt ergriff. Wenn er Cawley und alle anderen tötete, die draußen warteten.

»Direktor, Sie können ihn jetzt hochschicken«, sagte Cawley.

Teddys Blick wurde klar, das Zittern ebbte ab zu einem schwachen Beben. Er zielte auf Cawley, der den Hörer zurücklegte.

Cawley bekam einen neugierigen Gesichtsausdruck, als würde ihm erst jetzt klar, dass Teddy noch immer die Möglichkeit hatte, Schluss zu machen.

Cawley hob die Hand.

»Okay, okay«, sagte er.

Und Teddy schoss ihm in die Brust. Dann hob er die Hände zwei Zentimeter höher und schoss Cawley ins Gesicht.

Mit Wasser.

Cawley runzelte die Stirn. Blinzelte mehrmals. Zog ein Taschentuch hervor.

Hinter Teddy öffnete sich die Tür. Teddy wirbelte auf dem Stuhl herum und zielte auf den eintretenden Mann.

»Nicht schießen«, sagte Chuck. »Ich hab meinen Regenmantel vergessen.«

23

CAWLEY FUHR SICH mit dem Taschentuch übers Gesicht und setzte sich wieder. Chuck ging um den Tisch herum zu Cawley, Teddy drehte den Revolver in der Hand und starrte ihn an.

Chuck nahm auf der anderen Seite des Tisches Platz. Er trug einen Laborkittel.

»Ich dachte, du wärst tot«, sagte Teddy.

»Nein«, sagte Chuck.

Plötzlich fiel es Teddy schwer, Wörter zu artikulieren. Er merkte, dass er zu stottern begann, genau wie die Ärztin vorausgesagt hatte. »Ich … ich … wäre … ich wäre für dich gestorben, um dich hier rauszubringen. Ich …« Er ließ die Waffe auf den Tisch fallen. Jegliche Kraft schwand aus seinem Körper. Er sackte auf den Stuhl, er konnte nicht mehr.

»Es tut mir aufrichtig Leid«, sagte Chuck. »Dr. Cawley und ich haben uns wochenlang den Kopf zerbrochen, bevor wir das so inszeniert haben. Ich wollte nicht, dass Sie sich hinterher verraten fühlen, ich wollte Ihnen keine ungebührlichen Schmerzen bereiten. Das müssen Sie mir glauben. Aber wir wussten, dass es keine andere Möglichkeit gibt.«

»Uns sitzt ein wenig die Zeit im Nacken«, erklärte Cawley. »Das hier war unser letzter verzweifelter Versuch, Sie zu retten, Andrew. Ein radikaler Plan, selbst für unsere Verhältnisse, aber ich hatte gehofft, er würde funktionieren.«

Teddy wollte sich den Schweiß aus den Augen wischen, verrieb ihn aber nur. Verschwommen sah er Chuck vor sich.

»Wer bist du?«, fragte er.

Chuck streckte ihm über den Tisch die Hand entgegen. »Dr. Lester Sheehan«, sagte er.

Teddy ignorierte die Hand, und Sheehan zog sie wieder zurück.

»Ich hab dir also ständig erzählt«, sagte Teddy und zog die Nase hoch, »dass wir unbedingt Sheehan finden müssen, obwohl du selbst ... Sheehan bist.«

Sheehan nickte.

»Du hast mich ›Chef‹ genannt. Mir Witze erzählt. Mich bei Laune gehalten. Mich die ganze Zeit nicht aus den Augen gelassen, stimmt das, Lester?«

Teddy schaute Sheehan an. Der Arzt versuchte, Teddys Blick standzuhalten, aber es gelang ihm nicht, er schielte auf seine Krawatte und spielte mit ihr herum. »Ich musste Sie im Auge behalten, ich musste sichergehen, dass Ihnen nichts passiert.«

»Dass mir nichts passiert«, wiederholte Teddy. »Na, das erklärt ja alles. Die moralische Rechtfertigung.«

Sheehan ließ die Krawatte fallen. »Wir kennen uns seit zwei Jahren, Andrew.«

»So heiße ich nicht.«

»Seit zwei Jahren. Ich bin Ihr behandelnder Therapeut. Seit zwei Jahren. Sehen Sie mich an! Erkennen Sie mich wirklich nicht?«

Mit dem Aufschlag der Jacke wischte sich Teddy den

Schweiß aus den Augen. Nun sah er klarer. Er sah Chuck. Den guten alten Chuck, der so unbeholfen mit Schusswaffen umging und Hände hatte, die nicht zu seinem Beruf passten, denn es waren nicht die Hände eines Polizisten. Es waren die Hände eines Arztes.

»Du warst mein Freund«, sagte Teddy. »Ich hab dir vertraut. Ich hab dir von meiner Frau erzählt. Ich hab dir von meinem Vater erzählt. Ich bin eine Riesenklippe runtergeklettert, um nach dir zu suchen. Hast du dabei auch auf mich aufgepasst? Dass mir nichts passiert? Du warst mein Freund, Chuck. Oh, Entschuldigung, Lester.«

Sheehan zündete sich eine Zigarette an, und Teddy freute sich zu sehen, dass auch seine Hände zitterten. Zwar nur leicht, nicht annähernd so heftig wie Teddys, und das Zittern hörte auf, sobald die Zigarette angezündet war und Lester das Streichholz in den Aschenbecher geworfen hatte. Trotzdem …

Hoffentlich hast du es auch, dachte Teddy. Was immer es ist.

»Ja«, sagte Sheehan (und Teddy musste sich zwingen, nicht mehr Chuck in ihm zu sehen), »ich hab auf Sie aufgepasst. Dass ich verschwunden bin, gehörte ebenfalls zu Ihrem Fantasiegebilde, ja. Aber Sie sollten Laeddis' Aufnahmeformular oben auf der Straße finden, nicht unten auf der Klippe. Es ist versehentlich runtergefallen. Als ich es aus der Gesäßtasche zog, hat es mir der Wind aus der Hand gerissen. Ich bin hinterhergeklettert, weil ich wusste, dass Sie es sonst tun würden. Aber ich konnte mich vor Angst nicht bewegen. Hockte da direkt unter dem Vorsprung. Zwanzig Minuten später sind Sie vor meiner Nase nach unten geklettert. Wirklich, nur dreißig Zentimeter entfernt. Ich hätte Sie beinahe berührt.«

Cawley räusperte sich. »Wir hätten die Sache fast abgeblasen, als wir sahen, dass Sie diese Klippe runterwollten. Wäre vielleicht besser gewesen.«

»Abgeblasen.« Teddy kicherte verstohlen in die Faust.

»Ja«, sagte Cawley. »Abgeblasen. Das Ganze war eine Inszenierung, Andrew. Ein –«

»Ich heiße Teddy.«

»Ein Schauspiel. Aus Ihrer Feder. Wir haben Ihnen nur geholfen, es aufzuführen. Aber das Stück funktioniert nur mit dem richtigen Ende, und das war von vornherein, dass Sie zu diesem Leuchtturm kommen.«

»Wie praktisch«, sagte Teddy und schaute sich um.

»Seit fast zwei Jahren erzählen Sie uns nun schon diese Geschichte. Dass Sie hergekommen sind, um eine entlaufene Patientin zu suchen und dabei auf unsere Nazi-ähnlichen Methoden, auf Gehirnwäsche à la Sowjetunion gestoßen sind. Dass die Patientin Rachel Solando ihre Kinder auf ähnliche Weise getötet hat wie Ihre Frau Ihre gemeinsamen Kinder. Dass Sie irgendwann ganz nah dran waren, aber da wurde Ihr Kollege aus dem Weg geräumt, und Sie mussten sich allein durchschlagen. Aber wir haben Sie gepackt. Wir haben Ihnen Drogen eingeflößt. Und dann wurden Sie eingewiesen, ehe Sie Ihrem erfundenen Senator Hurly alles berichten konnten. Möchten Sie die Namen der aktuellen Senatoren des Staates New Hampshire sehen, Andrew? Ich hab sie da.«

»Sie haben das alles inszeniert?«, fragte Teddy.

»Ja.«

Teddy lachte. Er lachte so heftig wie seit langem nicht mehr. Er lachte und hörte sein Gelächter widerhallen, das Echo überschlug sich, vereinte sich mit den immer noch aus seinem Mund dröhnenden Lauten, wirbelte auf, lief an den Wänden hinunter und erhob sich wie eine Wolke draußen über die Brandung.

»Wie inszeniert man denn einen Hurrikan?«, fragte Teddy und schlug auf den Tisch. »Erklären Sie mir das mal, Doktor.«

»Einen Hurrikan kann man nicht inszenieren«, sagte Cawley.

»Nein«, sagte Teddy, »kann man nicht.« Abermals schlug er auf den Tisch.

Cawley betrachtete Teddys Hand, dann sein Gesicht. »Aber hin und wieder kann man einen vorhersagen, Andrew. Insbesondere auf einer Insel.«

Teddy schüttelte den Kopf. Er grinste noch immer, auch wenn das Grinsen allmählich an Strahlkraft einbüßte, auch wenn er wahrscheinlich dümmlich und verletzlich aussah. »Ihr gebt einfach nicht auf.«

»Ein Orkan war unerlässlich für Ihre Geschichte«, erklärte Cawley. »Wir haben lange gewartet.«

»Alles gelogen«, sagte Teddy.

»Gelogen? Dann erklären Sie mir die Anagramme. Erklären Sie, warum die Kinder auf den Fotos – Kinder, die Sie nie gesehen haben können, wenn es die von Rachel Solando sind – mit den Kindern in Ihren Träumen identisch sind. Erklären Sie mir, Andrew, warum ich zu Ihnen sagen konnte, als Sie durch diese Tür kamen: ›Du bist ja ganz nass, Schatz‹. Glauben Sie, ich kann Gedanken lesen?«

»Nein«, entgegnete Teddy. »Ich glaube, dass ich ganz nass war.«

Einen Augenblick lang sah Cawley aus, als würde er explodieren. Dann atmete er tief durch, faltete die Hände und beugte sich vor. »Ihr Revolver ist mit Wasser gefüllt. Ihre Codes? Die Codes sagen doch alles, Andrew. Sie veräppeln sich selbst. Sehen Sie sich die Rätsel in Ihrem Notizbuch an. Das letzte. Sehen Sie sich die Botschaft an. Acht Buchstaben. Drei Zeilen. Die zu knacken müsste für Sie doch ein Kinderspiel sein. Los, sehen Sie nach!«

Teddy schaute auf das Blatt:

20(T) – 5(E) – 4(D) – 19(S) – 2(B) – 18(R) – 21(U) – 9(I)

»Uns läuft die Zeit weg«, sagte Lester Sheehan. »Sie müssen wissen, dass alles im Umschwung begriffen ist. In der Psychiatrie. Hier herrscht seit einiger Zeit Krieg, und wir sind die Verlierer.«

»Und?«, sagte Teddy geistesabwesend. »Wer ist wir?«

»Menschen«, sagte Cawley, »die nicht glauben, dass man dem Gehirn mit Eispickeln durch die Nase oder mit hohen Dosen gefährlicher Medikamente weiterhilft, sondern dass man nur durch ehrliche Selbsteinschätzung vorwärts kommt.«

»Durch ehrliche Selbsteinschätzung«, wiederholte Teddy. »Ach, das klingt ja nett.«

Drei Zeilen, hatte Cawley gesagt.

»Hören Sie mir zu«, sagte Sheehan. »Wenn wir das hier nicht schaffen, haben wir verloren. Nicht nur bei Ihnen. Im Moment haben die Chirurgen die Oberhand, aber das wird sich schnell ändern. Die Pharmazeuten werden an die Macht kommen, und bei denen wird's nicht weniger barbarisch. Es sieht nur nicht so schlimm aus. Man wird weiterhin zombiähnliche Wesen verwahren, nur wird die Fassade der Öffentlichkeit genehmer sein. Hier, bei uns, hängt jetzt alles an Ihnen, Andrew.«

»Ich heiße Teddy. Teddy Daniels.«

Die erste Zeile lautete wahrscheinlich »DU«.

»Naehring hat einen OP auf Ihren Namen reserviert, Andrew.«

Teddy schaute auf.

Cawley nickte. »Wir hatten vier Tage Zeit. Wenn wir es nicht schaffen, werden Sie operiert.«

»Woran operiert?«

Cawley schaute Sheehan an. Der musterte seine Zigarette.

»Woran werde ich operiert?«, wiederholte Teddy.

Cawley wollte antworten, aber Sheehan kam ihm mit erschöpfter Stimme zuvor: »Es wird eine transorbitale Lobotomie vorgenommen.«

Teddy blinzelte und schaute wieder auf das Blatt, das zweite Wort hieß »BIST«.

»Genau wie bei Noyce«, sagte er. »Wahrscheinlich wollen Sie mir noch erzählen, dass er auch nicht hier ist.«

»Noyce ist hier«, gab Cawley zu. »Und vieles von der Geschichte, die Sie Dr. Sheehan erzählt haben, trifft zu, Andrew. Aber er ist nie nach Boston zurückgekehrt. Sie haben ihn nie im Gefängnis getroffen. Er ist seit August 1950 hier. Er war so weit, dass er von Station C auf Station A verlegt werden konnte. Aber dann wurde er von Ihnen angegriffen.«

Teddy schaute von den letzten beiden Buchstaben auf. »Was habe ich?«

»Sie haben ihn angegriffen. Vor zwei Wochen. Sie haben ihn fast umgebracht.«

»Warum sollte ich so was tun?«

Cawley warf Sheehan einen Blick zu.

»Weil er Sie Laeddis genannt hat«, erklärte Sheehan.

»Nein, hat er nicht. Ich hab gestern mit ihm gesprochen, und er –«

»Was hat er?«

»Auf jeden Fall hat er mich nicht Laeddis genannt, so viel ist sicher.«

»Nein?« Cawley schlug sein Notizbuch auf. »Ich habe hier eine Mitschrift Ihres Gesprächs. Die Bänder sind in meinem Büro, aber fürs erste reicht ja das Protokoll. Sagen Sie mir, ob Ihnen das bekannt vorkommt.« Cawley rückte die Brille zurecht, beugte sich über das Blatt. »Ich zitiere: ›Es geht um dich, Laeddis. Um was anderes ist es nie gegangen. Mit mir, das war Zufall. Ich war bloß der Türöffner.‹«

Teddy schüttelte den Kopf. »Da nennt er mich doch nicht Laeddis. Sie haben die Betonung verschoben. Er hat gesagt, hier geht's um dich – damit meinte er mich – *und* um Laeddis.«

Cawley schmunzelte. »Sie sind wirklich großartig.«

Teddy grinste. »Dasselbe dachte ich gerade von Ihnen.«

Cawley schaute in das Protokoll. »Wie wär's hiermit: Können Sie sich erinnern, dass Sie Noyce gefragt haben, was mit seinem Gesicht passiert ist?«

»Sicher. Ich habe ihn gefragt, wer dafür verantwortlich ist.«

»Ihre genauen Worte waren: ›Wer hat das getan?‹ Stimmt das?«

Teddy nickte.

»Und Noyce antwortete – ich zitiere wieder – ›Du.‹«

»Ja, aber …«, sagte Teddy.

Cawley betrachtete ihn wie ein Insekt unter der Lupe. »Ja?«

»Damit meinte er …«

»Ich höre.«

Teddy hatte Schwierigkeiten, Wörter zu Sätzen zu formen, damit sie aufeinander folgten wie Güterwaggons.

»Er meinte damit«, sagte Teddy langsam und bedächtig, »dass ich nicht verhindert habe, dass er wieder hier eingeliefert wurde, und das hat indirekt dazu geführt, dass er zusammengeschlagen wurde. Er hat nicht gesagt, ich hätte ihn geschlagen.«

»Er sagte: ›*Du*‹.«

Teddy zuckte mit den Schultern. »Ja, aber das interpretiere ich anders als Sie.«

Cawley blätterte um. »Wie wäre es denn hiermit? Das hat Noyce auch gesagt: ›Die wussten *Bescheid*. Verstehst du das nicht? Die Leute hier wissen genau, was du vorhast. Die kennen deinen Plan. Das Ganze ist ein Spiel. Ein hübsch inszeniertes Theater. Das alles hier ist für dich.‹«

Teddy lehnte sich zurück. »Ich kenne die ganzen Patienten, die ganzen Leute seit angeblich zwei Jahren, und keiner hat ein Wort zu mir gesagt, als ich in den letzten vier Tagen meine, ähm, Vorstellung gab?«

Cawley klappte das Notizbuch zu. »Die Menschen hier sind daran gewöhnt. Sie fuchteln allen schon seit zwei Jahren mit Ihrem Plastikausweis unter der Nase rum. Zuerst dachte ich, das mit dem Ausweis wäre eine gute Idee – ich wollte sehen, wie Sie drauf reagieren. Aber wie Sie damit losgerannt sind, das hätte ich nicht im Traum erwartet. Bitte! Sehen Sie in Ihrer Brieftasche nach. Sagen Sie mir, ob der Ausweis aus Plastik ist oder nicht, Andrew.«

»Zuerst mache ich den Code fertig.«

»Sie sind fast fertig. Nur noch zwei Buchstaben. Brauchen Sie Hilfe, Andrew?«

»Teddy.«

Cawley schüttelte den Kopf. »Andrew. Andrew Laeddis.«

»Teddy.«

Cawley beobachtete, wie er die Buchstaben auf dem Blatt kombinierte.

»Was steht da?«

Teddy lachte.

»Sagen Sie's uns!«

Teddy schüttelte den Kopf.

»Bitte, wir möchten mitlachen.«

Teddy sagte: »Das haben Sie sich ausgedacht. Sie haben die Botschaften platziert. Sie haben aus dem Namen meiner Frau den Namen Rachel Solando zusammengesetzt. Das waren alles Sie.«

Cawley sprach langsam und deutlich. »Was besagt die letzte Botschaft?«

Teddy drehte das Notizbuch um, damit sie es lesen konnten:

DU
BIST
ER

»Zufrieden?«, fragte er.

Cawley stand auf. Er wirkte erschöpft. Am Ende seiner Kräfte. In seiner Stimme lag eine Trostlosigkeit, die Teddy noch nicht gehört hatte.

»Wir haben gehofft. Wir haben gehofft, dass wir Sie retten können. Wir haben unseren Ruf aufs Spiel gesetzt. Und jetzt wird sich rumsprechen, dass wir einem Patienten erlaubt haben, seine Wahnvorstellung in die Tat umzusetzen, und am Ende nichts dabei herausgekommen ist außer ein paar verletzte Wächter und ein ausgebranntes Auto. Die berufliche Demütigung ist mir egal.« Er sah aus dem kleinen Fenster. »Vielleicht bin ich über dieses Krankenhaus hinausgewachsen. Oder es ist mir über den Kopf gewachsen. Irgendwann, Marshal, und das dauert nicht mehr allzu lange, werden die Menschen derart mit Medikamenten vollgepumpt werden, dass sie keine menschlichen Erfahrungen mehr machen können. Verstehen Sie das?«

Teddy rührte sich nicht. »Nicht genau.«

»Habe ich auch nicht erwartet.« Cawley nickte und verschränkte die Arme vor der Brust. Einen Augenblick war es still im Raum, nur der Wind und das Brechen der Wellen waren zu hören. »Sie waren ein hochdekorierter Soldat mit hervorragender Nahkampfausbildung. Seit Sie hier sind, haben Sie acht Wärter verletzt, die zwei heute nicht mitgerechnet, vier Patienten und fünf Pfleger. Dr. Sheehan und ich haben uns so lange wie möglich für Sie eingesetzt. Aber der Großteil des Klinikpersonals und alle Strafvollzugsangestellten fordern Ergebnisse von uns. Wenn nichts passiert, müssen Sie außer Gefecht gesetzt werden.«

Er löste sich vom Fenstersims, beugte sich über den Tisch und sah Teddy traurig und düster an. »Das war unser letzter Versuch, Andrew. Wenn Sie nicht akzeptieren, wer Sie sind und was Sie getan haben, wenn Sie nicht versuchen, Ihre Wahnwelt zu verlassen, können wir nichts mehr für Sie tun.«

Er hielt Teddy die Hand hin.

»Nehmen Sie sie«, sagte er mit rauer Stimme. »Bitte, Andrew. Ich möchte Sie retten.«

Teddy nahm die Hand. Er schüttelte sie kräftig. Er schenkte Cawley seinen offensten Handschlag, seinen offensten Blick. Lächelte.

Und sagte: »Ich heiße nicht Andrew.«

24

IN FUSSFESSELN WURDE er zu Station C geführt.

Dort brachte man ihn in den Keller hinunter, wo die Männer aus den anderen Zellen ihn anschrien. Sie würden ihm Schmerzen zufügen. Sie würden ihn vergewaltigen. Einer schwor, er würde ihn aufknüpfen wie ein Schwein und einen Zeh nach dem anderen essen.

Er blieb gefesselt, an jeder Seite ein Wärter, während eine Schwester mit einer Spritze in der Hand die Zelle betrat.

Sie hatte orangerotes Haar und roch nach Seife. Teddy erhaschte einen Hauch ihres Atems, als sie sich beim Spritzen vorbeugte. Er kannte sie.

»Sie haben Rachel gespielt«, sagte er.

»Haltet ihn fest«, sagte sie.

Die Wärter hielten ihn an den Schultern fest, drückten seine Arme hinunter.

»Sie waren das. Mit gefärbten Haaren. Sie sind Rachel.«

»Nicht bewegen«, sagte sie und bohrte ihm die Nadel in den Arm.

Er sah ihr in die Augen. »Sie sind eine hervorragende Schauspielerin. Wirklich, Sie haben mich echt eingewickelt mit dem ganzen Kram über den guten alten Jim. Sehr überzeugend, Rachel.«

Sie senkte den Blick.

»Ich heiße Emily«, sagte sie und zog die Nadel heraus. »Und jetzt schlafen Sie.«

»Bitte!«, flehte Teddy.

Sie blieb in der Tür stehen und sah sich zu ihm um.

»Sie waren es«, sagte er.

Sie nickte nicht mit dem Kopf. Sie tat es mit den Augen, ein unmerklicher Lidschlag, und dann lächelte sie ihn so umwerfend an, dass er sie am liebsten aufs Haar geküsst hätte.

»Gute Nacht«, sagte sie.

Er merkte nicht mehr, dass die Wärter die Fußfesseln entfernten, hörte nicht, als sie gingen. Die Geräusche aus den anderen Zellen erstarben, vor seinen Augen wurde es bernsteingelb, und er hatte das Gefühl, als liege er rücklings auf einer feuchten Wolke und seine Hände und Füße seien zu Schwämmen geworden.

Und er träumte.

In seinem Traum wohnten er und Dolores in einem Haus am See.

Weil sie die Stadt hatten verlassen müssen.

Weil die Stadt tückisch und brutal war.

Weil sie die Wohnung auf der Buttonwood in Brand gesteckt hatte.

Um die Geister loszuwerden.

Im Traum war die Liebe zwischen ihnen aus Stahl, unempfindlich gegen Feuer, Regen und klopfende Hammer.

Er träumte, Dolores sei geisteskrank.

Und seine kleine Rachel sagte eines Abends, als er betrunken war, aber nicht so betrunken, dass er ihr nicht eine Bettgeschichte hätte vorlesen können, seine Rachel sagte also zu ihm: »Daddy?«

»Was ist, Kleine?«

»Mommy guckt mich manchmal so komisch an.«

»Was meinst du mit komisch?«

»Einfach komisch.«

»Musst du denn lachen?«

Sie schüttelte den Kopf.

»Nein?«

»Nein«, sagte sie.

»Na, wie sieht sie dich denn an?«

»Als ob ich sie richtig traurig mache.«

Und er deckte Rachel zu, gab ihr einen Gutenachtkuss, kuschelte sich in ihre Halsbeuge und sagte ihr, sie mache niemanden traurig. Würde sie nie, konnte sie gar nicht. Niemals.

An einem anderen Abend machte er sich bettfertig, und Dolores rieb sich die Narben an den Handgelenken, sah ihm vom Bett aus zu und sagte: »Wenn du fortgehst, kommt nur ein Teil von dir zurück.«

»Wenn ich wohin gehe, mein Schatz?« Er legte die Uhr auf den Nachttisch.

»Und der Teil, der zurückkommt«, sie biss sich auf die Lippe und sah aus, als wollte sie sich mit beiden Fäusten ins Gesicht schlagen, »der sollte besser nicht wiederkommen.«

Sie war überzeugt, der Schlachter an der Ecke sei ein Spion. Sie sagte, er grinse sie an, und dabei tropfe das Blut von seinem Hackebeil, er könne bestimmt Russisch.

Sie sagte, manchmal könne sie das Hackebeil in ihrer Brust spüren.

Als sie einmal im Baseballstadion waren, sagte der kleine Teddy zu ihm: »Wir könnten auch hier wohnen.«

»Wir wohnen doch hier.«

347

»Im Stadion, meine ich.«

»Was gefällt dir denn da nicht, wo wir wohnen?«

»Da gibt's zu viel Wasser.«

Teddy nahm einen Schluck aus der Flasche. Er musterte seinen Sohn. Es war ein großer, kräftiger Junge, aber für sein Alter weinte er zu schnell und war sehr schreckhaft. So wurden die Kinder heutzutage groß, überbehütet und verweichlicht vom wirtschaftlichen Aufschwung. Teddy hätte es gern gesehen, wenn seine Mutter noch gelebt und ihren Enkeln beigebracht hätte, dass man hart und stark sein musste. Der Welt war das scheißegal. Sie schenkte einem nichts. Sie nahm.

Diese Lektionen konnte natürlich auch ein Mann erteilen, aber eine Frau konnte sie dauerhaft in den Köpfen der Kinder verfestigen.

Dolores hingegen setzte ihnen Flausen, Träumereien in den Kopf, ging mit ihnen zu oft ins Kino, zum Zirkus, zu Jahrmärkten.

Er trank noch einen Schluck aus der Flasche und sagte zu seinem Sohn: »Zu viel Wasser also. Sonst noch was?«

»Nein.«

Manchmal sagte er zu ihr: »Was ist los? Was mache ich falsch? Was fehlt dir? Wie kann ich dich glücklich machen?«

Und dann sagte sie: »Ich bin glücklich.«

»Nein, bist du nicht. Sag mir, was ich tun soll. Ich tue alles.«

»Mir geht's gut.«

»Du wirst immer so schnell wütend. Und wenn du nicht wütend bist, bist du zu glücklich und hüpfst durch die Gegend.«

»Wo ist das Problem?«

»Es macht den Kindern Angst, und mir auch. Es geht dir nicht gut.«

»Doch.«

»Du bist immer traurig.«

»Nein«, entgegnete sie dann. »Du bist immer traurig.«

Er sprach mit dem Pastor, der ein-, zweimal vorbeischaute. Er sprach mit ihren Schwestern, und die ältere, Delilah, kam für eine Woche von Virginia hoch, was eine Zeit lang zu helfen schien.

Beide vermieden das Thema Ärzte. Nur Geisteskranke gingen zu Ärzten. Dolores war nicht geisteskrank. Sie war nur nervös.

Nervös und traurig.

Teddy träumte, sie weckte ihn eines Nachts auf und sagte ihm, er solle seine Pistole holen. Der Schlachter sei im Haus, sagte sie. Unten in der Küche. Er telefoniere auf Russisch.

In jener Nacht auf dem Bürgersteig vor dem Cocoanut Grove, als er sich ins Taxi gebeugt hatte, ihr Gesicht nur wenige Zentimeter entfernt gewesen war …

Da hatte er hineingesehen und gedacht:

Ich kenne dich. Ich kenne dich von klein auf. Ich habe gewartet. Gewartet, dass du in mein Leben trittst. Jahrelang.

Ich kenne dich schon mein Leben lang.

So einfach war das.

Er verspürte nicht den verzweifelten Wunsch der GIs, mit ihr zu schlafen, bevor er in See stach, denn in jenem Moment wusste er, dass er aus dem Krieg heimkehren würde. Er würde zurückkommen, weil die Götter nicht erst dafür sorgten, dass man die zweite Hälfte seiner Seele traf, und sie einem dann wieder nahmen.

Er beugte sich vor und sagte es ihr.

Und er sagte: »Mach dir keine Sorgen. Ich komme zurück.«

Sie strich ihm übers Gesicht. »Bitte, ja?«

Er träumte, er kehre ins Haus am See zurück.

Er war in Oklahoma gewesen. Hatte mit ungefähr zehn Zwischenstationen zwei Wochen lang einen Mann von den

Docks in South Boston bis nach Tulsa verfolgt, war immer einen Schritt zu spät gewesen, bis er buchstäblich mit dem Kerl zusammenstieß, als er aus der Herrentoilette einer Tankstelle kam.

Um elf Uhr morgens betrat er das Haus, dankbar, dass es ein Wochentag war und die Jungen in der Schule waren. Ihm saß die Fahrt in den Knochen, er sehnte sich nach seinem Bett. Er ging hinein, rief Dolores und goss sich einen doppelten Scotch ein. Da kam sie von hinten herein und sagte: »Es ist nicht genug.«

Mit dem Glas in der Hand drehte er sich um und fragte: »Was denn, Schatz?« Da merkte er, dass sie ganz nass war, als hätte sie gerade unter der Dusche gestanden, bloß trug sie ein altes dunkles Kleid mit verblasstem Blumenmuster. Sie war barfuß, das Wasser tropfte ihr aus dem Haar und aus dem Kleid.

»Schatz«, sagte er, »du bist ja ganz nass!«

Sie sagte wieder: »Es ist nicht genug«, und stellte eine Flasche auf die Küchentheke. »Ich bin noch wach.«

Dann ging sie wieder nach draußen.

Teddy sah ihr nach, wie sie mit langen, schlurfenden Schritten zum Pavillon schwankte. Er stellte sein Glas auf die Theke, betrachtete die Flasche und sah, dass es das nach ihrem Klinikaufenthalt vom Arzt verschriebene Beruhigungsmittel war. Wenn Teddy länger unterwegs war, maß er die Teelöffel ab, die sie seiner Meinung nach während seiner Abwesenheit brauchte, und schüttete sie in ein kleines Fläschchen im Apothekenschrank. Dann schloss er die Flasche im Keller ein.

Sie enthielt Medizin für sechs Monate, und Dolores hatte sie ausgetrunken.

Er sah, wie sie die Stufen zum Pavillon hinaufstolperte, auf die Knie fiel und sich wieder erhob.

Wie war sie an die Flasche gekommen? Das Schloss am Kellerschrank war kein gewöhnliches. Nicht einmal ein starker Mann mit einem Bolzenschneider konnte es öffnen.

Knacken konnte sie es nicht, und Teddy besaß den einzigen Schlüssel.

Er sah, wie sie sich auf die Schaukel im Pavillon setzte, dann blickte er auf die Flasche. Er konnte sich erinnern, dass er am Abend vor seiner Abfahrt genau hier gestanden, die Flüssigkeit teelöffelweise in das Fläschchen aus dem Apothekerschrank gefüllt und sich selbst dabei ein, zwei Glas genehmigt hatte. Er hatte auf den See geschaut, die kleinere Flasche ins Wandschränkchen gestellt, war nach oben gegangen, um sich von den Kindern zu verabschieden, war wieder heruntergekommen, weil das Telefon klingelte, hatte den Anruf von der Dienststelle entgegengenommen, sich anschließend Mantel und Reisetasche geschnappt, Dolòres an der Tür einen Kuss gegeben und war zu seinem Auto gegangen ...

... und hatte die große Flasche auf der Küchentheke stehen lassen.

Durch die Fliegentür ging er nach draußen, lief über den Rasen zum Pavillon und stieg die Stufen hinauf. Sie sah ihm entgegen, völlig durchnässt, hing in der Schaukel, ließ ein Bein baumeln, gab sich mit dem anderen Schwung.

»Schatz, wann hast du das alles getrunken?«, fragte er.

»Heute Morgen.« Sie streckte ihm die Zunge raus, dann lächelte sie verträumt und schaute zur gewölbten Decke hoch. »Aber war nicht genug. Kann nicht schlafen. Will einfach nur schlafen. Bin so müde.«

Hinter ihr im See trieben Baumstämme, und er wusste, dass es kein Holz war, dennoch wandte er den Blick ab und sah seine Frau an.

»Warum bist du müde?«

Sie zuckte mit den Schultern, schüttelte die Hände aus. »Macht mich alles so müde. So müde. Möchte nur nach Hause.«

»Du bist zu Hause.«

Sie wies hoch zur Decke. »Ganz nach Hause«, sagte sie.

Wieder schaute Teddy zu den Baumstämmen hinüber, die sanft im Wasser trieben.

»Wo ist Rachel?«

»Schule.«

»Sie ist noch zu jung für die Schule, Schatz.«

»Nicht für meine«, sagte seine Frau und zeigte ihm die Zähne.

Da schrie Teddy auf. Er schrie so laut, dass Dolores aus der Schaukel fiel, er sprang über sie hinweg, sprang über das Geländer auf der Rückseite des Pavillons und rannte schreiend los, schrie nein, schrie Gott, schrie bitte, schrie nicht meine Kinder, schrie Jesus, schrie oh oh oh.

Er warf sich ins Wasser. Rutschte aus, fiel vornüber, ging unter, das Wasser umschloss ihn wie Öl, er schwamm weiter, immer weiter, und tauchte mitten zwischen ihnen auf. Inmitten der drei Baumstämme. Inmitten seiner Kinder.

Edward und Daniel trieben mit dem Gesicht nach unten, aber Rachel lag auf dem Rücken, sie hatte die Augen geöffnet und schaute hoch zum Himmel. Mit der Einsamkeit ihrer Mutter in den Augen, suchte sie die Wolken ab.

Nacheinander trug er sie aus dem Wasser und legte sie ans Ufer. Er ging behutsam mit ihnen um. Hielt sie fest, aber sanft. Er konnte ihre Knochen fühlen. Er streichelte ihre Wangen. Er streichelte ihre Schultern, die Brust, die Beine, die Füße. Er küsste sie viele Male.

Dann fiel er auf die Knie und übergab sich, bis ihm die Brust brannte und der Magen leer war.

Er verschränkte die Arme der Kinder vor der Brust und sah dabei, dass Daniel und Rachel Fesselspuren an den Handgelenken hatten. Da wusste er, dass Edward der erste gewesen war. Die anderen beiden hatten warten müssen, alles gehört und gewusst, dass sie als nächstes an der Reihe waren.

Noch einmal küsste er jedes Kind auf beide Wangen und die Stirn, dann schloss er Rachels Augen.

Hatten sie sich gewehrt, hatten sie gestrampelt, als Dolores sie zum See trug? Hatten sie geschrien? Oder hatten sie es stöhnend, resigniert mit sich geschehen lassen?

Er sah seine Frau in dem violetten Kleid vor sich, in dem

er sie kennen gelernt hatte, er sah ihren Gesichtsausdruck in dem Moment, als sie ihm zum ersten Mal aufgefallen war, der Gesichtsausdruck, in den er sich verliebt hatte. Er hatte gedacht, es läge nur am Kleid, an ihrer Unsicherheit, so ein schickes Kleid in so einem schicken Nachtclub zu tragen. Aber das war es nicht gewesen. In Ihrem Gesicht stand Angst, kaum gezügelte Angst, und sie war immer da. Sie hatte Angst vor allem – vor Zügen, Bomben, ratternden Straßenbahnen, Presslufthämmern, dunklen Straßen, Russen, U-Booten, Kneipen voll rauflustiger Männer, Meeren voller Haie, vor Asiaten, die in einer Hand ein rotes Buch und in der anderen ein Gewehr trugen.

Vor alldem und noch vor vielem mehr hatte sie Angst, aber was ihr die größte Furcht bereitete, das war in ihr: ein übernatürlich intelligenter Parasit, der schon ihr ganzes Leben lang in ihrem Kopf hockte und sein Unwesen trieb, herumtrippelte und aus Spaß Stecker herauszog.

Teddy ging zum Pavillon und saß dort lange auf dem Boden, sah ihr beim Schaukeln zu, und das Schlimmste war, dass er sie so sehr liebte. Wenn er seinen Verstand opfern müsste, um ihren zu retten, er würde es tun. Seine Arme und Beine verkaufen? Ohne weiteres. Sie war die einzige Liebe, die er je gekannt hatte. Nur ihretwegen hatte er den Krieg überlebt, diese furchtbare Welt überlebt. Er liebte sie mehr als sein Leben, mehr als seine Seele.

Aber er hatte sie im Stich gelassen. Er hatte seine Kinder im Stich gelassen. Er hatte das von ihnen gemeinsam aufgebaute Leben im Stich gelassen, weil er sich geweigert hatte, Dolores so zu sehen, wie sie wirklich war, einzusehen, dass ihre Geisteskrankheit nicht ihre Schuld war, dass sie keine Gewalt darüber hatte, dass sie kein Beweis charakterlicher Schwäche oder fehlender Stärke war.

Er hatte sich geweigert, das zu verstehen, denn wenn sie wirklich seine einzig wahre Liebe war, sein unsterbliches Pendant, was sagte das dann über seinen Verstand, über seine geistige Gesundheit, seine charakterliche Schwäche?

Deshalb hatte er sich versteckt, vor ihr versteckt. Er hatte sie allein gelassen, seine einzig wahre Liebe, hatte zugelassen, dass ihr Verstand sich selbst auffraß.

Er sah ihr beim Schaukeln zu. O Gott, wie sehr er sie liebte.

Er liebte sie (und das beschämte ihn sehr) mehr als seine Söhne.

Auch mehr als Rachel?

Vielleicht nicht. Das vielleicht nicht.

Er sah, wie Rachel in den Armen ihrer Mutter zum Wasser getragen wurde. Die Augen seiner Tochter weiteten sich, als Dolores in den See stieg.

Er sah seine Frau an, sah noch immer seine Tochter vor sich und dachte: *Du grausames, grausames, geisteskrankes Tier.*

Teddy saß im Pavillon auf dem Boden und weinte. Er wusste nicht, wie lange. Er weinte und sah Dolores vor sich, wie sie auf der Veranda sitzt, als er ihr Blumen schenkt, Dolores, die sich in den Flitterwochen über die Schulter nach ihm umschaut, Dolores in ihrem violetten Kleid, Dolores schwanger mit Edward, Dolores, die eine Wimper von seiner Wange tupft, als sie sich aus seiner Umarmung löst, Dolores, die sich in seinen Armen windet, um ihm einen Kuss auf die Hand zu drücken, Dolores, die ihn anlacht, ihm ihr Sonntagmorgenlachen schenkt, und dann ihr Gesicht um diese großen Augen, das plötzlich zerbricht, und sie sieht so verängstigt und einsam aus, immer war ein Teil von ihr so einsam, immer …

Mit zitternden Knien stand er auf.

Er setzte sich neben seine Frau, und sie sagte: »Du bist mein lieber Mann.«

»Nein«, sagte er, »bin ich nicht.«

»Doch.« Sie nahm seine Hand. »Du liebst mich. Das weiß ich. Ich weiß, dass du nicht perfekt bist.«

Was hatten Daniel und Rachel gedacht, als sie aufwachten, weil ihre Mutter sie mit einem Strick an den Händen fesselte? Als sie ihr in die Augen sahen?

»O mein Gott.«

»Wirklich. Aber du bist mein. Und du gibst dir Mühe.«

»Ach, Schatz«, sagte er, »bitte red nicht weiter.«

Und Edward. Edward war bestimmt davongelaufen. Sie musste ihn durchs Haus gejagt haben.

Jetzt war sie fröhlich, glücklich. »Komm«, sagte sie, »bringen wir sie in die Küche.«

»Was?«

Sie setzte sich rittlings auf seinen Schoß, drückte ihn an ihren nassen Körper. »Komm, wir setzen sie an den Tisch, Andrew.« Sie küsste ihn auf die Augenlider.

Er hielt sie fest, drückte sie an sich und weinte an ihrer Schulter.

»Sie sollen unsere Puppen sein«, sagte sie. »Wir machen sie trocken.«

»Was?«, murmelte er.

»Wir ziehen sie um«, flüsterte sie ihm ins Ohr.

Er konnte sich nicht vorstellen, dass sie in einer Zelle saß, in einer weißen Gummizelle mit einem kleinen Sichtfenster in der Tür.

»Sie dürfen heute Nacht bei uns im Bett schlafen.«

»Hör bitte auf zu reden.«

»Nur heute Nacht.«

»Bitte.«

»Und morgen können wir mit ihnen ein Picknick machen.«

»Wenn du mich je geliebt hast …« Teddy sah die drei am Ufer liegen.

»Ich habe dich immer geliebt, mein Schatz.«

»Wenn du mich je geliebt hast, dann hör jetzt auf zu reden«, sagte Teddy.

Er wollte zu seinen Kindern, wollte sie lebendig machen, sie fortbringen, fort von ihr.

Dolores griff nach seiner Dienstwaffe.

Er umklammerte ihre Hand.

»Ich brauche deine Liebe«, sagte sie. »Du musst mich befreien.«

Sie zog an seinem Revolver, aber er nahm ihre Hand herunter. Er sah ihr in die Augen. Sie waren so hell, dass es weh tat. Es waren nicht die Augen eines Menschen. Vielleicht die eines Hundes. Oder eines Wolfs.

Nach dem Krieg, nach Dachau, hatte er geschworen, er würde nie wieder jemanden töten, es sei denn, ihm bliebe keine andere Wahl. Es sei denn, der andere habe schon auf ihn angelegt. Nur dann.

Er konnte keinen weiteren Tod ertragen. Er konnte es nicht.

Sie zog an seiner Waffe, ihre Augen wurden noch heller, und wieder schob er ihre Hand fort.

Er blickte zum Seeufer hinüber, wo die Kinder säuberlich, Schulter an Schulter, aufgereiht lagen.

Er zog den Revolver aus dem Holster. Zeigte ihn ihr.

Sie biss sich auf die Lippe, weinte, nickte. Sie schaute hoch zur Decke des Pavillons. Sie sagte: »Wir tun so, als ob sie bei uns sind. Wir baden sie, Andrew.«

Da setzte er ihr den Lauf auf den Bauch, seine Hand zitterte, seine Lippen zitterten, und er sagte: »Ich liebe dich, Dolores.«

Und selbst in dem Moment, als er ihr die Waffe auf den Bauch setzte, war er überzeugt, dass er es nicht konnte.

Sie schaute an sich hinunter, als sei sie überrascht, noch da zu sein, ihn noch vor sich zu haben. »Ich liebe dich auch. Ich liebe dich so sehr. Ich liebe dich wie –«

Da drückte er ab. Das Geräusch trat aus ihren Augen, Luft platzte ihr aus dem Hals, sie legte die Hand auf das Loch im Bauch und sah ihn an, mit der anderen Hand griff sie ihm ins Haar.

Und als es aus ihr rann, zog er sie an sich, sie erschlaffte, und er hielt sie fest, hielt sie fest und weinte seine schreckliche Liebe in ihr verblichenes Kleid.

Im Dunkel setzte er sich auf und roch die Zigarette, noch ehe er die Glut sah. Sie glomm auf, als Sheehan an der Zigarette zog. Sheehan beobachtete ihn.

Er selbst saß im Bett und weinte. Er konnte nicht aufhören. Er rief ihren Namen. Er sagte: »Rachel, Rachel, Rachel.«

Er sah ihre Augen, die hoch zu den Wolken schauten, und ihr Haar, das um sie herum trieb.

Als die Krämpfe verklungen, die Tränen getrocknet waren, fragte Sheehan: »Welche Rachel?«

»Rachel Laeddis«, sagte er.

»Und wer sind Sie?«

»Andrew«, sagte er. »Ich heiße Andrew Laeddis.«

Sheehan knipste ein kleines Licht an, das Cawley und einen Wärter hinter den Gitterstäben offenbarte. Der Wärter hatte ihnen den Rücken zugekehrt, aber Cawley hielt die Stäbe umklammert und sah in die Zelle.

»Warum sind Sie hier?«

Er nahm das Taschentuch von Sheehan entgegen und wischte sich übers Gesicht.

»Warum sind Sie hier?«, wiederholte Cawley.

»Weil ich meine Frau getötet habe.«

»Und warum haben Sie das getan?«

»Weil sie unsere Kinder getötet hat und ihren Frieden brauchte.«

»Sind Sie ein U.S.-Marshal?«, fragte Sheehan.

»Nein. War ich mal. Jetzt nicht mehr.«

»Seit wann sind Sie hier?«

»Seit dem 3. Mai 1952.«

»Wer war Rachel Laeddis?«

»Meine Tochter. Sie war vier Jahre alt.«

»Wer ist Rachel Solando?«

»Niemand. Ich habe sie mir ausgedacht.«

»Warum?«, fragte Cawley.

Teddy schüttelte den Kopf.

»Warum?«, wiederholte Cawley.

»Weiß ich nicht, ich weiß es nicht …«

»Doch, Andrew, das wissen Sie. Sagen Sie es mir.«

»Ich kann nicht.«

»Doch, Sie können es.«

Teddy umklammerte seinen Kopf und wiegte sich vor und zurück. »Bitte, ich will es nicht sagen, bitte nicht, Doktor.«

Cawley umklammerte die Gitterstäbe. »Ich muss es hören, Andrew.«

Er sah Cawley hinter den Stäben und wäre am liebsten auf ihn losgegangen und hätte ihm die Nase abgebissen.

»Weil«, sagte er und hielt inne. Er räusperte sich, spuckte auf den Boden. »Weil ich den Gedanken nicht ertragen kann, zugelassen zu haben, dass meine Frau unsere Kinder tötete. Ich habe alle Warnungen missachtet. Ich habe einfach die Augen davor verschlossen. Ich habe die Kinder selbst umgebracht, weil ich Dolores keine Hilfe geholt habe.«

»Und?«

»Und das zu wissen, ist zu viel für mich. Damit kann ich nicht leben.«

»Aber Sie müssen es. Das müssen Sie einsehen.«

Er nickte. Er zog die Knie an die Brust.

Sheehan sah sich über die Schulter nach Cawley um, der sich hinter dem Gitter eine Zigarette anzündete. Er ließ Teddy nicht aus den Augen.

»Ich habe eine Befürchtung, Andrew. Wir waren schon mal so weit. Genau an dieser Stelle waren wir schon vor neun Monaten. Und dann haben Sie sich zurückentwickelt. Rapide.«

»Das tut mir Leid.«

»Das weiß ich zu schätzen«, sagte Cawley, »aber eine Entschuldigung hilft mir jetzt nicht weiter. Ich muss wissen, dass Sie die Realität akzeptieren. Keiner von uns kann sich eine erneute Regression leisten.«

Teddy sah Cawley an, diesen zu dünnen Mann mit den großen Schatten unter den Augen. Der gekommen war, ihn zu retten. Vielleicht der einzig wahre Freund, den er je gehabt hatte.

Wieder sah er den Knall des Schusses in ihren Augen, fühlte die nassen Handgelenke seines Sohnes, als er dessen

Arme vor der Brust verschränkte, wieder sah er das Haar seiner Tochter, das er ihr mit dem Zeigefinger aus der Stirn strich.

»Diesmal habe ich keine Regression«, sagte er. »Ich heiße Andrew Laeddis. Im Frühjahr 1952 habe ich meine Frau Dolores getötet ...«

25

ALS ER ERWACHTE, schien die Sonne ins Zimmer.

Er setzte sich auf und schaute zu den Gitterstäben hinüber, aber es waren keine da. Da war nur ein Fenster, niedriger als in der Zelle. Er begriff, dass er nicht in der Zelle war, sondern im oberen Etagenbett des Zimmers, das er sich mit Trey und Bibby geteilt hatte.

Es war niemand da. Er sprang vom Bett, machte den Schrank auf und fand seine Kleidung, frisch aus der Wäscherei. Er zog sie an. Er ging zum Fenster, setzte einen Fuß aufs Sims, um den Schuh zu schnüren. Er sah nach draußen in den Hof, wo Patienten, Pfleger und Wärter herumliefen. Einige schlenderten vor dem Krankenhaus umher, andere waren mit den Aufräumarbeiten beschäftigt, wieder andere pflegten die Überreste der Rosenbüsche entlang des Fundaments.

Beim Schnüren des zweiten Schuhs musterte er seine Hände. Unerschütterlich. Sein Blick war so klar wie damals als Kind, sein Kopf ebenfalls.

Er verließ das Zimmer und ging die Treppe hinunter nach draußen in den Hof. Im überdachten Gang traf er Schwester Marino. Sie lächelte ihn an und sagte: »Morgen!«

»Und was für eine schöner«, gab er zurück.

»Wunderschön. Wahrscheinlich hat der Hurrikan den Sommer weggepustet.«

Er stützte sich auf die Brüstung und schaute in den baby-augenblauen Himmel, er roch eine Frische in der Luft, die es seit Juni nicht mehr gegeben hatte.

»Schönen Tag noch«, sagte Schwester Marino und ging weiter. Er sah ihr nach und dachte, es sei vielleicht ein Zeichen seiner Heilung, dass ihm ihre schwingenden Hüften gefielen.

Er ging in den Hof, vorbei an Pflegern, die ihren freien Tag hatten und mit einem Ball spielten. Sie winkten ihm zu, sagten »Guten Morgen«, und er winkte und grüßte zurück.

Er hörte die Fähre hupen, die sich dem Anleger näherte, und auf dem Rasen vor dem Krankenhaus standen Cawley und der Direktor und unterhielten sich. Sie nickten ihm zu, er nickte zurück.

Er setzte sich auf die Eingangstreppe des Krankenhauses, betrachtete alles und fühlte sich so gut wie schon lange nicht mehr.

»Hier!«

Er nahm die Zigarette, schob sie sich zwischen die Lippen, beugte sich zur Flamme vor und roch den Gasgestank des Zippo, bevor es wieder zuschnappte.

»Wie geht's uns heute Morgen?«

»Gut. Und dir?« Tief sog er den Rauch ein.

»Kann nicht klagen.«

Er merkte, dass Cawley und der Direktor sie beobachteten.

»Ob wir wohl je herausbekommen, was der Direktor da für ein Buch bei sich trägt?«

»Nee. Bekommen wir vielleicht bis an unser Lebensende nicht raus.«

»Das ist jammerschade.«

»Vielleicht gibt's auf dieser Erde Dinge, die wir nicht wissen sollen. Sieh's doch mal so.«

»Interessante Theorie.«

»Na, ich versuch's mal.«

Er zog an der Zigarette und stellte fest, dass der Tabak süß schmeckte. Er war reichhaltiger und schmeckte lange nach.

»Und, was machen wir als nächstes?«, fragte er.

»Musst du mir sagen, Chef.«

Er grinste Chuck an. Die beiden saßen in der Morgensonne, hatten es sich bequem gemacht und taten, als sei mit der Welt alles im Lot.

»Wir müssen irgendwie von dieser Insel runter«, sagte Teddy. »Unseren Arsch Richtung Heimat bewegen.«

Chuck nickte. »Hab mir gedacht, dass du so was sagst.«

»Und? Vorschläge?«

»Muss ich mal kurz drüber nachdenken«, sagte Chuck.

Teddy nickte und lehnte sich gegen die Stufen. Er hatte Zeit. Auch länger. Chuck hob die Hand und schüttelte gleichzeitig den Kopf. Cawley nickte ihnen zu, dann sagte er etwas zum Direktor, und die beiden steuerten über den Rasen auf Teddy zu, vier Pfleger schlossen sich ihnen an, einer hielt ein weißes Bündel in der Hand, aus Stoff, Teddy meinte, darin Metall in der Sonne blitzen zu sehen, als der Pfleger es auseinanderrollte.

»Ich weiß nicht, Chuck«, sagte Teddy. »Glaubst du, die sind uns auf den Fersen?«

»Nein.« Chuck legte den Kopf in den Nacken, blinzelte in die Sonne und grinste Teddy an. »Dafür sind wir zu gerissen.«

»Ja«, sagte Teddy. »Sind wir, oder?«

Danksagung

Mein Dank geht an Sheila, George Bick, Jack Driscoll, Dawn Ellenburg, Mike Flynn, Julie Anne McNary, David Robichaud und Joanna Solfrian.

Beim Verfassen dieses Romans waren drei Bücher unerlässlich: *Boston Harbor Islands* von Emily und David Kale, *Gracefully Insane*, Alex Beams Erinnerungen an das McLean Hospital, und *Mad in America*, in dem Robert Whitaker beschreibt, wie Schizophrene in den psychiatrischen Einrichtungen Amerikas mit Neuroleptika behandelt werden. Für das enorme Fachwissen bin ich den Autoren dieser Bücher zu großem Dank verpflichtet.

Und wie immer bedanke ich mich bei meiner Lektorin Claire Wachtel (so ein Glück wünsche ich jedem Schriftsteller) und bei meiner Agentin Ann Rittenberg, die mir Sinatra schenkte und damit dieses Buch.

Es war eine ganz normale
Kindheit, die Dave, Sean und
Jimmy in den Flats von Boston
verbrachten – bis zu dem Tag,
an dem etwas Schreckliches
passierte. Als Jahre später
Jimmys Tochter Katie brutal
ermordet wird, ist es Sean, der
als Polizist den Fall aufklären
muss. Seine Suche führt ihn
zurück in die Vergangenheit
der drei Freunde, eine
Welt voller vergessen
geglaubter Alpträume ...

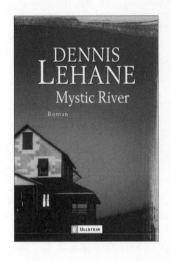

Dennis Lehane

Mystic River

Roman

ULLSTEIN TASCHENBUCH

Was ist, wenn ein Fremder Sie
auf Schritt und Tritt beobachtet? Wenn er Ihre Post liest,
Ihre Telefonate hört, jedes Wort
von Ihnen kennt, selbst wenn
Sie es nur Ihrem engsten
Freund anvertraut haben?
Schlimmer noch, wenn er weiß,
was Sie lieben und woran Sie
hängen – und es Ihnen nimmt.
Und sich dann zurücklehnt, um
zuzusehen, wie Sie allmählich
vor die Hunde gehen ...

»Dennis Lehane ist der wahre
Erbe. Man liest seine Bücher
und denkt, die ganz Großen –
Chandler, Macdonald, Parker –
haben bei jeder Seite, die er
schrieb, über ihn gewacht.«
Michael Connelly

Dennis Lehane

Regenzauber

Roman

ULLSTEIN TASCHENBUCH